11세기 또는 12세기의 것으로 추정되는
미얀마의 청동 입상

동남아의
역사와 문화

Southeast Asia: A Concise History

동남아의 역사와 문화

초판 1쇄 발행 2012년 5월 20일
초판 3쇄 발행 2023년 8월 17일

지은이 매리 하이듀즈
옮긴이 박장식 · 김동엽
펴낸이 김재광
펴낸곳 솔과학
편 집 다락방
영 업 최회선
디자인 miro1970@ hanmail.net
등 록 제02-140호 1997년 9월 22일
주 소 서울특별시 마포구 독막로 295번지 302호(염리동 삼부골든타워)
전 화 02)714-8655
팩 스 02)711-4656
E-mail solkwahak@ hanmail.net
이 역서는 2009년 정부 교육과학기술부의 재원으로 한국연구재단의 지원을 받아 수행된 결과임.(NRF-2009-362-B00016)

ISBN 979-89-92988-73-5 03091

값 23,000원

동남아의 역사와 문화

매리 하이듀즈 저
박장식·김동엽 공역

솔과학

{ 역자 서문 }

동남아를 알게 된 것은 정말 우연이었다. 내 인생에 있어서 가장 희한한 순간에 이 복잡하고도 다양하다는 동남아 세계를 접하게 되었다. 아니 정확하게 말하자면, 동남아 이전에 미얀마라는 나라를 먼저 만난 것이었다. 착실히 다져왔던 인도 공부를 고스란히 접고 새로 시작하는 설렘을 품고 우여곡절 끝에 미얀마어를 배우러 멀고도 가까운 이상한 나라 일본으로 건너간 것이 벌써 30년이 가까워 온다.

코넬대에서 박사학위를 받고 인도네시아 역사와 정치 및 화인 연구에 주력해 왔던 하이듀즈(Mary Somers Heidhues)의 저작인 『동남아시아: 간추린 역사』(Southeast Asia: A Concise History)의 번역을 탈고하고 이제 그 뒤풀이하는 심정으로 적어야 하는 이 찰나에 문득 미얀마와의 조우가 생각난다. 무작정 뛰어들어 공부했던 미얀마어에 산스끄리뜨어나 빨리어의 말들이 숨어있고 인도인들의 전통적 문화가 배어있다는 사실에 흥분을 감추지 못했던 그 때의 기억이 새록새록 난다. 그 동안 배웠던 것이 헛되게 사라진 것이 아니라 오히려 도움이 되고 있다는 표현할 수 없을 정도의 희열, 아직도 정확하게 느낄 수 있다.

역자의 동남아 연구는 그렇게 시작되었다. 미얀마에 입국하기 위해선 방콕이나 쿠알라룸푸르 혹은 하노이를 경유해야 하듯이, 미얀마 역사를 배우면 태국을 비롯하여 동남아 각지가 언급되고, 심지어는 인도, 중국은 기본이고, 포르투갈, 영국 같은 유럽 국가도 만나게 되었다. 전 세계가 수렴되어 마치 무지개처럼 온갖 색채가 나타나는 곳이 미얀마요, 나아가 동남아였던 것이다. 그러니 한 곳에 머물러 있어선 도무지 속이 차지 않는 것이 동남아에 뛰어든 학자들의 심정일 것이다. 그러나 한 국가도 제대로 이해하기 쉬운 일이 아닐진대, 동남아 전체상을 파헤쳐보려는 작정은 한마디로 무모한 일이었다. 일종의 호기심에서 시작된 동남아 공부는 시작부터 고난이었다. 다시 말하자면, 전부를 아는 것은 불가능해 보였다. 하지만, 동남아라는 용어가 존재하고 그것이 어떤 의미로든 통용되고 있는 한 그 말의 존재이유에 도전해야 하는 것이 역자에게는 절대적인 가치였다.

하이듀즈의 저서는 심오한 깊이를 갖고 있지 않지만, 참으로 읽을 때마다 간결함에서 오는 그녀의 지적 통찰력을 느낄 수 있다. 감히 이보다 쉽게 동남

아를 해명할 수 있는 저서가 있을까 싶다. 교양과목 '동남아의 이해'를 가르치면서 학생들에게 이 책을 번역해 교재로 사용해야겠다는 생각은 오래 전의 일이다. 그보다 번역을 재촉한 것은 한국연구재단의 HK지원사업에 선정된 동남아지역원장의 일을 맡으면서 동남아 전체를 개별국가가 아닌 하나의 지역단위로 인식하는 적절한 개론서가 필요했기 때문이었다. 그런 목적에 부합하는 최적의 '지침서'로 하이듀즈의 저서는 전혀 부족함이 없다. 이 책의 지적 구도는 역사가 중심이지만, 실제로는 문화적 요소가 적절히 가미되어 있어 (역서의 제목을『동남아의 역사와 문화』로 정한 것은 이러한 연유이다), 열린 세계 혹은 교차로 성격의 동남아 전체의 판도를 쉽게 그릴 수 있다. 그 근본적인 개방성을 이해하지 못한다면, 동남아를 안다고 절대로 말할 수 없을 것이다. 인위적인 경계에 둘러싸인 국가 하나만을 줄곧 들여다본다면, 눈을 감은 채 코끼리를 만지는 격이 될 것이며 우물 안의 개구리처럼 하늘을 둥글다고 생각하는 우매함을 인정하는 셈이다.

본 역서는 동남아지역원의 HK연구교수 김동엽 박사와의 공동 작품이다.

번역의 기준을 정하고 그것에 입각해서 번역이 '반역'이 되지 않도록 최대한 노력을 기울였다. 성질이 급하여 차분하게 들여다보지 못하는 역자가 가지지 못한 김 박사의 꼼꼼함이 이 책을 반듯하게 만드는데 크게 기여하였다. 김 박사와 함께 출판의 기쁨을 가장 크게 나누고 싶다. 이번 역서에서는 몇 가지 원칙을 정하였다. 우선, 가능하다면 원어를 그대로 사용할 것이 아니라 이해가 빠른 우리말로 대체하고자 하였다. 산스끄리뜨어 '보디삿뜨와'는 '보살'로 바꾼 것이 그것이다. 둘째로는 용어의 발음을 옮기는 데(전사)에 있어서 동남아 현지어의 발음을 중시했다는 것이다. 인도네시아의 수도인 '자카르타'를 이 역서에서는 '자까르따'로 표기하였다. 프랑스어의 철자법으로 쓰인 라오스의 수도 'Vientiane'은 당연히 프랑스어도 '비안짠'에 가깝다. 그런데 영어식으로 읽으니 라오인들 아무도 알아듣지 못하는 (물론 지금은 그렇지도 않지만) '비엔티엔'이라는 발음이 탄생하였다. 이런 것이 한두 가지가 아니다. 한 나라의 수도 명칭을 역자들이 이번 기회에 바꾸어보겠다는 강한 의지의 발로에서 비롯된 것이 아니라, 그저 동남아 현지어가 지닌 고유한 음성적 특징을 그대로 표현해 보자는 생각에서 시작한 것이었다. '부산'을 영어로 'Pusan'이라고 전사하면 실제 영어 발음은 '푸산'으로 되니 'Busan'으로 변경한 것과 비슷한 맥락이다. 셋째로 대체로 식민지주의를 경험한 동남아는 식민지 세력에 의해 생성된 독특한 어법이 있어 이것을 현지 중심의 고유한 표현으로 바꾸고자 하였다. 예를 들어, '버마'의 용어는 그 역사적 의의를 무론하고 '미얀마'로 고쳤으며, '이라와디' 강은 '에야워디' 강으로 바꾸었다. 동남아 현지의 입장을 중시하는 이러한 원칙에 입각하여 번역을 시도하였지만, 여전히 해결할 수 없는 경우가 많이 남아있다.

번역을 마치고 출판을 위해 원고를 넘기기까지 수고해 준 분들이 많다. 우선, 동남아지역원의 연구인력들의 노고에 감사드린다. 특히, 연구펠로들이 며칠 동안 오자와 빠진 글자들을 찾아주고 색인작업과 수차례에 걸친 교정에 헌신해 주었다. 그 이전부터 교재를 사용하는 수강생의 입장에서 글을 읽어주고 지적해 준 제자에게 감사함을 표하고 싶다. 초고를 읽어준 HK연구교수와 현지어 발음교정에 도움을 아끼지 않은 공동연구원들에게도 고마운 마음 가득하다. 하지만, 역서의 내용에 대해서는 전적으로 역자들에게 책임이 있다. 이 책의 한국어판 출판을 기꺼이 허락해 준 Thames & Hudson 출판사의 관계자들과 저자인 까닭에 수도 없는 질문에 정성껏 답해주신 하이듀즈 박사에게도 감사하고 싶다. 좋은 책으로 만들어 주신 솔과학의 관계자 여러 분께도 감사를 빼놓을 수 없다. 마지막으로 번역에 참여한 김 박사도 같은 마음일 것인데, 그 동안 번역으로 인하여 대화 단절과 무관심을 묵묵히 참아주고 후원해 준 아내와 함께 출판의 기쁨을 나누고자 한다.

2012년 5월 2일 역자를 대표하여

박장식

[목 차]

[들어가기]

얼핏 보면 동남아는 굉장한 다양성과 명백한 구분이 존재하는 것 같다. 좀 자세히 살펴보면, 근본적인 유사성과 뚜렷한 통일성이 나타난다. 종교와 역사 및 정치가 동남아의 사람과 국가를 극도로 다양하게 만들었음에도 불구하고, 이 지역은 위치와 기후 및 많은 공통적인 문화적 특징들로 인하여 본질적으로 결합되어 있었다.

동남아를 방문한 여행객이라면 곧장 발견하겠지만, 거의 모든 동남아는 무덥고 습한 열대 기후이다. 몬순 계절풍이 바뀜에 따라 건기와 우기가 각각 반년씩 번갈아 지속되며, 우기에는 심한 강우가 찾아온다. 풍향의 변화는 해상 무역과 여행도 가능하게 한다. 여기에는 예외도 있다. 예를 들어, 산지는 기온이 낮아지고, 북부 베트남은 약간 차가운 겨울이 찾아온다. 적도 가까운 곳에서는 몬순이 분명하지 않아 비가 연중 내리기 때문에 삼림이 울창하여 초기 정착에 불리한 적도 기후대를 형성한다. 예를 들어, 수마뜨라와 보르네오가 이 경우에 해당하며, 오늘날에도 이곳에는 인도네시아 군도의 타지역에 비해 인구가 드물다. 그 반면에 동부 인도네시아에서는 건기가 오래 지속되어 벼농사는 거의 할 수 없어 사고(sago) (요즘에는 옥수수) 같은 다른 작물을 주식으로 한다.

완벽하지 않지만 유용한 구분으로 대륙부와 도서부 동남아가 있다. 전자는 아시아 대륙의 한 부분이고, 후자는 제도(諸島)를 넘어 태평양과 호주로 펼쳐진다. 대륙부 지역은 국가로는 베트남, 캄보디아, 라오스, 태국 및 미얀마를 포함한다. 도서부 지역은 필리핀, 인도네시아, 말레이시아, 싱가포르 및 브루나이로 구성된다(2002년 동띠모르가 독립하여 도서부에 포함됨-역주). 서부 말레이시아는 반도로 대륙부에 붙어있지만, 그곳의 종교, 언어 및 역사는 분명히 이웃 도서부와 연결된다. 역사적으로 대륙부 국가들은 일반적으로 벼농사를 하는 농경민을 다스렸고, 도서부 국가들은 해상 교역으로 이익을 취하였다. 넓은 의미에서 불교는 대륙부의 주요 종교이며, 그 반면 이슬람교는 도서부 동남아의 대부분에 퍼져있다.

강우와 물은 이 지역에 있어서 생활방식에 영향을 미쳐왔다. 거대한 강들은 대륙부 동남아를 관통하고, 주요한 것으로는 미얀마에 에야워디와 땅르윙 강이 있고, 태국에 차오프라야 강이 있고, 북부 베트남에는 홍 강이 있으며, 남부 중국에서 발원하여 남중국해로 흘러 들어가는 큰 규모의 메콩 강이 있다. 이 강들은 대륙부 동남아의 교통 동맥이다. 강들 사이에 놓여 있는 산들은 지역을 구분하여 베트남어, 크메르어, 타이어 및 미얀마어 등의 서로 다른 언어를 지닌 구별된 문화지대를 형성하게 했다.

이와 대조적으로 바다는 도서부 동남아의 섬들을 구분하면서도 연결하여, 계절풍의 도움으로 빈번하고 편리한 교통을 제공한다. 이러한 접촉의 용이성에 힘입어, 말레이반도, 인도네시아 군도 및 필리핀의 문화와 언어는 서로 관련성이 있다. 하지만, 분명히 다른 문화를 지닌 소수종족이 군도의 안쪽에 남아있고, 마찬가지로 대륙부의 산지에서도 같은 양상이 엿보인다.

극심한 강우 또한 적절한 치수로 인하여 특히 저지대에서는 집약적인 관개 벼농사를 가능케 한다. 벼는 이곳 풍경의 중요한 부분을 차지한다. 보통 맛스러운 반찬과 함께 어우러지는 쌀은 대부분의 동남아 식탁에서 가장 중요한 요소이다.

동남아인들은 또 다른 공통적인 문화 요소를 공유한다. 대부분이 호칭에 친족 용어를 사용하는데, '2인칭'이 아닌 화자와 청자가 계층 관계에 있어서 지위와 관련된 말을 이용한다. 자바어는 한층 나아가 계층의 감정을 전달하는데, 화자와 청자의 상대적인 지위를 암시하는 어휘를 사용한다.

역사적으로 동남아의 여성은 사회적 자유를 누렸다. 적어도 엄격한 이슬람교나 기독교와 같은 세계 종교가 여성들의 활동을 제한하기 이전에 이미 재산을 소유하고, 시장 활동에 참가하며, 여왕으로서 통치도 가능했다. 동남아의 친족

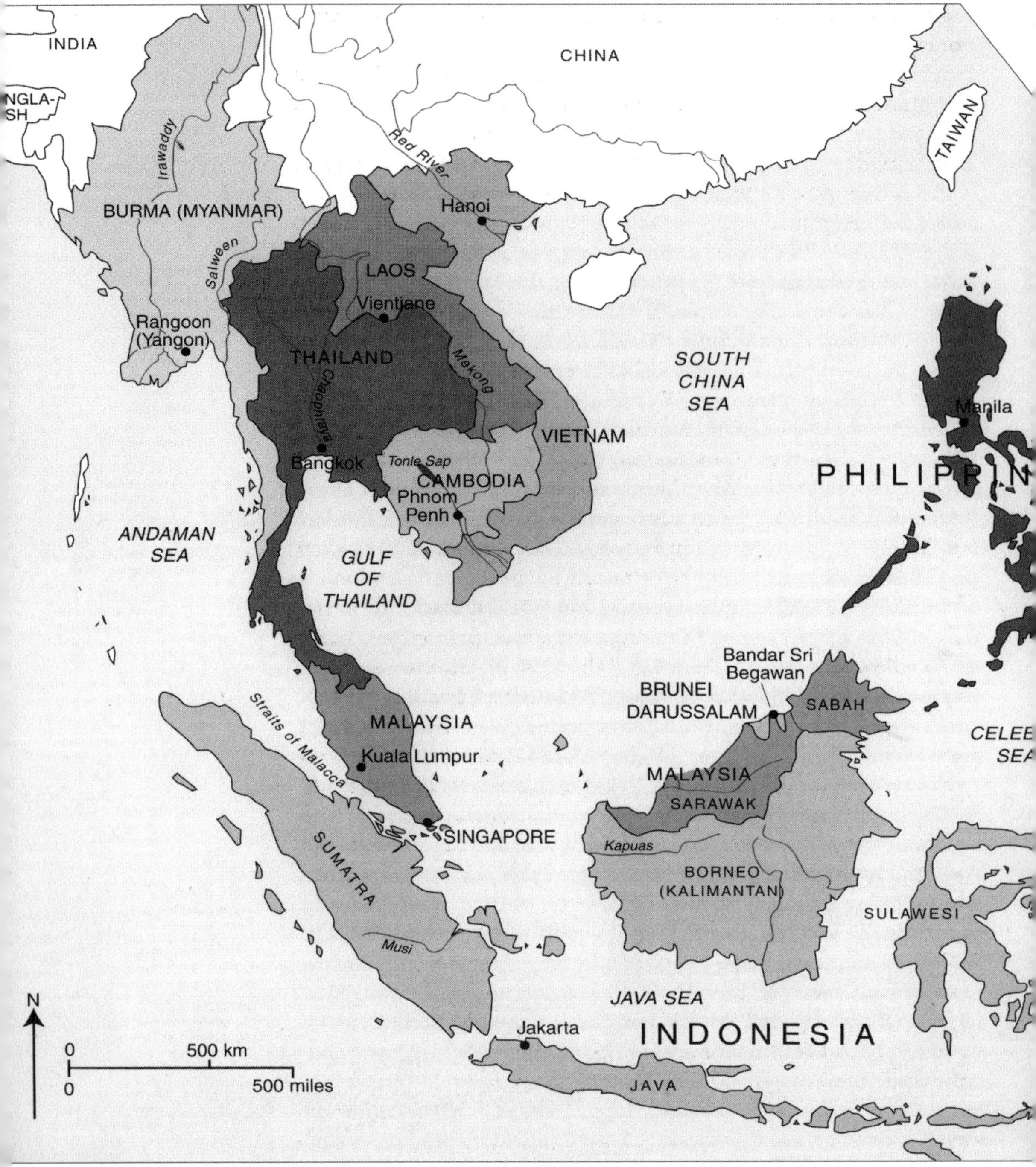
INDIA
CHINA
NGLA-
SH
TAIWAN
Irawaddy
Red River
BURMA (MYANMAR)
Hanoi
Salween
LAOS
Vientiane
Rangoon
(Yangon)
THAILAND
Chaophraya
Mekong
SOUTH
CHINA
SEA
Manila
VIETNAM
Bangkok
Tonle Sap
CAMBODIA
PHILIPPIN
Phnom
Penh
ANDAMAN
SEA
GULF
OF
THAILAND
Bandar Sri
Begawan
BRUNEI
DARUSSALAM
SABAH
Straits of Malacca
MALAYSIA
CELEB
SEA
Kuala Lumpur
MALAYSIA
SARAWAK
SINGAPORE
SUMATRA
Kapuas
BORNEO
(KALIMANTAN)
SULAWESI
Musi
JAVA SEA
N
Jakarta
INDONESIA
0
500 km
0
500 miles
JAVA

제도 역시 남성의 가계를 강조하는 중국과는 대조적으로 부계와 모계의 친척을 동일시 여긴다.

역사를 통하여 동남아에는 굉장한 다양성이 도입되었다. 이 지역은 서기 1세기부터 주변의 강대국인 중국과 인도간의 교통이 존재하여 국제무역의 교차로가 되었다. 예술, 정치 및 종교에 있어서 인도의 영향이 동남아 대부분에 도래하였다. 중국과의 교역은 새로운 경제 발전과 교역국가의 탄생을 초래하여, 많은 중국인 이민자들이 나중에 이 지역에 정착하게 되었다.

세계의 모든 주요 종교가 그 흔적을 남겼다. (동남아 종교에 관한 자세한 사항은 제3장을 참조할 것) 상좌불교는 대륙부 동남아의 지배 종교이다. 많은 베트남인들은 대승불교의 신도들이며, 그들의 신앙에는 도교와 유교의 요소도 가미되어 있지만, 베트남 남부에서는 상좌불교도 나타난다. 이슬람교는 말레이반도와 인도네시아 군도의 지배 종교이다. 필리핀은 압도적으로 기독교도이다. 인도네시아의 발리섬은 자신들만의 독특한 힌두교를 고수하고 있다. 산지의 소수종족들은 여전히 자연 종교를 믿고 있지만, 시간이 흐름에 따라 일부가 저지대의 종교를 채택하거나 기독교로 개종하고 있다. 주요 종교의 우세에도 불구하고, 토착 요소와 초기 신앙은 어느 곳이든 살아있다.

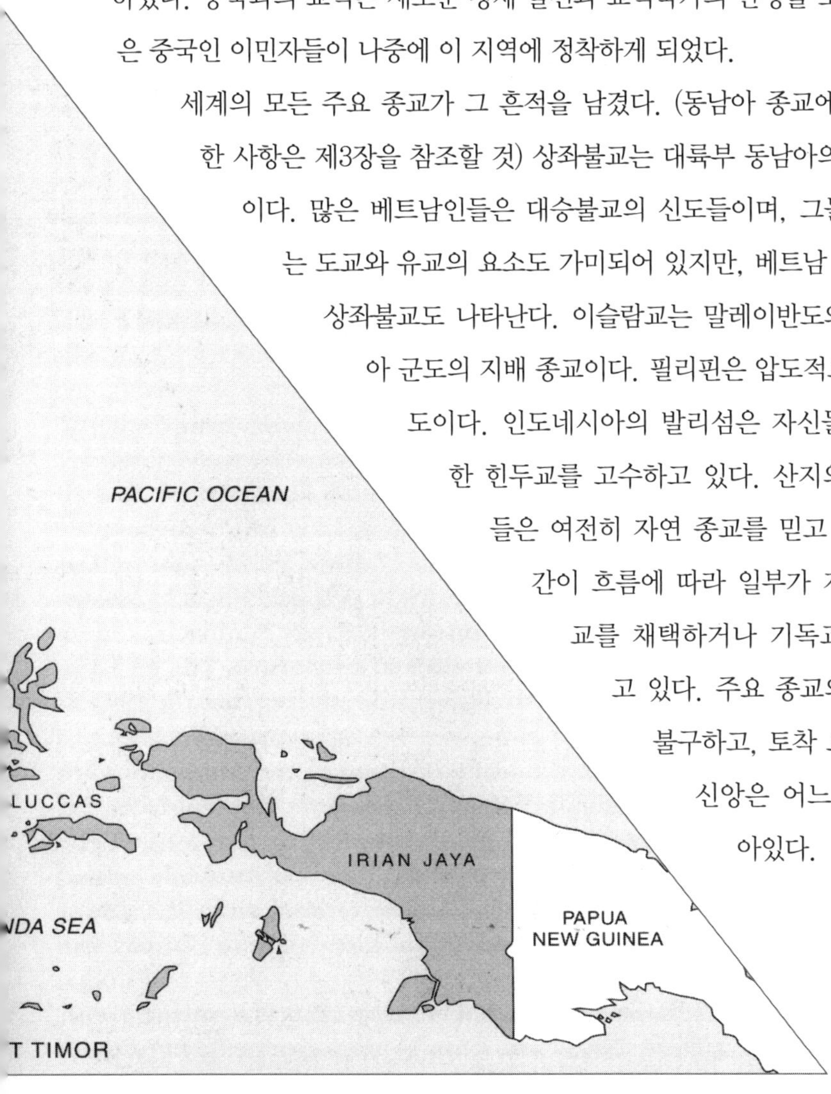

동남아는 16세기 초부터 서구 식민지 세력의 침투에 노출되었다. 포르투갈, 스페인, 네덜란드, 영국, 프랑스 및 미국 등 모두가 동남아 국가에 서로 다른 인상을 남겼다. 가장 두드러진 것으로 식민지주의는 현대 동남아 국가의 경계를 확정한 것이었다. 이러한 경계는 흔히 역사적으로나 지리적으로 분명하게 결정된 것이 아니어서 경계의 양측에 살고 있는 주변 종족집단을 포함할 수도 있다.

식민지 시대의 경계는 동남아를 분할된 상태로 만들었고, 대부분은 아직도 그렇다. 하지만, 창설 초기 5개국으로 시작하여 근래 지역 내의 모든 국가를 포함하는 동남아국가연합(Association of Southeast Asian Nations, ASEAN)은 동남아에 지역협력을 위한 기본틀을 제공하고 있다. ASEAN은 단지 정치가뿐만 아니라 학자, 사업가, 예술가 및 전문가를 규합하는 활동을 지원하고, 지역 정체성의 의미를 강화하고 있다. 식민지 세력이 현재의 동남아 국가들의 경계를 확정했다면, 이제 정치, 문화 및 경제의 역동성이 그 경계를 허물고 제한에 도전하고 있다.

현대 동남아시아

오늘날 동남아는 북쪽에서 남쪽으로 매우 다른 10개국(동띠모르가 2002년에 독립하여 현재는 11개국이다-역주)으로 구성되어 있다.

베트남은 하노이가 수도이며, 1997년 통계로 총인구는 약 6,600만 명(2010년 약 8800만 명-역주)이다. 19세기 프랑스 식민지 지배 하에서 베트남은 남북으로 3개의 행정 구역, 통킹, 안남, 코친차이나 등으로 나뉘었다. 다수종족은 베트남인이다.

라오스는 인구가 비교적 적은 약 500만 명(2010년 약 600만 명-역주)이다. 수도는 비안짠이다. 주요 종족은 라오족이지만, 다수의 주요 소수종족집단이 있다.

캄보디아의 종족은 크메르족이며, 소수종족과 베트남인, 그리고 중국인 소수집단이 공존한다. 1975년 캄보디아는 캄푸치아(캄보디아의 크메르어 발음)로 개명했다가, 1978년 수도 프놈펜에서 크메르루즈가 철수한 이후 캄보디아라는 명칭이 다시 사용되었다. 총인구는 1100만 명(2010년 약 1400만 명-역주)이 넘는다.

태국은 13세기 국가의 성립부터 1939년까지 시암으로 불렸다. 1939년에 새로운 명칭이 채택되었고, 이전에 시암족이라 불리던 사람들도 타이족이 되었다. '타이랜드'는 타이족(시암족)을 비롯하여 라오족, 미얀마의 샨족 및 베트남과 남부 중국의 소수종족을 포괄하는 언어집단인 따이어족과 함께 그 영토를 일체화하기 위함이었다. 태국의 수도는 방콕이다. 총인구는 6천만 명(2010년 약 6400만 명-역주)이 넘으며, 여기에는 상당한 중국인 소수집단(아마도 총인구의 8% 정도)과 기타 소수집단이 포함된다.

'버마'는 이 나라를 통치하는 이름으로 사용되어 왔다. 1988년 버마의 군부지도자가 국명을 공식적으로 미얀마로 변경하였다. 미얀마라는 용어는 버마라는 말의 문어체적인 표현이다. 수도 양공도 미얀마어 발음으로 수정한 것이다. 다수종족은 버마족(Burman) 또는 미얀마족으로 불린다. 미얀마의 국민은 모두 버마족이 아니며 보통 미얀마인(Burmese)이라고 한다. 소수 인도인과 중국인을 제외하고, 버마족이 아닌 다른 미얀마인 수백만 명이 있다. 야당 지도자 아웅산 수찌는 여전히 자신의 나라를 버마라고 한다. 많은 저자들도 그녀의 예를 따른다. 1997년 총인구는 약 4400만 명(2010년 약 6100만 명-역주)이다.

인도차이나는 5개의 대륙부 동남아 국가(베트남, 라오스, 캄보디아, 태국 및 미얀마)를 포괄하는 지리적 표현이지만, 대개 말레이반도는 제외한다. 프랑스령 인도차이나는 프랑스에 의해 그들의 동남아 식민지였던 라오스, 캄보디아 및 베트남의 세 지역을 일컫는 용어로 사용되었다.

필리핀은 그 명칭을 스페인 국왕 필립 2세의 이름에서 채택한 것이다. 필리핀은 1898년까지 스페인 식민지였다가 이후 미국에 의해 지배되었다. 필리핀인들은 1898년에 독립을 선언한 바 있지만, 1946년이 되어서야 비로소 온전한 독립을 이루었다. 총인구는 약 7400만 명(2010년 약 9400만 명-역주)이며,

수많은 종족집단으로 구성되며, 대부분은 말레이족과 관련성이 있다.

말레이시아는 서쪽의 말레이반도와 동쪽의 보르네오섬 북부로 구성된다. 영국의 식민지였던 말레이반도는 말라야연방으로 1957년 독립하였다. 그 후 1963년에 영국의 식민지였던 사라왁과 사바(보르네오섬) 및 싱가포르가 말라야연방에 포함되면서 말레이시아가 되었다. 1965년 싱가포르가 말레이시아에서 분리되어 독립하였다. 총인구 약 2200만 명(2010년 약 2800만 명-역주) 중에서 대략 60%가 말레이족인 반면, 약 25%가 화인이다. 다른 소수종족으로는 남아시아 출신과 보르네오의 원주민 집단이 있다. 수도는 쿠알라룸푸르이다.

싱가포르는 1965년 독립 공화국이 되었고, 인구 300만 명(2010년 약 500만 명-역주)이 약간 넘는 도시국가이다. 총인구의 75% 이상이 중국인 출신이며, 나머지는 거의 말레이족이거나 남아시아인이다.

브루나이 다루살람은 이슬람 술탄국으로 그 이름은 보르네오섬에서 차용한 것이며, 인구는 30만 명(2010년 약 40만 명-역주)이 조금 넘는다. 대부분의 거주민은 말레이족이지만, 총인구의 20% 정도는 중국인 소수집단이다. 1984년까지 영국 보호령이었으며, 수도는 반다르 세리 베가완이다.

인도네시아는 1945년 독립을 선포했지만, 네덜란드는 4년 뒤에야 그 주권을 인정했다. 인도네시아의 영토는 이전 네덜란드령 동인도제도를 포함한다. 수도인 자까르따는 네덜란드 식민지 시대에 바타비아로 불렸다. 동남아에서 가장 큰 국가이며 세계에서도 큰 국가에 속한다. 총인구는 2억(2010년 약 23800만 명-역주)이 넘고, 군도는 유럽 또는 미국의 영토와 비교할 정도이다. 인도네시아인들은 많은 종족집단으로 분류할 수 있으며, 그 중에서 가장 큰 집단은 자바인, 순다인, 발리인, 마두라인, 미낭까바우인 및 부기스인 등을 들 수 있다. 그러나 그 어떤 집단도 총인구의 절반을 넘지 못한다. 거의 모든 국민들이 말레이어와 관련된 언어를 구사하며, 국어인 바하사 인도네시아는 실질적으로 말레이시아의 국어인 바하사 말레이시아(현대 말레이어)와 동일하다.

동띠모르는 이전 포르투갈의 식민지였으며, 수도는 딜리로, 1975년 인도네시아에 의해 합병되었다. 그러나 이 합병은 유럽연합이나 유엔에 의해 인정받지 못했다. 1999년 8월 실시된 국민투표에서 거의 80만 명이 독립에 찬성하여 동남아의 11번 째 국가가 되었다. 투표 이후에 친인도네시아 '의용군' 집단이 살인과 방화로 동띠모르 전역을 공포에 떨게 하였다. 유엔이 평화유지군을 파견해 유혈 사태를 진압하고 독립을 보장하였다.

동남아 역사

동남아의 국가 단위는 규모, 인구밀도, 부(富), 정부형태, 종교, 전통 및 식민지 경험에서 크게 차이가 나기 때문에 이 지역에 관한 많은 역사서는 개별 국가에 집중되었고 지역 전체에 영향을 줄 만한 공통 주제에 집중된 것은 없었다. 동남아를 하나의 역사적 지역으로 간주하는 참신한 개념은 홀(D.G.E. Hall)의 『동남아의 역사』(History of Southeast Asia)로 1955년 무렵 출판되었다. 홀의 저서는 한 권으로 이 지역의 이질적인 경험을 연결하는 최초의 것으로 보인다. 그 이후 역사학자들은 과감하게 국가적 접근을 포기하고 가능하다면 지역을 확대하여 살펴보는 데에 경주하였다. 니콜라스 탈링(Nicholas Tarling)이 편집한 『캠브리지 동남아의 역사』(Cambridge History of Southeast Asia) 같은 저서들과 앤서니 리드(Anthony Reid)의 저작 중에서 특히 『교역의 시대 동남아』(Southeast Asia in the Age of Commerce, 문헌 정보는 뒤쪽의 '간추린 참고문헌'편을 참조할 것)는 이 지역의 많은 공통점을 발굴하여 이제 온전히 국가별로 접근하는 것이 부적절하도록 만들었다.

본서에서는 개별국가 경험의 중요성을 무시하지 않는 지역적 접근방법을 사용할 것이다. 본서가 동남아 역사의 전반적인 개요를 제공한다는 목적을 띠고 있지만, 저자의 특별한 관심이 근대 인도네시아에 있다는 점을 간과할 수 없다. 본서가 타 지역을 무시하는 쪽으로 나가지 않기를 바랄 뿐이다. 마지막으로 각 장은 엄격한 시간적 순서를 따르지 않았다. 이는 모든 역사적 주제가 지속성을 가지며, 과거는 끊임없이 현재 속에 살아 있기 때문이다. 본서의 목적은 독자들로 하여금 이 지역에 대해 좀 더 알기를 원하도록 만드는 것이다. 이를 위해 본서의 끝부분에 도움이 될 만한 도서의 목록을 첨부하였다.

철자 표기

본서에서는 전문가적인 언어표기를 사용하지 않는다. 베트남어와 산스끄리뜨어의 표현은 부호를 사용하지 않을 것이다. 타이어의 철자는 야트(Wyatt, 1984)의 표기를 따랐다. 인도네시아어-말레이어의 용어는 가장 최근의 철자법(1972년부터 사용됨)에 따라 표기하였지만, 이전의 인물과 기관(Soekarno가 아닌 Sukarno; Masjumi가 아닌 Masyumi)의 철자를 사용하는 것도 있다. 독자들이 주의해야 할 것은 인도네시아 전 대통령들인 수까르노와 수하르또를 포함한 많은 동남아인들은 오직 이름만 가지고 있다는 사실이다. 그 반면 많은 나라에서는 성과 이름 중 이름으로 개인을 지칭하는 것이 보통이다.

중국어에 대해서는 널리 알려진 표현(예로 Taoism)을 제외하고, (중국어에 익숙하지 않은 사람들에게는 발음의 어려움이 있음에도 불구하고) 북경어 병음 표기법을 사용한다.

복수형은 관련된 언어의 용법이 아닐지라도 일반적으로 's'를 붙인다. 본서의 글에서는 외국어 용어를 가능한 배제하려고 노력하고, 피할 수 없는 경우에 사용한 용어는 뒤에 첨부한다.

제1장

수로(水路): 초기 정착지에서 1차 해상왕국의 성립까지

빙하가 지표수를 흡수하여, 해수면이 낮아졌던 선사시대에는 보르네오와 인도네시아 서쪽 제도(자바, 수마뜨라, 발리)가 대륙부와 연결이 되어, 인간을 비롯한 동식물들이 쉽게 건너갈 수 있었다. 기후가 온난해지면서 해수면이 상승하자, 이러한 제도들은 아시아의 대륙부와 분리되었다. 아마도 수천 년 전에 이르러, 도서부의 거주자들은 항해자로 변신하였고 바다에는 이들의 이동을 막을 장벽이 없었다. 역사시대에 들어와서 어업, 무역 및 항해는 도서부뿐만 아니라 대륙부 동남아인에게도 주요한 활동이 되었다.

동남아에 있어서 인류 거주의 흔적은 수십만 년 전으로 거슬러 올라가지만, 불과 지난 사오천 년 전에 가장 최근의 동남아인의 조상이 지금의 지역에 이르렀고 초기 인류 정착자의 자취를 남겼다. 그 이후에 도래하였던 사람들은 중국 남쪽과 남서쪽으로 흐르는 강을 따라 인도차이나 반도로 내려갔거나 중국을 거쳐 좁은 해안가를 따라 남하하였다. 일부는 지금의 타이완으로 건너가 그곳에서 필리핀과 그 배후 지역으로 이주하였다.

선사시대의 흔적

동남아의 선사 흔적은 여전히 발견되고 있는 중이며, 이에 대한 논쟁, 가설 및 학술적 추론이 난무한 상태이다. 오늘날에도 울창한 숲이 이 지역의 대부분을 뒤덮고 있다. 초기 인류는 철기를 사용하지 않아 나무를 벨 수 없었을 것이며, 그런 정글에서는 아마도 야생 식물과 동물을 채집과 수렵할 수 있는 극히 소수만이 생존했을 것이다. 조건이 좀 더 양호한 지역인 해안가와 강둑 혹은 동굴이나 숲이 조밀하지 않은 충적토 평원(특히 일반적으로 건조한 기후가 나타난 시기나 장소)에 인류 정착지가 형성되었고, 처음으로 석기를 사용하였다.

대륙부에서 발견되는 여러 정착지 중에서 베트남 하노이 근처 호아빈(원래는 호아손빈) 주의 이름을 딴 거주자들에게서 그 첫 흔적이 나타난다. 호아빈인의 매우 정교한 돌도끼와 칼은 밀림의 경계에 들어갈 수 있게 하여 거의 사냥과 채집으로 생존 가능케 하였다. 이렇게 비교적 이동이 잦은 사람들의 유물은 동굴과 바위 거주지에서 발견되며, 그 시기는 기원전 10,000년 전으로 추정된다. 또 다른 초기 수렵가들은 아마도 해안가를 따라 정착했을 것으로 추정되지만, 해수면의 상승으로 인하여 이들의 정착지 흔적은 수장되었다.

물과 습한 열대 기후는 초기 동남아인의 많은 유적을 파괴해 왔다. 최근에도 이들은 대나무, 목재 및 풀로 만든 주거지에 살았고, 썩기 쉬운 재료로 만든 도구나 접시를 사용하여 고고학자들의 노력에도 그 흔적을 찾아볼 수 없게 되었다. 기록이 시작되었지만, 이것 또한 곧장 없어져 버렸다. 대부분의 기록은 야자수의 잎을 이용하였지만, 흔적도 없이 사라져 버렸다.

동남아인

사람들의 이동은 항상 동남아에서 중요한 역할을 해 왔으며, 오늘날에도 그것이 지니는 의미는 변함없다. 학자들의 주장에 따르면, 현대 동남아인들의 조상은 남부 몽골인종으로 양쯔강 이남의 중국 지역 또는 북부 동남아에서 점차 분산되었다고 한다. 그들은 적어도 4,000년 전에 정착하기 시작했다. 중국과 동남아 경계는 이제 중요한 정치적 구분이 되었지만, 초기에는 중국 남부지역은 문화적으로나 환경적으로나 동남아의 일부분이었다. 확장을 거듭하던 중국 제국이 기원전 1000년 동안 이 남부지역을 중국의 문화와 정체 속에 흡수하였다. 오늘날에도 몇몇 종족들이 중국 국경에 걸쳐 살고 있으며, 중국인을 동남아인들과 연결하는 역할을 담당하고 있다.

태국, 서부 말레이시아, 필리핀에 거주하는 극히 일부의 니그리토(Negrito) 및 뉴기니와 그 인근 제도에 살고 있는 멜라네시아인(Melanesian)만이 앞에서 언급한 유형에 맞지 않는다. 많은 동부 인도네시아인들도 멜라네시아인과 남부 몽골인종의 혼합적 특징을 나타내며, 몇몇 종족은 멜라네시아어를 여전히 사용하고 있다.

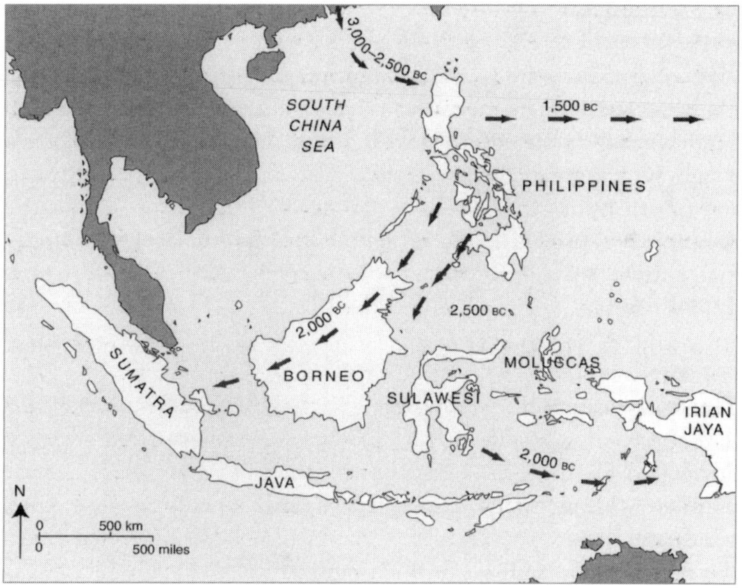

[1-1] 오스트로네시아인의 동남아 및 태평양을 향한 초기 이주 상황.

동남아에는 두 개의 지배적인 어족, 즉 오스트로아시아어족(Austroasiatic)과 오스트로네시아어족(Austronesian)이 있다. 오늘날 언어학자들은 이들 어족이 궁극적으로 중국 내의 어떤 한 지역에서 분파된 것으로 믿고 있다. 이들 두 어족은 사오천 년 전 거의 동시대에 중국 남부지역을 떠난 서로 다른 이주 집단이 사용하였다. 대륙부 동남아에 정착한 이주민들은 오스트로아시아어족의 언어를 구사하였다. 오늘날 이 어족에는 캄보디아(크메르족), 베트남, 버마와 태국의 일부(몽족) 및 라오스와 인도 북부지역의 소수집단의 언어가 속한다. 또한, 대륙부 동남아에는 오스트로아시아어족에 속하지 않는 일련의 언어가 존재한다. 언어학자들은 일반적으로 이들 언어들을 따이어족(태국, 라오스 및 인근의 지역에서 사용됨), 티베트-버마어족(거의 현 버마에서 사용됨), 먀오야오어족(태국과 인도차이나 지역의 소수종족이 사용함)으로 분류하고 있다. 이들 언어도 지난 1,000년 사이에 중국 남부지역에서 이주해 온 사람들의 것이다. 오늘날 중국 남부지역의 소수종족들도 이 언어를 사용하고 있다.

두 번째 이주집단은 5,000년 전에 중국을 떠나 타이완으로 향했다. 이들은 오스트로네시아어족의 언어를 사용했으며, 항해술을 지니고 있었다. 그 후손들은 소집단을 이루어 필리핀을 거쳐 술라웨시, 보르네오, 그 외 도서부 동남아 각지로 흩어졌으며, 아마도 자바에는 기원전 1,000년경에 도착한 것으로 여겨진다. 여러 고고학적 증거들이 이러한 확산의 사실을 입증해 준다. 예를 들어, 동일한 유형의 토기가 필리핀을 통하여 인도네시아 남쪽에 걸쳐 연속적으로 발견되고 있다. 결과적으로 오스트로네시아 언어사용자들은 마다가스카르에서 하와이와 뉴질랜드를 포함하는 원호 속의 엄청난 지역에 거주하고 있다. 오늘날 오스트로네시아어족은 무엇보다 근대 말레이어, 인도네시아어, 필리핀어, 및 참어(한때 베트남 남부지역을 지배했던 대륙부 동남아의 해안 거주 종족의 언어)를 포괄하는 말레이-폴리네시아 계통의 언어들을 포함한다. 타이완의 원주민과 대륙부의 일부 소수종족의 언어들도 이 어족과 친근 관계에 있다.

농업과 금속공예

중국에서 건너온 초기 이주민들이 아마도 농업 기술을 가져와서, 특히 벼농사 기술을 동남아 대륙부의 비옥한 환경 속에서 발전시켰을 것이다. 하지만, 벼농사는 그곳에서 독립적으로 발전된 것 같다. 이미 기원전 3,000년에서 2,000년 사이의 고고학적 발굴지에서 벼의 재배와 폭넓은 토기 사용의 흔적이 나타나고 있다.

농업의 발전과 함께 인구 밀도가 증가하였다. 대륙부 중에서도 특히 기원전 3,000년경에 농경사회가 나타났던 태국의 코랏(Khorat) 고원지대에서는 쌀의 수확을 보장하기 위한 치수관리의 초기 흔적들이 보인다. 나중에 철기가 도입되면서, 정착촌은 확대되어 갔고 농업도 보다 집약화 되었다. 소나 물소 같은 동물도 사육되었다. 이들 정착지는 해자로 둘러싸였는데, 아마도 방어 목적으로 구축되었겠지만, 이러한 수리시설은 벼농사 목적으로 만들어진 저수지와 수로에 연결되어 있었다.

[1–2] 등잔을 들고 무릎을 꿇고 있는 인물상, 베트남 북부의 동썬 근처 무덤에서 출토되었으며 기원전 4~2세기의 것으로 추정됨. 이 청동 인물상은 그 유명한 동썬북이 제작되었던 시기와도 같으며, 그 당시 베트남 야금술의 수준을 짐작케 하는 증거물이기도 하다.

기원전 2,000년에서 500년 사이에 대륙부 동남아인들은 청동기를 사용했고, 한 세기 이후에는 철기를 사용하기 시작하였다. 청동기 제작이 동남아에서 독립적으로 이루어진 것인지, 아니면 중국에서 도입된 것인지 하는 문제는 여전히 논쟁의 대상이다. (도서부에서는 청동과 철이 기원전 500년경에 대륙부보다 늦게 혹은 거의 동시에 나타났다.) 교역이 증가하였고, 기원전 500년경 원거리 물물교환에는 중국과 인도도 포함되었다. 매장 풍습도 더욱 정교해졌으며, 어떤 무덤에서 발굴된 망자의 부장품 양과 질은 사회적 특성을 보여주는 증거가 되고 있다. 청동의 도입은 특히 부와 권력에 관한 개념을 제공한 것 같고, 철은 보다 효율적인 무기 생산을 촉진시켰다. 기원전 500년경에는 소규모의 정착지가 족장의 지배하에 보다 큰 규모로 통합되기 시작했다.

지금까지 발견된 동남아 청동기 중에서 가장 인상적인 것은 기원전 600년경에서 서기 3세기 후반까지 북부 베트남 타인호아(Thanh Hoa) 주의 동썬(Dongson)에서 제작된 이른바 동썬 또는 헤거(Heger) I형의 청동북이다. 높이 1m에 이르는 것도 있는 이 장엄한 금속북은 원래 윤남 지역에서 개발된 형태에 그 기원을 두고 있다고 여겨지기도 하지만, 사실 동남아 고유의 청동기이다. 발굴조사 자료는 그 당시 베트남 홍강(Red River) 유역에 있어서 청동기 제작의 범위와 질을 확인해 주고 있다. 청동기 주조기술(lost-wax method)로 정교하게 제작된 동썬북은 무게가 100kg에 이르는 것도 있으며 악기나 의례용품으로 사용되었다. 기하학적 문양, 일상생활과 전쟁의 장면, 동물과 새, 특히 뛰어난 배 문양으로 장식된 청동북은 교역물과 가보로 등장하였다. 200년 이상 동안 인도네시아 동부 및 중국 남부 지역에 이르기까지 동남아 전역에 걸쳐 발견되었다. 이러한 지리적 산재는 수 세기에 걸쳐 이루어졌는데, 각 지역의 지배자들이 진

[1-3] 오른쪽, 동썬북 윗면의 정교한 기하학적 문양, 가운데 햇살을 인간과 새가 둘러싸고 있는 모습이다. 왼쪽, 지배자의 권위적 상징물이기도 했던 동썬북은 베트남 북부 지역에서 제작되었고, 동남아 전역에 걸쳐 약 200개가 발견되었다. 동썬북의 수려함과 확연한 영력을 감지한 사람들이 약간 다른 패턴을 사용하여 이와 유사한 청동북을 제작하기도 했다.

기한 명품인 청동북을 왕권의 상징물로 여겨 매입하거나 탈취한 데에서 비롯되었다.

제작 지역에서 멀리 떨어진 곳에서 발견되는 각종의 청동기들이 의미하는 바는 동남아인들 사이에 교역과 접촉이 활발하게 이루어지고 있었다는 사실이다. 자바와 발리에서는 대륙부보다 늦은 시기에 청동 제작기술이 도입되었지만, 서기 첫 천년에 걸쳐 다양한 예술품과 일상용기들이 양산되었다. 여기에는 약간 다른 방식으로 제작된 것으로 보이지만, 동썬의 것과 유사한 청동북도 포함되어 있다. 역시 서기 첫 천년 사이에 축조되었다고 여겨지는 수마뜨라 남부의 빠스마(Pasemah) 고원의 거석(巨石)에는 동썬북을 든 남자의 모습이 나타난다. 당시의 교역은 동남아 지역에만 국한된 것은 아니었다. 발리 북부에서 발견된 토기로 보아, 인도의 물품이 2,000년 전 이미 이 지역에 도래했다는 사실을 알려준다.

초기 국가와 인도의 영향

농업, 교역, 수로, 초기 마을과 사회적 차이는 초기 동남아 국가형성에 토대가 되었다. 교역을 따라 새로운 곡물, 예술공예품 및 왕권과 통치의 개념들이 도입되었고, 최초의 해상 왕국이 발흥하였다.

16세기에 유럽인들이 동남아를 방문하였을 때, 초기 국가들의 흔적은 거의 남아있지 않았으며, 현지인들도 그러한 사실을 잊고 있었던 것 같았다. 이것은 특히 기후와 식물이 초기 인류가 성취하였던 흔적을 급속히 지워버린 도서부 동남아에서 두드러진다. 학자들이 도서부 동남아를 지칭하는 중국어 용어인 남양(南洋), 즉 남쪽 해양에 관한 중국 기록을 들여다보기 시작하면서 비로소 과거 존재했던

[1-4] 공중에서 바라본 보로부두르 사원의 기하학적 형태는 만다라와 유사하다. 순례자가 사각형의 테라스를 올라가 중앙에 위치한 가장 높은 자리의 탑을 향해 갈수록 영적 감흥은 높아진다. 작은 위성정착지로 둘러싸인 중심지에 권력이 강력히 집중되었던 초기 동남아 국가들도 이러한 만다라로 기술되고 있다.

교역 국가들의 정체를 밝히게 되었다. 각종 유적이나 비문을 통하여 그러한 사실이 확인되었고, 고고학적 조사의 진전으로 점차 '잃어버린 왕국'에 관한 더 많은 사실이 발견되었지만, 이들 국가의 모습은 새로운 발견으로 인하여 계속 수정되고 있는 실정이다.

이들 초기 국가에 관한 가장 설득력 있는 설명은 역사학자 올리버 월터즈(Oliver Wolters)에 의해 제기되었다. 그는 최초의 동남아 국가들에 있어서 권력은 확립된 왕통에서 세습된 것이 아니라 개인적인 영적 자질에 기초하고 있다고 주장하였다. 월터즈의 논점은 초기 동남아 국가는 자신의 뛰어난 영적 자질을 추종자들에게 확신시킬 수 있는 그의 용어로 이른바 '유력가(men of prowess)'를 중심으로 소규모의 정착지 그룹이 연합하여 성립하였다는 것이다. 그러면, 인근 정착지는 그 유력가의 압도적인 분위기를 인식하고, 자신들의 보호나 지위 상승을 도모하기 위하여 그와 제휴하게 되는 것이다. 유력가는 사망한 후 추앙받는 조상으로 격상되어 일정 기간 집단 전체의 결속을 유지하게 만든다. 그런 인물을 위한 초기 기념물이 현재 남아있다. 연합 정착지는 중앙의 정착촌을 중심으로 영력의 기하학적 모형인 만다라(mandala)를 형성한다. 만다라의 문자적 의미는 중심(manda, 만다)과 주변(la, 라)이지만, 그 외에도 많은 뜻을 내포하고 있다. 예를 들어, 불교와 힌두교에서 만다라는 신도들이 악령에서 벗어나 조용히 명상할 수 있는 공간과 같은 신성한 장소로서 신들의 기하학적 배치이기도 하다. 또한, 만다라 형태는 지정학적 연합체로 표현되기도 한다. 이러한 이상적인 왕국은 외부로부터의 위협이나 악영향으로부터 스스로를 보호한다. 중앙에는 지배자가 위치하며, 그 주변을 둘러싸고 있는 신하들은 휘하에 있는 또 다른 만다라의 중심이기도 하다.

그러나 이것이 초기 국가의 기본 원리라고 한다면, 그 구조는 본질적으로 불안정한 상태였다. 이것은 초기 지배자들의 문화적 요소

들을 통해 쉽게 관찰할 수 있다. 서기 400년경부터 동남아 전반에 걸쳐 성립된 비문과 유적에서 인도의 문자 체계, 힌두 신과 여신, 특히 종교와 정치 분야에 있어서 산스크리트어의 어휘 차용 및 인도 예술이 폭넓게 사용되었다는 사실을 알 수 있다. 지배자들은 자신을 인도의 신과 동격화하기 시작하였다. 인도의 영향을 이토록 받았지만 이 지역에 인도 식민지의 존재가 알려진 바 없다는 사실을 두고 보면 더욱 놀랄 만한 일이다.

인도화의 기원에 관한 논의는 계속되고 있지만, 기원전 1,500년경 이후에 동남아 상인들이 처음으로 인도로 건너간 것으로 추정한다. 그리고 서기 1세기에 동남아 지배자들이 그들의 권위와 권력을 강화하기 위하여 산스크리트어, 인도 문자 및 힌두교와 한때 불교 신앙을 차용하였다. 이들은 새로운 지식을 제공하고, 위대한 지배자를 창출하고, 시바(가장 알려진 힌두신)와 비시누 그리고 붓다의 도를 가르칠 수 있는 인도 브라만 사제와 경전을 도입하였다. 종교적 수행 방법, 즉 고행과 명상은 지배자의 무용(武勇)과 영적 능력을 증가시키는 수단이었으며, 현지의 전통과도 아주 잘 맞았다. 동남아 지배자들에게 있어서 인도화는 권력과 정당성을 획득하는 하나의 방법이었다. 인도화는 그들의 목적에 맞게끔 충실히 적용되었지만, 인도 고유의 것 그대로 도입된 것은 아니었다.

[1-5] 앙코르 인근 하리하라라야에 자리한 9세기 바콩 사원의 힌두신 시바의 초기 형태 조각. 초기 동남아 지배자들의 대부분은 자신을 널리 숭배되었던 시바로 간주하였고, 때론 초기 힌두교 관습이나 다른 힌두신 또는 불교의 신앙과 결합하기도 했다.

푸난

동남아의 교역국가가 증가함에 따라 중국과도 접촉하였고, 이윽고 조공특사나 교역사절을 중국 왕실에 보냈다. 이러한 사절단에 관한 중국 왕실의 기록을 살펴보면, 역사가는 몇몇 초기 왕국들의 진상을 파악할 수 있다. 중국 측에서 보면, 문명 세계의 황제에게 공물을 바치는 속국의 사자(使者)들이었다. 이와 달리, 동남아인의 관점에서는 조공사절 파견은 중국 왕도에서 교역할 기회를 얻을 뿐만 아니라 자국에서 권위를 내세우기 원하는 지배자가 중국의 후원을 입을 수 있는 수단이기도 했다. 동남아가 무질서하고 혼돈한 시기에는 조공사절의 파견은 빈번하였고, 지배가 안정되고 위협받지 않는 상황에서는 줄어들었다.

중국 사료에 따르면, 초기 동남아 해상 교역국가로 푸난(Funan, 扶南)을 언급하고 있다. 푸난은 3세기경 베트남 남부와 캄보디아에 위치한 국가의 중국식 명칭이다. 중국인 기록에서 푸난은 영토적 경계를 지닌 국가로 추정하지만, 몇 개의 항구들로 구성된 느슨한 연합체일 가능성도 있다. 현재의 베트남과 캄보디아 국경 근처에 있는 옥에오(Oc-eo)의 발굴 결과, 중국기록과 마찬가지로 중요한 정착지가 존재했음이 확인되었다. 고고학자들은 내륙에 위치한 옥에오에서 태국만을 연결하는 운하의 증거를 찾아냈다. 그들은 옥에오의 정착지가 2세기에서 6세기까지 중국과 인도 사이의 교역을 위한 중계지의 역할을 수행했다고 믿고 있다.

[1-6] 태국만 연안의 옥에오에서 발견된 주석판으로 제작된 로마 동전. 학자들은 옥에오가 중요한 교역 중심지였고, 중국인들이 푸난으로 불렀던 국가에 속하는 곳으로 믿는다.

[1-7] 초기 동남아 왕국과 사적지.

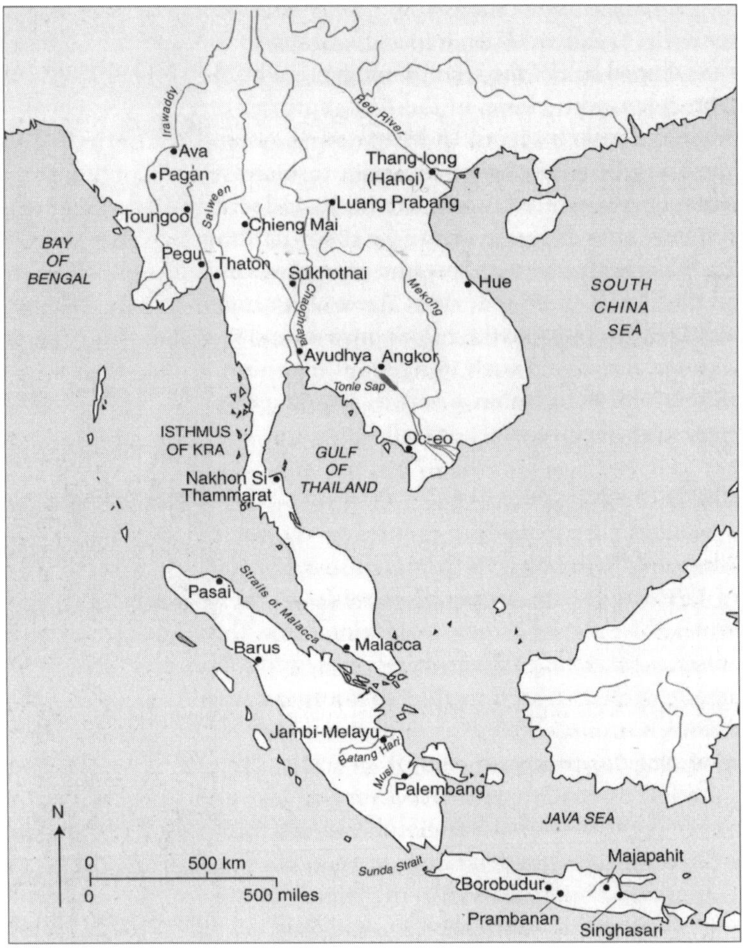

초기 해상 교역자들은 해안선을 따라 항해했기 때문에 옥에오는 인도차이나반도의 굽은 곳에 자리한 전략적 요충지였다. 그곳은 내륙 깊숙이 들어가 있어 피난 항구의 역할을 하였고, 그 주변에는 방문객들에게 쌀을 공급할 충분한 농토가 있었다. 또한, 인도, 근동 및 서양의 끝자락 로마를 중국과 연결하는 해상 실크로드의 선상에 있었다. 당시에 이 해로는 말레이반도를 돌아가지 않고, 지금의 태국 남부지역인 끄라 지협(Isthmus of Kra)에서 육로로 건너갔다. 중앙아시아를 통과하는 전통적인 육상 실크로드 교역이 정치적 혼란으로 중단되자 그 대안으로 등장한 이 해로는 초기 동남아 교역국가의 탄생에 직접적인 요인이 되었다. 푸난이 중국 황제에게 진상한 공물을 보면 푸난의 교역선이 얼마나 튼튼한 것이었는지 알 수 있는데, 한번은 코끼리를 보냈고, 다음에는 코뿔소를 보냈다고 한다.

[1-8] 해상 왕국이었던 참빠는 베트남과 크메르 팽창에 따라 사라지게 되었다. 참빠의 가장 유명한 유물은 베트남 남부의 미손에 있으며, 그곳 사원과 함께 강한 인도 영향력을 보여준다. 지금은 거의 무슬림인 소수 참족이 베트남 남부지역에 여전히 남아있다.

참빠

교역국가 푸난은 근대 캄보디아의 전신으로 간주하지만, 최근의 연구 결과를 보면 17세기까지 현재의 베트남 남부지역을 지배했던 참빠(Champa, 占城)의 선조로 인식되고 있다. 지금의 캄보디아를 지배 계승한 크메르족('크메르'는 '밀림거주자'의 의미를 지님)은 참족과 달리 해안가가 아닌 내륙 깊숙한 곳에 거주했다. 하지만, 중국 기록에서는 참빠라는 명칭은 8세기에만 등장하기 때문에 푸난과 참빠의 관계는 여전히 모호하다.

참족은 도서부 동남아 대부분의 언어와 공통적인 오스트로네시아어족에 속한다. 학자

들의 견해로는 인도의 종교와 예술에 강한 영향을 받은 참빠는 산지에 의해 서로 분리된 섬 같이 고립된 정착지의 집단이라고 여기지만, 동쪽으로는 바다로 열려있다. 결론적으로 참빠는 대륙부에 위치하고 있음에도 불구하고 도서부 또는 '다도해' 국가와 공통점이 많다. 바다를 유랑하다시피 하는 사람들을 포함하여 상호 분리된 공동체들 사이에 시기별로 다른 중심세력이 등장하여 패권을 행사했다. 게다가, 참족은 산지 소수집단과 물물교환을 하면서 이들을 자신들의 국가 구조에 편입시키는 후기 해상교역왕국의 행태와 유사하게 교역과 수출을 행하였다.

오늘날 참족은 힌두교도 혹은 무슬림(말레이족과의 관계를 강조함)이며, 프랑스 식민지배기에는 식민관리들이 그들을 '말레이족'으로 언급할 때도 있었다. 이들의 역사는 현재에도 거의 기록된 것이 없으며, 다른 말레이 국가와의 관계도 전혀 연구된 바 없지만, 참빠를 인도 문화의 영향 하에서 중국과 교역을 한 초기 해상교역국가에 포함시키는 것이 타당할 것 같다.

스리비자야

인도네시아 다도해에서 건너온 말레이 항해자들은 푸난을 방문하였다. 그들은 자신들의 상품을 이국시장에 내놓았다. 열대림에서 채취한 수지(aromatic resin, 근동지방의 유향과 몰약의 대체품), 장뇌(camphor), 백단향(sandalwood), 육두구(nutmeg)와 정향(clove)과 같은 향신료가 그것이었다. 인도와 중국에서는 이들 상품을 반겼고, 말레이족도 그곳의 항구를 찾기 시작했다. 중국 사료에서는 동남아 선박은 중국 남부에서 수 톤의 화물을 싣고 신속하게 인도로 건너갈 수 있었다고 기록하고 있다. 그래서 아시아 중계무역에는 부분적이긴 하지만 항해술이 개선된 말레이 선박으로 보다 먼 장거리 교역이 가능해진 이후에 인도차이나반도(푸난 포함)를 경유하지 않고 도서부로 직접 가거나 말라까(Malacca) 해협을 통과하는 교역로가 발달했다. 게다가, 인도에서 영향력을 행사하게 된 불교는 힌두교와는 달리 포교의 성격을 띠어 이것이 인도인의 해외여행을 독려하게 되었다.

이런 결과로 6세기경에 해상실크로드는 그 양상이 달라졌다. 국제간 교역에 이용된 대부분의 선박은 끄라 지협을 통한 물산 운송을 중단하고 말라까 해협을 통과하기 시작했다. 푸난과 그 주변지역은 곧 수마뜨라에 기반을 둔 스리비자야(Srivijaya) 왕국과 내륙의 초기 크메르 국가에 의해 그 존재가 가리게 되었다.

스리비자야는 오로지 중국 기록을 통하여 역사학자들에게 처음으로 알려졌다. 그 후 19세기와 20세기에 산스크리트어를 차용한 고대 말레이어와 인도 문자로 기록된 많은 비문들이 수마뜨라 남부 빨렘방(Palembang) 주변과 그 인근 제도 및 저 멀리 태국의 나컨씨탐마랏(Nakhon Si Thammarat)에서 발견되었다. 7세기에서 8세기에 걸친 시기의 이 비문들로 인하여 학자들(특히 조르쥬 세데스 George Coedès)은 스리비자야의 존재를 확인하고, 그곳 지배자들의 이름을 거론하며, 그 내부 조직에 관하여 기술할 수 있게 되었다. 그전까지만 해도 스리비자야에 대한 고고학적 유물 출토가 드문 양상에 이르자, 일부 역사학자들은 스리비자야의 중심지가 일부 학자의 주장대로 과연 수마뜨라섬의 남부지역인지에 대하여 의문을 품었다. 오늘날 물론 유일한 왕도는 아니었지만 스리비자야의 첫 왕도로 수마뜨라 남부의 항구인 빨렘방에 대한 증거는 확고하다. 빨렘방에 대한 최근의 발굴조사에서 많은 양의 중국 당나라(7세기~9세기)시대의 도자기와 10세기 것인 큰 불상을 비롯한 엄청난 크기의 힌두 코끼리 신 가네샤(Ganesha)가 그 모습을 드러냈다.

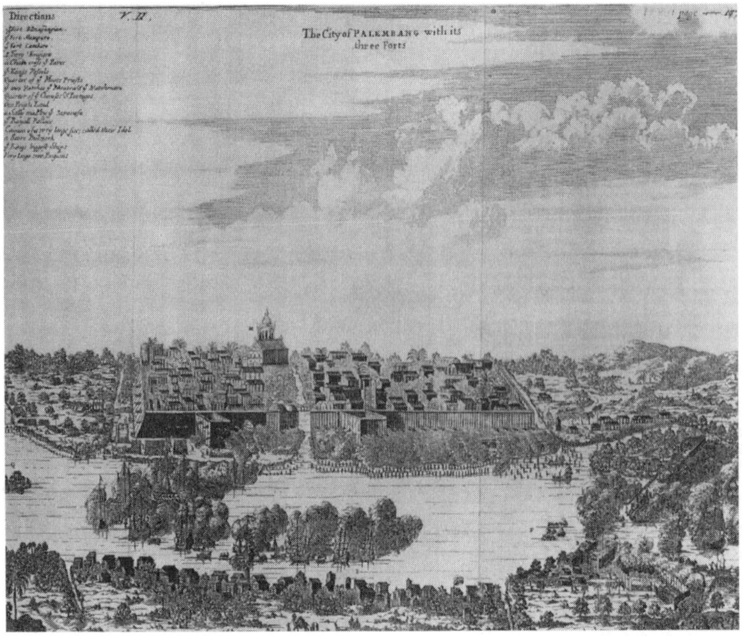

[1-9] 스리비자야의 이전 왕도이자 네덜란드의 교역항구로 탈바꿈한 17세기 빨렘방의 전경. 오늘날에도 대양 항해 선박이 이 도시와 항구에 정박할 수 있을 정도로 무씨강은 상당히 넓다. 스리비자야의 지배자는 황금 덩어리를 부의 원천인 강에 감사 제물로 던졌다고 한다.

스리비자야는 무엇보다 교역 국가였다. 풍향이 바뀌는 몬순계절풍으로 인하여 선박은 중국에서 동남아를 거쳐 곧장 인도로 항해할 수 없었다. 원거리 교역업자들은 동남아 항구에서 풍향이 바뀔 때까지 길게는 5개월을 기다려야 그들의 화물을 최종 목적지까지 실어갈 수 있었다. 그런 항구는 해적과 폭풍을 피할 수 있는 피난처를 제공하고, 교역업자들에게 음식과 물을 공급했다. 푸난과 마찬가지로 스리비자야도 안전과 필요한 물자를 공급했다. 7세기에 빨렘방은 오늘날보다 더욱 해안에 접해 있었고, 그곳을 관통하여 흐르는 무씨강(Musi River)은 편리하고 안전한 항구시설을 제공했다. 스리비자야의 지배자들은 자신의 국가 운영 방식을 잘 이해하고 있었다. 그들은 말라까 해협의 안전을 보장하기 위하여 오랑라웃(orang laut, 때로는 해상유랑민으로 불림)과 같은 이동 선상거주민을 채용하여 해적을 격파하고, (다른 곳으로 갈 수도 있는) 교역업자들을 스리비자야

항구로 유도하였으며, 경쟁 관계에 있는 항구들을 자신의 패권 하에 두기도 하였다.

또한, 그 지배자들은 자신의 통치하에 있는 사람들을 모아 군대를 조직하였다. 7세기 후반, 스리비자야 왕은 군대를 이끌고 가장 근접한 경쟁항구였던 잠비(Jambi)를 공격하여 빨렘방의 패권을 위한 토대를 구축하였다. 당시 믈라유(Melayu, '말레이'란 용어의 기원으로 추정됨)라고 불리기도 했던 잠비는 스리비자야와 같이 수마뜨라에 위치한 항구였다. 수마뜨라 남부는 좋은 농경지대가 아니었음에도 불구하고 빨렘방 근처 무씨강을 따라 펼쳐진 저지대에서 쌀이 경작되었다. 이는 방문자들에게 식량을 공급하기 위한 방편이었으며, 더 많은 쌀은 상류 지역과 자바로부터 유입되었다.

정치 및 생태 요소를 제쳐두더라도, 종교는 스리비자야의 지배에 크게 공헌하였다. 7세기 불심이 깊었던 중국 승려 의정(I Ching, 義淨)이 인도를 향한 구법 여정 중에 스리비자야에 7년간 머물면서 그곳의 경험담을 기록으로 남겼다. 그의 기록에 의하면, 그곳 왕은 불교의 보호자로, 그 도시는 불교 연구의 중심지로 묘사되고 있다.

> **성곽도시 포시[빨렘방]에서는 천 명이 넘는 불교 승려가 있는데, 이들 마음은 온전히 공부와 선행에 두고 있다... 혹시 중국 승려가 서역에 [불경]을 이해하고 깨우치기 위하여 가길 원한다면, 이곳 포시에서 한두 해 머물며 그곳의 규칙에 따라보는 것도 좋을 것 같다. 그리고 난 후 인도 중부로 가면 된다.**

푸난처럼 스리비자야도 영토적 경계를 가진 국가는 아니었다. 정치구조는 권력을 집중시키는 형태인 만다라의 이미지로 가장 잘 설명할 수 있다. 일정 영역 안에는 서로 다른 비중을 가진 몇 개의 권력

중심이 존재하였다. 지배자는 임무는 자신을 중심으로 이들과 주종 관계를 형성하고 유지하며, 누구도 이 관계에서 벗어나서 새로운 지배자로 부상하는 것을 막는 것이다. 이러한 임무를 수행하기 위해 스리비자야에는 일련의 관리들이 존재했는데, 이들의 직함은 비문을 통하여 알려졌다.

왕은 그의 관리들과 함께 개인적으로 그 항구 도시를 다스렸다. 대부분의 관리들은 산스크리트어의 직함을 갖고 있었다. 그러나 선원들은 말레이어 직함을 사용했는데, 이는 상인들이 중국 또는 인도에서 도래하고 있을 때에도 말레이족이 해상 수송을 지배했다는 사실을 입증해 주는 증거이기도 하다. 다른 항구를 지배하는 관리들은 왕의 고용인이라기보다는 지역의 족장에 가까웠다. 그럼에도 불구하고, 스리비자야에 고용된 오랑라웃의 강력한 해군력이 이들을 장악하였고, 중국에서 값비싼 가격으로 팔리던 수마뜨라 북서부의 바루스(Barus) 토산품인 장뇌 같은 진귀한 물산의 교역 독점을 확보했던 것 같다.

만다라 체제 속의 다양한 부분들을 연결하는 느슨한 유대 관계는 그 왕국을 불안정하게 만들었다. 국왕은 왕도에서 그의 권위에 도전하는 세력가들을 제어하는 정치적 수완이 필요했다. 더불어 회유, 위협, 보상과 같은 고전적 방식의 외교술로 그의 세력 범위 안에 있는 추종자들을 다루는 것은 더욱 중요한 일이었다. 외국과의 교역으로 왕은 직물, 도자기, 청동북 같은 진귀한 명품을 획득할 수 있었고, 그것을 자신의 측근과 추종 세력가들에게 배분할 수 있었다.

무엇보다 국왕은 자신의 우월한 영적 자질을 증명할 필요가 있었다. 스리비자야의 지배자들은 그들의 권력을 뒷받침하는 말레이 전통과 불교 및 힌두교의 상징성을 적절히 혼합하는데 성공하였다. 그들에게 해상 교역의 중요성은 9세기와 10세기 아랍인의 기록에서도 나타나는데, 매일 행해지는 의식에서 지배자는 황금 덩어리를 바다에 던지며 '보라, 여기에 나의 보화가 깔려있다'고 외쳤다고 한다. 그들은 또한 '산지의 주군'이었으며, 그들 권력의 또 다른 기둥이었던 산지에는 진귀한 천연물산을 공급해 주는 상류 거주민이 살고 있었다.

스리비자야 권위의 정도를 엿볼 수 있는 비문에서도 원거리의 국가들을 세력권 하에 묶어둘 만한 세속적 권력이나 초자연적 징벌의 위협을 보여주고 있다. 그 중 일부의 비문은 링가(linga)와 요니(yoni), 즉 남성과 여성의 성기 모양이 새겨진 서약비로서 비문의 위에서 물을 부으면 충성의 맹세를 확약하는 의미로 그 물을 밑에서 받아 마시도록 되어 있다. 그 비문에는 충성하는 자에게는 보상을 약속하고, 충성을 저버리는 자에게는 보복을 가한다는 내용이 들어있다. 이런 비문 중의 하나로 빨렘방 근처 사부낑낑(Sabukingking)에서 발굴된 뜨라가 바뚜(Telaga Batu) 비문은 7개의 머리를 지닌 나가(naga, 뱀) 및 물(스리비자야의 요소)과 다산의 상징으로 장식되어 있다. 서약자는 다음과 같은 내용을 읽어야 한다.

[1-10] 빨렘방 인근에서 발견된 스리비자야의 가장 큰 높이의 7세기 떠라가 바뚜 비문. 거의 높이 1.5m에 달하는 이 비문에는 스리비자야 관리들의 명칭이 열거되며, 지배자에 대한 충성의 서약문이 새겨져 있다. 7개의 독사 머리는 흉측한 모습을 보여준다. 비문 위에서 붓는 물은 맨 밑에 있는 요니(여성의 성기)로 모아지고 서약과 함께 마셔야 한다.

> 옴! 성취! ... 너희 모두 왕의 자손, ... 족장, 군사령관, 왕의 벗, 재판관, 노동자의 관리자, 천한 신분의 관리자, 장인, 서기관, 조각가, 선장, 상인, ... 및 왕의 세탁인과 노예, 너희 모두는 이 재앙비의 저주를 받아 죽임을 당할 것이다. 만약 짐에게 불충할 경우, 너희는 그 저주로 죽임을 당할 것이다....하지만, 짐에 대하여 순종하고, 충성하며, 솔직하고, ... 죄를 범하지 않으면, 너희 자녀와 아내와 함께 처벌받지 않을 것이며 ... 너희들이 받아 마신 이 저주가 만든 열매인 영원한 평화가 내릴 것이다.

스리비자야의 권력이 미친 아주 먼 곳에는 스리비자야의 교역 조건에 따르지만 스스로 독립을 유지했던 동맹 왕국들이 있었다. 이런 사실은 충성의 서약을 맺지 않았던 나컨씨탐마랏의 비문에서 발견할 수 있으며, 아마 중부 자바도 이런 식으로 스리비자야와 동맹 관계를 맺은 것으로 보인다.

스리비자야의 세력은 7세기에서 10세기까지 유지되었다. 1025년 인도 남부의 촐라(Chola) 지역에 근거를 둔 선원들이 빨렘방을 습격하였다. 스리비자야는 살아남았지만, 과거의 영광을 회복하지 못하였다. 11세기 말 이전에 이미 스리비자야의 중심지는 바딴하리(Batan Hari)강의 잠비-믈라유 인근 항구로 옮긴 것 같다. 빨렘방은 중국과 교역을 계속 하였지만, 스리비자야의 이름이 사용된 것은 아니었다. 잠비-믈라유 쪽으로의 이동이 스리비자야의 권력을 회복시키지는 못하였다. 더불어 경쟁자들이 자바에서 근거지를 확보함에 따라 교역로는 훨씬 동쪽으로 이전되고 있었다. 13세기 말에 스리비자야 왕국은 말레이반도의 일부 지역에서 주도권을 행사했던 따이어족의 희생양으로 전락했다(85페이지 참조). 1260년 잠비-믈라유는 자바의 공격에 굴복하였고, 이때부터 자바는 이 왕국에 대한 지배권을 확립한 것으로 보인다. 잠비-믈라유는 점차 바다를 멀리하고 내륙으로 관심을 돌렸고, 이 곳에 대한 권한은 스리비자야의 마지막 왕으로 여겨지는 14세기 지배자 아디띠야와르만(Adityavarman)의 통치 하에 있던 고지대 미낭까바우(Minangkabau) 왕국으로 넘어갔다. 그는 스리비자야의 말레이계 왕자와 자바 공주 사이에서 태어난 아들이었던 것 같다. 수마뜨라로 건너가 자바의 주도권을 물리치고 고지대에서 독립된 지배자로 거듭났다.

[1-11] 시바의 악한 화신인 바이라바로 표현된 14세기 스리비자야 국왕 아디띠야와르만. 4m 높이의 밀교의 영향이 짙은 이 조각은 손에 해골과 칼을 들고 해골 주춧대 위에 서 있다. 이것은 잠비-믈라유의 고지대인 미낭까바우에서 발견되었다.

그의 종교와 정치는 빨렘방을 비롯하여 자바에서도 위세를 떨쳤던 불교의 밀교(Tantric School)에 강한 영향을 받았다. 아디띠야와르만을 시바신의 악한 화신인 바이라바(Bhairava)로 표현한 4m 높이의 조각이 1906년 미낭까바우와 경계 지역인 잠비-믈라유의 고지에서 발견되었다. 왕은 인간의 해골이 새겨진 환형 토대 위에 서 있고, 손에 두개골을 쥐고 있으며, 머리에 작은 불상을 이고 있는데, 이는 시바와 붓다를 조합한 동남아 혼합주의적 종교의 한 양상으로 자바 동부에서 건너온 것으로 추측된다. 이와 관련된 비문에서는 인간 제물의 관습이 존재했음을 암시하고 있다. 밀교 사원의 유적은 그 주변에 광범위하게 남아있다.

스리비자야의 문화는 그 정치적 영향만큼이나 강력했다. 스리비자야는 불교를 보호하고, 말레이어를 전파하여, 수마뜨라 대부분 지역과 말레이반도에서도 널리 사용되었다. 스리비자야는 말레이어가 도서부 전역에 걸친 공통어(lingua franca)로 오늘날 말레이시아, 인도네시아, 브루나이, 싱가포르의 국어로 채택되는데 그 토대를 놓았다고 역사학자들은 믿는다.

1025년 이후로 스리비자야의 외형이 잠비-믈라유로 넘어갔지만, 수마뜨라에는 많은 교역 정착지들이 새로 생겨났다. 북쪽의 몽골 침입자들로부터 압력을 받고 있었던 송나라 시기 중국의 교역 패턴이 변화하였고, 중국 무역인들은 동남아에 영구 정착지를 건설하였다. 그 가운데 수마뜨라에는 오늘날 말라까 해협의 머단

(Medan)에서 멀지 않은 곳에 꼬따 찌나(Kota Cina, 차이나타운)가 있다. 발굴 조사로 14세기까지 교역과 공예의 중심지로 활약했던 큰 규모의 도시 흔적이 드러났는데, 동남아 현지인이 아닌 중국인 정착지에서 볼 수 있는 성벽에 둘러싸여 있었다. 꼬따 찌나라는 이름이 오늘날에도 여전히 사용되고 있다는 사실에서 이주한 중국인들의 초기 도시화 과정과 그 이후에도 계속 되었을 역할을 짐작할 수 있다.

스리비자야의 유산은 15세기에 이르러 말레이반도의 말라까(Malacca, 또는 멀라까 Melaka) 항구로 계승되었다. 말라까 해협을 통하는 평화적인 교역로 확보에 다시 관심을 가지게 된 중국의 지원과 함께 말라까는 중계무역항인 스리비자야의 역할을 담당하였다. 말라까의 기원은 굳이 스리비자야의 이름을 빌리지 않아도 빨렘방 근처의 한 왕국을 통치했던 초기 지배자의 시대로 거슬러 올라간다. 이슬람으로 개종하여 술탄의 명칭을 사용했던 지배자가 통치했던 이 항구 국가도 그 지역의 주도권을 장악하기 위하여 오랑라웃을 고용하였다. 빨렘방과 다름없이 말라까는 항해를 위하여 풍향의 변화를 기다리는 외국인을 위한 안식처를 제공했다. 말라까는 각종 법률과 정치 그리고 그 문화로 인해 명성을 얻게 되면서 이 지역에서 장차 대두하게 될 말레이계 이슬람 술탄국들의 본보기가 되었다.

수로, 정착 및 교역

황금 덩어리를 바다에 수장했던 스리비자야 군주의 이미지는 모든 동남아에 걸쳐 있는 바다, 강, 물의 흐름이 지니는 엄청난 중요성을 강조하는 것이다. 스리비자야의 권력은 교역과 수로에 기초하였고, 선박과 해상 교통수단은 그 지역의 모든 해안, 도서, 강가의 사람들에게 본질적인 요소였다. 인간과 사상이 대륙부의 강줄기를 타고 확산되었다. 도서부 동남아에 있어서 섬과 섬 사이의 짧은 거리는 문화교류를 용이하게 만들었다. 프랑스 역사학자 드니스 롬바드(Denys Lombard)는 바다는 장벽이 아닌 연결 통로(la mer comme trait d'union)라고 말했지만, 큰 강도 교통과 문화 접촉의 중요한 통로였다. 보르네오같이 큰 섬에서도 최근까지 강이 거의 모든 교통수단이 되었고, 동남아의 다른 지역에 있는 메콩(Mekong)강 유역도 유사한 상황이었다. 육로 여행은 식민지배와 개발로 인해 도로가 생겨나기 이전까지 힘들고 어려운 일이었다. 현재에도 강은 주요한 교통로 역할을 하고 있다.

보트와 배는 과거와 현재에 있어서 동남아인의 생활에 지극히 중요한 요소이다. 일부 사람들은 배의 안정성을 도모하기 위하여 오늘날 폴리네시아인들의 배에서 볼 수 있는 현외장치(outrigger)를 부착하기도 했다. 어로와 교통과 같은 실용적인 사용뿐만 아니

[1-12] 현재에도 인도네시아 제도의 뱃길을 항해하고 있는 부기스 목재 선박을 배경으로 한 자까르따 항만노동자의 모습. 술라웨시의 섬에서 건너온 부기스인들은 말레이 항해자들의 옛 전통을 지키고 있다.

[1–13] 수마뜨라 북부 토바바탁의 전통 가옥은 인도네시아 제도에서 많이 발견되는 선박의 뱃머리와 유사한 뾰족한 끝 모양의 지붕을 이고 있다. 이것은 수세기 전 육지 거주자들이 배를 타고 이곳 제도로 이주했다는 사실을 암시하고 있다.

[1–14] 많은 동남아인들은 하천 유역 또는 그 수상, 혹은 캄보디아 촌락처럼 항상 홍수가 범람하는 지대에 거주하고 있다. 기둥 위에 세워진 가옥은 물에 접근하기 좋다. 지상에 있는 가옥조차 고상 형식을 취하고 있다. 이러한 고상 가옥은 통풍성이 좋고, 가옥 밑의 동물에게 그늘을 제공한다. 하지만, 베트남인과 자바인은 지표면에 가옥을 짓는다.

라 배는 동남아인들에게 현실과 신비적인 과거를 지속적으로 연결시켜준다. 배의 이름도 가끔 도서부 동남아의 정착지 명칭에서 따오기도 하며, 그들의 선조들이 배를 타고 건너오게 된 사연을 담은 이야기도 구전되고 있다. 위대한 동썬 청동북도 배를 통하여 저 멀리 베트남에서 각각의 목적지로 전해졌다. 배는 전통 예술에 있어서도 중요한 문양이다. 뱃머리와 유사한 지붕을 얹은 가옥 모양의 배가 동썬북에 묘사되고 있으며, 수마뜨라 남부 람뿡(Lampung)지역에서 생산되는 직물(ship cloth)의 문양에도 배가 나타난다.

말레이 오랑라웃은 여전히 바다에 중심을 둔 생활양식을 유지하고 있으며, 이들 중 일부는 지금도 선상에서 대부분의 생활을 영위하고 있다. 최근에 이르러, 중국과 서양 선박이 동남아의 장거리 운송을 장악하고 있다. 하지만, 도서간의 운항에 있어서는 술라웨시 남부의 부기스인들이 그들이 건조한 목재 선박으로 상당한 부분의 상품을 각 항구로 운송하고 있으며, 그들을 스리비자야의 용맹한 말레이 선원의 현대적 계승자로 간주해도 될 것 같다.

[1-15] 수마뜨라 람뿡의 의례용 '선박문양 천(ship cloth)'에도 배가 묘사되고 있다. 그 배에는 다수의 승객 및 선원과 함께 두 마리의 코끼리가 실려 있다.

영토 중심 국가가 아닌 항구 중심 국가였던 스리비자야와 말라까의 유산을 이어받은 근대 국가는 오늘날에도 말라까 해협에서 국제무역 중심지가 되고 있다. 1819년에 탄생한 싱가포르는 세계 속에서 아시아의 무역을 위한 중계지로 성장하였다. 싱가포르는 스리비자야와 매우 다른 국가 구조를 띠고 있지만, 세계로 수출하기 위하여 말레이시아와 인도네시아의 배후지에서 생산된 물산을 집하하고, 아시아와 세계의 상품을 중개하는 아주 중요한 역할을 계속 담당하고 있다.

제2장

사원과 쌀: 영토기반 왕국

대륙부 동남아의 평원지대와 비옥한 화산섬인 자바에서는 적어도 5세기 초에 여러 왕국이 발흥하였는데, 이들 왕국은 벼농사, 특히 비교적 적은 경작지에서 많은 인구의 생존을 가능케 하는 기술인 수도(wet rice, 水稻, 재배에 반드시 물이 요구되는 품종이며, 그에 반해 물이 필요하지 않은 품종을 육도(dry rice, 陸稻)라 부른다-역주) 경작에 기반을 두었다. 농업기술이 치수, 관개, 여타 수단의 보완을 통해 더욱 발달하면서, 그 왕국들은 일반적으로 무역과 국제교류에 덜 관심을 두는 영토기반 국가의 토대를 쌓게 되었다.

수도 경작은 동남아의 벼농사에 있어서 또 다른 주요 농법인 윤작 경작 또는 화전 경작에 비하여 많은 노동력을 필요로 한다. 화전 경작은 인구가 조밀하지 않은 지역에서 이루어지는데, 보통 척박하지만 개발할 여지가 많은 광활한 땅을 전제로 한다. 어떤 학자들은 수도 경작이 동남아에서 매우 오랜 역사를 지니고 있고 한층 나아가 동남아에서 시작되었다고 주장하기도 하지만, 일반적으로 그 농업기술은 중국에서 건너온 초기 이주민들이 가져온 것이며 화전 경작은 그보다 더 오래된 것으로 여기고 있다. 화전 경작은 이제 반이주민 성격의 고지대 소수민족에게 더욱 전형적인 것으로 나타난다. 반면에 수도 경작은 경작지와 관개시설로 인구를 집중시킨다. 사람의 통제가 토지의 통제만큼 중요하다. 게다가 자연 강우나 인공 관개를 사용하든지 간에 수도 경작은 비농업 분야에 종사하는 많은 사람들, 즉 초기 영토기반 왕국 건설에 필요한 행정관리, 종교인, 수공예자 및 예술가 모두에게 공급할 수 있는 잉여 생산이 가능하다. 벼농사가 가장 중요한 활동이긴 했지만, 공예품 제작과 교역도 그 당시 사회에서 성행했다. 직조와 토기 생산은 주로 여성들이 담당하였고, 금속 제작은 남성들의 몫이었다. 자바에서는 마을 시장이 5일마다 열렸고, 체계가 갖추어지면서 지방 생산물은 보다 큰 시장과 해안가 항구로 운반되었다.

동남아의 왕권

스리비자야 같은 해상교역 왕국처럼 영토기반 왕국도 주변의 군소 국가를 자신의 권역으로 끌어들여 '은하계 정체(galactic polities)', '동심원적 영역(concentric realms)' 또는 '만다라(mandala)' 등으로 묘사되어 왔던 다양한 체제를 창출하였다(33-34페이지 참조). 군소 국가들은 자신이 속한 중심부가 있었다. 그러나 종종 그 중심부에서 이탈하여 또 다른 중심부와 연합하거나 스스로가 중심부로 등장하기도 했다, 이와 같은 행태는 모든 국가들을 불안정한 상태에 놓이게 했다. 현대 국민국가와는 달리 동남아 왕국들은 경계를 중요하게 생각하지 않았다. 중심부에 대한 통제가 가장 중요한 관심사이었기에 왕도는 왕국 전체를 대표하는 것이었다.

초기 동남아 왕국에 있어서 불안정 상태의 대부분은 내적 요인에 기인하였다. 중요한 요인 중 하나는 왕위 계승에 관한 정해진 규칙이 없다는 사실이었다. 왕세자란 직위는 거의 알려진 바 없으며, 그런 직위가 있는 경우 그 존재 사실로 인해 왕세자는 국왕뿐만 아니라 다른 잠정적 왕위 계승자들에게 경쟁자로 인식하게 만들었다. 잠정적 왕위 계승자의 수는 많았고, 국왕과 밀접하게 관련된 남성들, 즉 아들, 형제, 삼촌, 사촌 등은 왕위 계승을 주장할 수 있었다. 또한, 대부분의 지배자들은 많은 왕비와 후궁을 두었기에 그들의 친척은 무수히 많았다. 여성도 자신 스스로 또는 그녀의 아들 혹은 남편을 통하여 왕위를 계승할 수도 있고, 그녀의 가족 중에서 선택하여 왕가의 경쟁자를 양성할 수도 있었다. 모계는 부계와 동등한 권위를 가질 수 있었다. 거대한 왕궁은 음흉한 왕족들을 대신하는 음모자들의 거처가 되었으며, 독살, 살인, 반역은 권력 중심부에서 잘 알려진 사실이었다.

또 다른 불안정 요인으로는 중국 남부지역에서 동남아로 진입한 버마족, 따이어족, 기타 민족들의 대규모 이주로 인한 것이었다. 13세기 몽골(원나라)의 침입과 버마 북부의 버강의 멸망 이후 따이어족인 샨족(Shan)이 그곳에 왕국을 구축하였다. 11세기에서 18세기에 걸친 베트남인들의 남쪽 진출로 인하여 참빠 왕국은 그 존재가 사라졌고 캄보디아는 약화되었다.

왕권과 과시

중심부에 대한 엄청난 중요성은 고대 왕도에서 기본 방위를 강조하는 방식으로 구현되었는데, 이것은 왕궁, 사원 및 기념물에도 나타나는 현상이었다. 왕국의 지배는 중심부인 왕도에서, 왕도 내에서는 왕궁에서 각각 발현되었다. 왕도나 사원의 건물들은 왕국 자체를 표현하도록 건설되었다. 왕궁 내에서는 왕좌와 왕가의 보물(regalia), 즉 단도, 칼 혹은 끄리스(kris, 자바에서 왕권의 상징으로 사용되는 칼로 칼날이 독특하게 꾸불꾸불한 모양을 하고 있다-역주), 우산, 창 및 코끼리 등이 권력의 진정한 상징이었다. 왕권 경쟁자는 단순히 그런 왕권 상징물을 장악함으로써 왕을 권좌에서 물러나게 할 수도 있었다.

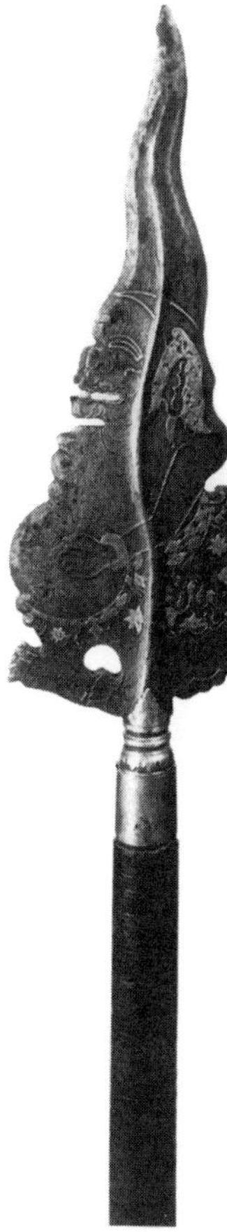

[2-1] 의례용 창은 권위를 지닌 왕보(王寶)가 될 수도 있다. 사진 속의 창에는 와양(wayang) 그림자극(와양꿀릿)에서 널리 알려져 있는 어릿광대 신인 서마르(Semar)의 형상을 담고 있다.

정치적 지배를 공고하게 만드는 것은 화려한 의례와 과시에 있었다. 이러한 점에서 클리포드 기어츠(Clifford Geertz)는 동남아의 국가경륜(statecraft)을 발리(Bali)의 소왕국에서 행하여졌던 예를 통하여 '극장국가(theatre state)'로 묘사하고 있다. 외양은 현실을 반영하고, 창조해 내기도 한다. 초기 중국인 방문자는 캄보디아 지배자의 과시에 관한 애착을 아래와 같이 기록하고 있다.

> **국왕은 삼일마다 근엄한 자태로 접견실로 가서 백단향 다섯 조각으로 제작되고 진귀한 보석으로 치장된 침상에 앉는다. 침상 위로는**

고상한 천으로 만든 천막이 둘러있고, 그 기둥은 나무로 상감 문양이 새겨져 있다. 벽은 금화(金花) 장식이 달린 상아이다. 이러한 침상과 천막의 조화는 일종의 작은 궁전을 표방하며, 그 배경에는 불꽃같은 금빛 광선이 들어간 원판이 달려있다. 두 사람이 다루는 금제 향로가 앞에 놓여있다…. 갑옷을 입고 창을 든 수천 명의 호위병들이 왕좌의 계단 아래와 궁전의 회당 및 각 출입문과 기둥마다 배치되어 있다.

14세기 자바 마자빠힛(Majapahit)의 국왕 하얌 우룩(Hayam Wuruk)이 그의 백성을 친견하기 위해 행차할 때의 광경이다.

왕이 출발하자, 수많은 궁중 신하들이 그를 따랐다. 왕궁의 큰길에는 마치 벽을 친 듯 헤아릴 수 없는 수의 수레로 가득 차 있다. 왕의 행차 앞뒤로 소달구지를 끄는 남자들의 행렬이 줄을 이었다. 한편, 걸어가는 다른 수행원들은 엄청난 숫자의 코끼리, 말 등과 함께 밀집되어 혼잡스럽게 서로 섞여 그 뒤를 따랐다.... 왕의 수레는 황금과 화려한 보석으로 치장되어 외양은 특출했다. 그것은 가리개가 드리워진 가마로 윤기 나는 옻칠을 해서 주변을 현혹할 정도로 찬란하였다.

왕국이 그 중심부에 의해 규정되기 때문에 원거리의 변방집단과의 관계는 유동적이었다. 이상적으로 변방집단은 위성국가였으며, 조공을 바치기도 하고, 진귀한 고지의 삼림 생산물을 쌀, 소금, 혹은 교역을 통해 들어오는 수입품과 교환하기도 한다. 앙코르와 마자빠힛과 같은 일부 경우에는 종속 지역을 중앙집권적 관료제로 지배할 정도로 중심부가 강력하였다.

[2-2] 20세기 캄보디아 국왕 모니봉(S. M. Monivong)이 가마를 타고 즉위식장으로 가고 있는 모습. 가마 위로 왕보로 여겨지는 황금우산이 햇빛을 가리고 있으며, 그 뒤로 궁중의 신하들이 따르고 있다.

왕은 흔히 짜끄르와르띤(chakravartin), 즉 우주의 지배자, 문자적 의미로는 '우주의 바퀴를 돌리는 자'란 호칭을 가진다. 국가 경륜이란 예하의 지배자들이 왕을 자신의 군주로 여기도록 확신시키는 데에 있었다. 하지만 이것은 주로 의례적 인식에 그치는 정도에 지나지 않아 왕과 추종자의 연합은 허술하기 마련이어서 실제로 새로운 짜끄르와르띤이 등장하기도 한다.

8세기와 14세기 동안 영토기반 왕국들은 오늘날 동남아를 유명하게 만들었던 위대한 기념물을 건축하였는데, 여기에는 앙코르(Angkor), 보로부두르(Borobudur), 쁘람바난(Prambanan) 및 버강(Pagan) 등이 포함된다. 이러한 종교적 혹은 어떤 의미로는 정치적 건축물들의 석재 혹은 벽돌은 남아있지만, 목재는 사라지고 없다. 또한 석재, 금 또는 구리에 새겨진 무수한 비문이 있고 당시 왕국의 영화를 확증해 주는 조각과 글들이 존재하는데, 이로써 역사학자들은 궁중의 관습에 관하여 많은 것을 얘기할 수 있게 되었다. 불행하게도 이들 왕국의 일상생활에 관한 기록이나 도구가 해상교역 왕국의 경우와 마찬가지로 사라지고 없지만, 사원의 부조에서 몇몇 장면을 만날 수 있다.

앙코르와 캄보디아

푸난은 6세기까지 중국에 조공사절을 계속 보냈다. 그 이후 중국 역사가들의 기록을 보면, 푸난은 쩐라(Zenla, 眞臘, 표의문자인 한자를 통하여 그 명칭의 발음에 관한 힌트를 얻을 수 있다)로 대체된다. 크메르족(캄보디아)의 새로운 국가(또는 국가연합체)는 그 중심을 메콩강 하류, 천연 호수인 똔레삽(Tonle Sap, '큰 호수'의 의미) 부근의 건조하고 덜 비옥한 평원에 두었다. 우기 동안, 메콩강의 발원지인 티벳에 쌓인 눈이 녹아내린 물과 합쳐진 강수가 메콩강의 하류지역으로 세차게 흘러내려, 그 강의 지천인 똔레삽강으로 역류하며 올라가 그 큰 호수를 가득 채운다. 똔레삽 호수는 평상시 면적 2,700 km^2(1,040 평방마일)에서 최대 10,000 km^2(3,900 평방마일)로 늘어난다. 강물이 줄어들기 시작하는 10월에는 쌓인 침적토가 그 지역 일대를 비옥하게 만들며, 그 호수에서는 어류를 풍성히 포획할 수 있다. 약간 다른 방법이긴 하지만, 동남아의 해상교역 국가와 마찬가지로 벼농사 기반 경제도 물과의 관계에서 이익을 취한다.

쩐라가 하나의 왕국이었는지, 혹은 소왕국의 연합체였는지에 대해서 학자들은 여전히 의구심을 갖고 있다. 8세기 말에서 834년경까지 통치했던 쩐라의 국왕 자야와르만 2세(Jayavarman II)는 '자바'(Java, 현재의 자바섬을 의미하는 것은 아닌 듯하다)의 지배에서 벗어나 주변의 소규모 지역을 정복하여 그 일대의 영역을 통일한 것으로 후대의 비문 기록에 나타난다. 그 시기에 벼의 인공적 관개 기술이 확산되었다. 자야와르만 2세는 마침내 똔레삽 호수의 북쪽에 왕도를 정하고 앙코르에 인접한 하리하라라야(Hariharalaya, 오늘날의 롤루오 Roluos)에 정착하였다. 이 도시의 이름은 하리하라(Harihara)에서 파생된 것으로, 힌두신인 시바(Siva)와 비시누(Vishnu)의 속성을 합친 신을 일컫는 말이었다. 802년 자야와르만 2세는 데와라자(dewaraja), 즉 신왕(神王)으로 즉위하였는데, 이는 자신을 힌두신 시바로 여기는 의미를 담고 있다. 그의 지배기 이후 반세기에 걸쳐 침묵기가 있었던 것으로 보아 내분이 다시 발생했을 가능성이 짙다. 그러나 그가 다진 기초가 동남아에서 최장기간 지속된 왕국 중의 하나를 만드는데 공헌하였다.

9세기에서 13세기에 이르기까지 왕위를 계승한 크메르 지배자들(물론 직계의 계승은 아니겠지만), 그들의 사제, 승려, 공예가, 예술

[2-3] 12세기에 축조된 앙코르왓(Angkor Wat)은 앙코르에서 가장 큰 사원이다. 이 사진에서 보듯이 앙코르왓의 아름다움은 이곳 저수지 중의 한 곳에 비친 모습에서 고취된다. 이 사원은 수르야와르만 2세가 건축하였고, 힌두신 비시누에게 봉납한 것이었다. 또한 앙코르왓은 달력이기도 하다. 태양은 인도 태양력의 첫날에 정확히 중앙탑에 떠오른다.

가 및 노동자들이 앙코르를 건설했다. 그 도시와 관련된 것은 남아 있는 게 거의 없고, 왕과 승려의 거주지조차 대개 사라졌지만, 석재와 벽돌로 건축된 사원과 역시 석재와 청동으로 된 장식물만은 지금까지 버티고 있다. 앙코르는 아름다운 곳에 여러 세대에 걸친 건축가들에 의해 건축되었다. 그들은 앙코르를 사원, 승원, 가옥, 참배도와 저수지로 꾸몄다. 수많은 저수지의 조성은 당시 사회에 있어서 수리사업의 중요성을 짐작케 한다. 단순히 관개만을 위해 물을 가둔 것이 아니라 그곳에 하늘과 인공적인 주변시설을 비추게 함으로써 심미적 인상도 고취시키고 있다.

앙코르는 수세기에 걸쳐 건설되었기 때문에 여러 예술적 스타일이 섞여있다. 야쇼와르만(Yasovarman, 재위기간 889-910) 왕은 하리하라라야에서 똔레삽 호수의 북쪽 지역으로 그의 왕도를 천도하여 앙코르를 세웠다. 그는 언덕 위에 프놈바켕(Phnom Bakheng) 사원을 최초로 건축하고, 힌두교와 불교의 우주 중심이며 왕국의 신비적 중심인 메루산(Mount Meru, 須彌山)을 표현하였다. 프놈바켕 사원에는 남근(男根)과 힌두신 시바(Siva)의 상징이며 국왕 자신의 상징이기도 한 링가(linga)를 만들어 두었다. 또한 승원과 관개시설을 비롯하여 지금은 없어져버린 다른 건축물도 분명히 세웠을 것이다. 앙코르(산스끄리뜨어 느가라(negara)에서 파생된 것으로 왕도와 국가를 의미함)라는 이름은 국가와 사원을 비롯한 도시 건축물 전체를 포함한다.

후대의 국왕들이 계속하여 건축물을 이 도시에 세웠는데, 때론 이곳을 앙코르왓(Angkor Wat)으로 잘못 알고 있다. 실제 앙코르왓(왓은 사원을 의미한다)은 60m(200피트)의 높이로 그곳에서 가장 크며, 힌두신 비시누(Vishnu)에게 헌정한 것으로, 내전을 거치며 왕국의 재통합에 성공한 수르야와르만 2세(Suryavarman II,

재위기간 1113-1145)가 12세기에 건축한 것이다. 그 사원 자체는 왕국과 우주 모두를 표현하고 있지만, 사원의 부조에 나타나는 이야기는 인도의 서사시인 라마야나(Ramayana)에 등장하는 비시누의 화신인 라마(Rama)의 일생과 또 다른 인도 서사시 마하바라따(Mahabharata)의 장면 및 당시 왕궁의 '역사적' 장면을 다루고 있다. 앙코르왓은 수르야와르만 2세의 무덤일 수도 있고, 관측소가 될 수도 있는데 이는 인도력에 있어서 한 해의 첫날인 하지(夏至)에 사원 바로 위로 태양이 떠오르기 때문이다. 사원의 규모도 시간에 관한 인도 개념을 반영하고 있다. 오늘날에도 멋지지만, 그 당시의 왕코르왓은 금빛 찬란한 탑과 흰색의 외관으로 인하여 매우 인상적이었다.

19세기에 앙코르를 찾았던 방문객은 이렇게 적고 있다.

> 이 사원의 모습에 정신을 잃고 상상조차 할 수 없다. 그냥 바라만 보고, 감탄하고, 경외감에 사로잡혀 말을 잃는다. 세상 그 어느 곳에서도 이와 필적할 만한 예술 작품이 없을진대 이를 찬미할 말이 과연 어디에 있을까?

1145년경 수르야와르만 2세의 사후, 앙코르, 특히 그

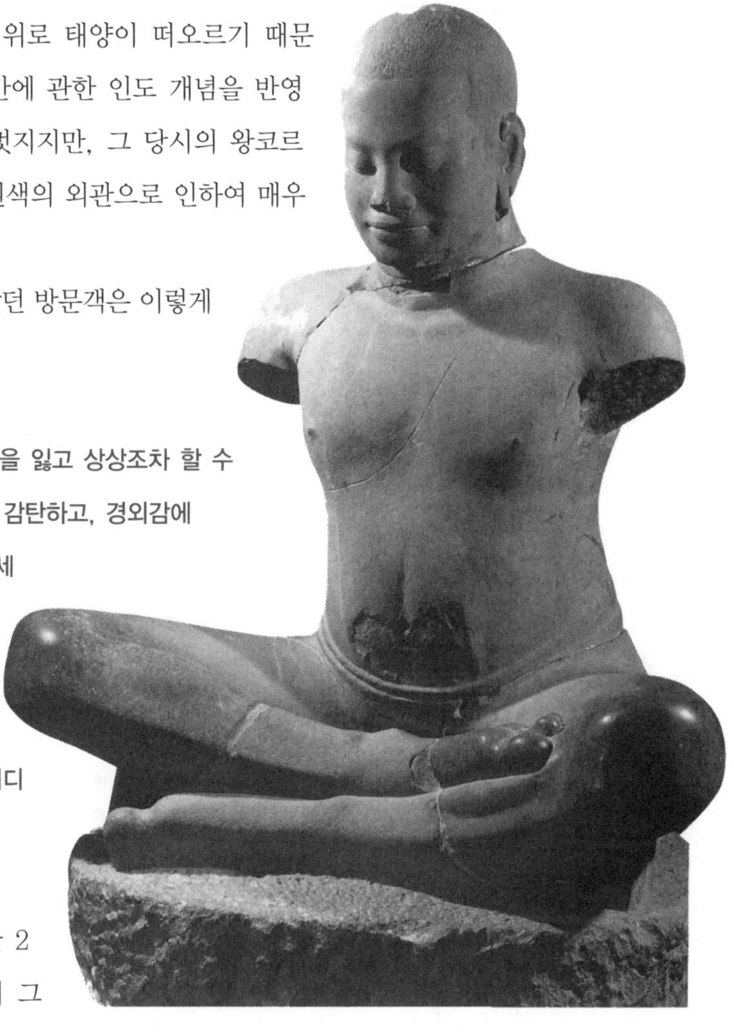

[2-4] 보살의 자태인 자야와르만 7세. 12세기와 13세기에 군림했던 이 크메르 국왕은 열렬한 불교도였지만, 힌두교도 보호하였다.

[2-5] 13세기 앙코르의 바욘 사원.

[2-6] (위쪽) 바욘의 부조에서는 크메르족과 참족 간의 전쟁을 표현하고 있다. 눈여겨 볼만한 것은 동남아의 전쟁에서 전형적인 특징으로 등장하는 코끼리의 모습이다. (아래쪽) 코끼리의 머리와 인간의 몸을 가진 힌두신 시바의 아들, 현명한 가네샤(Ganesha)는 바욘 스타일로 이렇게 표현되고 있다

관개시설이 썩기 시작하고 이에 수로도 정체되고 관리되지 않아 말라리아를 창궐하게 한 원인이 되었다고 한다. 1177년과 1178년에는 참족(Cham)이 앙코르를 공격하여 초토화시켰다. 하지만 1181년 자야와르만 7세(Jayavarman VII)가 참족과 치열한 전투를 벌이고 난 뒤 왕권을 장악했다. 왕위 찬탈자였을 가능성이 높은 자야와르만 7세는 대승불교(Mahayana Buddhism)의 독실한 신자였고, 불교의 가르침을 왕권 개념에 접목하여 자신을 보살(bodhisattva, 菩薩)로 생각하였다. 보살이란 득도(enlightment, 得道)의 경지에 이르렀

지만 열반(nirvana, 涅槃)에 들기를 거부하는 대신 중생의 구제에 헌신하는 존재를 의미한다. 자야와르만 7세가 앙코르에 건축한 것은 바욘(Bayon) 사원이었다. 이 사원은 네 방위로 향하고 있는 인간의 얼굴로 치장된 무수한 탑들로 구성되어 있다. 종교적 조상(彫像)의 대부분은 힌두교적 영감을 담고 있지만, 사원의 부조는 참족과의 전투를 기리고, 일상생활의 모습을 나타내고 있다. 바욘 사원은 해석의 여지가 많다. 우선, 탑의 얼굴 형상은 네 방위를 보고 있는 힌두신인 브라흐마(Brahma)로 여길 수 있다. 다음으로 모든 방향에 자비로운 시선을 보내고 있는 불교의 관음보살(Lokesvara, 觀音菩薩)이기도 하다. 마지막으로 왕국 모든 곳에 자비를 베푸는 보살의 모습으로 구현되는 자야와르만 7세로 간주할 수 있다.

자야와르만 7세는 병원과 숙소를 건설하여 보살의 선행을 베풀었다. 한 비문에는 그의 자비를 이렇게 적고 있다.

> **세상의 선량한 사람들을 향한 깊은 동정심에 충만한 국왕은 이렇게 맹세하였다. '생존의 바다에 빠져있는 모든 존재들을 선행으로 구해내고자 한다. 또한, 나의 자리를 맡게 될 캄보디아의 왕들이여 그대들의 아내, 귀족 및 친구들과 함께 더 이상 질병이 없는 구제의 자리를 마련하길 바란다.'**

자야와르만 7세는 앙코르에서 건축했던 마지막 왕이었으며, 그 후로 세력 판도가 변하여 다음 세대에서는 앙코르를 포기하였다. 14세기말에 이르러 시암족(Siamese)이 그 도시를 점령하였고, 캄보디아 왕은 16세기에 잠깐 복귀하였다. 19세기 프랑스 탐험가들이 그곳을 '재발견'하였고(물론 크메르 사람들이 앙코르를 잊은 것은 아니지만), 고고학자들이 엄청난 유적군의 복구에 착수하였다. 불행히도 20세

[2-7] 자야와르만 7세가 건축했던 한 사원의 입구에 엄청나게 자란 나무처럼 앙코르는 정글로 변하였다. 캄보디아 국왕들이 앙코르를 포기하자, 웅장했던 사원들은 식물과 물 및 다른 폐해에 손상을 입었다. 현재 복구와 보존 작업이 진행 중이다.

기에 발발했던 인도차이나 전쟁으로 인하여 유적들이 희생을 치렀고, 연이은 무관심으로 귀중한 유적들이 더 많은 피해를 입었다.

앙코르는 왜 마지막에 방치되었을까? 앙코르의 왕들은 똔레삽 호수 주변의 농경지에 거주하는 크메르족과 함께 주변 국가와 전쟁을 통하여 사로잡은 수많은 노예들을 이용하여 엄청난 기념물을 건축할 수 있었다. 아마도 왕국 내의 크메르족이 아닌 산지민들도 징용했을 것이다. 그래서 건축사업은 전쟁에 의존하였지만, 항상 승리를 거둘 수는 없었다. 이윽고 크메르족들은 서쪽에서 시암족의 공격을 받았고, 동쪽에서는 참족과 나중에는 베트남인들의 침략을 받았다. 게다가 동남아의 교역이 14세기부터 증가하기 시작하였지만, 앙코르는 해외와의 상업적 활동에 참여할 수 있는 지리적 위치에 있지 못하였다. 왕도를 교역에 보다 유리한 지금의 프놈펜(Phnom Penh) 인근으로 옮겼다. 마침내 결정적으로 상좌불교(Theravada Buddhism)가 크메르인들의 지배종교가 되었고, 그 내세적 신앙관은 국왕의 정교한 건축물을 더 이상 필요로 하지 않았다. 그럼에도 불구하고, 앙코르 왕권은 대륙부의 후대 왕국에게 있어서 모델이 되었고, 크메르족의 순례자는 이 지역에 경배 드리기를 멈추지 않았다.

초기 자바 왕국

자바(Java) 왕국에서 가장 오래된 것으로 알려진 비문은 따루마(Taruma)의 5세기 지배자로 현재의 자까르따(Jakarta)에서 멀지 않은 곳에 거주했던 뿌르나와르만(Purnavarman) 시대의 것들이다. 그는 자신을 힌두신 비시누와 관련시키는 비문을 남겼는데, 돌에 자신과 코끼리의 발바닥을 새겨 넣은 것이었다. 하지만, 뿌르나와르만이 남긴 최고의 업적은 수로를 만들어 짜꿍(Cakung) 강의 흐름을 바꾸어 해안지역의 물기를 제거하고 농경지와 정착지를 만든 것이었다. 따루마 왕국은 이후 곧장 역사 속에서 사라져버렸지만, 뿌르나와르만의 수리(水利)시설은 남아있다.

연대순으로 보아 그 다음 기념비적 건축 중심지는 자바 중부지역의 화산지대인 디엥 고원(Dieng Plateau)으로 건축 시기가 8세기에서 시작된다. 중부 자바의 남쪽에 인접한 활화산 므라삐(Merapi)의 아래쪽은 사망한 지배자들을 기리기 위한 짠디(candi, 사원) 수십 개가 세워졌다. 힌두교와 불교의 주제가 시간과 공간을 초월하며 공존해왔지만, 종교적 스타일이 서로 섞이진 않았다(나중에는 그런 일이 일어났다). 10세기 초에 사원 건축은 중지되었고,

그 활동의 중심은 자바 동부로 옮겨갔다.

앙코르의 지배자들처럼 자바의 왕들도 생전 시바 또는 비시누 같은 힌두신과 자신을 동일시했으며, 사후에는 묘지와 기념관이기도 한 짠디에 놓인 신상의 신과 재회한다고 믿었다. 앙코르의 사원처럼 짠디도 우주의 중심인 메루산을 나타낸다. 외관적으로도 앙코르의 건축물과 마찬가지로 짠디는 종교적이며 신비적인 형상을 나타내는 부조와 조각으로 엄청나게 치장되어 있다.

디엥의 사원들은 스리비자야가 수마뜨라에 세워지고 난 수십 년

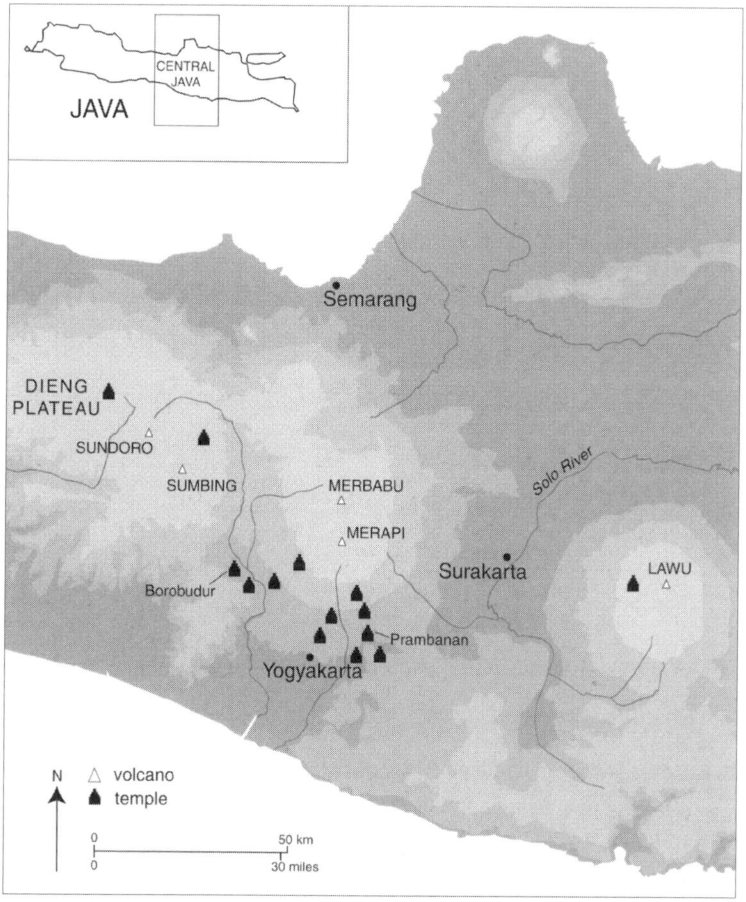

[2-8] 중부 자바의 주요 힌두교 및 불교 사원군. 수십 기의 건축물이 8세기와 10세기에 걸쳐 이 지역에 세워졌다.

후, 자바에 등장한 큰 규모의 농업기반 왕국의 속성을 품고 있었다. 732년의 비문에는 산자야(Sanjaya)라는 이름의 지배자를 칭송하고 있는데, 그는 초기 사원 건축에 기여한 것으로 여겨진다. 사이렌드라(Sailendra, '산의 군주'라는 의미)라고 불리는 왕가가 마침내 중부 자바의 전역에 걸친 주도권을 장악하고, 디엥 고원의 유적을 남겼다. 확실하지 않지만 불교를 신봉했던 사이렌드라 왕조는 산자야 왕조를 굴복시킨 것으로 보인다. 그들은 현존하는 불교 건축물을 세웠고, 힌두 사원을 불교적 개념으로 개조하였다. 그 무엇보다 이들은 인도네시아의 가장 유명한 건축물인 보로부두르(Borobudur)를 건설하였다.

보로부두르

760년경 중부 자바의 남쪽 평원 지대, 오늘날 족자까르따(Yogyakarta)에서 과히 멀지 않은 곳에서 이 건축물은 아마도 불교가 아닌 다른 종교의 사원으로 세워지기 시작했을 것이다. 언덕 위에 건축되었지만, 처음에는 완성되지 못한 채 남아있었다. 사이렌드라 왕조는 당시의 구조물에 기초를 넓히고 테라스의 수를 늘렸다. 동심원적 원형의 모양으로 불상을 담은 탑들이 최상위층 테라스에 배치되었고, 작은 불상들은 하층 테라스의 회랑에 줄지어 놓여있다. 정상 중앙에는 크고 비어있는 탑이 있다. 건축 공사는 시작한지 약 50년이 걸려 830년에 완공되었다.

불교의 한 종파로 득도에 이르는 과정을 단축하기 위하여 신비적 수행과 만다라 같은 명상 도구를 사용하는 밀교(Tantrism, 密教)가 7세기에 나타난 이후 곧장 인도네시아로 확산되었다. 초기 자바 불교는 만다라를 강조하였다. 보로부두르(Borobudur)의 평면도는 동심원적 원에 붓다를 포함한 기하학적 형상을 이루고 있어, 힘을 집중

시켜 악마의 영향력을 제거한다.

보로부두르를 방문하는 신도들은 탑이 있는 정상으로 곧장 올라가지 않고 불교의 주제를 담은 부조가 늘어서 있는 사각형 테라스의 회랑을 돌아간다. 부조의 순차적 배열은 참배객을 세속적 삶에서 득도에 이르게 하며, 그것을 넘어서면 탑에 붓다가 있다. 이런 자기표현에 추가하여 교훈적 측면도 사이렌드라 지배자들에게 있어서 틀림없이 중요했다.

최하층의 부조는 붓다 출현 직전 신도들을 기다리는 세속적 악행과 처벌을 묘사하고 있다. 이 층은 그 주제 때문이 아니라 구조적인 문제로 인해 나중에 감춰졌다(사원의 복구 과정에서 기반이 허약한 이유로 맨 하층을 석재로 보강했기 때문임–역주). 탁 트인 테라

[2–9] 1821년 독일의 아동 도서에 등장하는 보로부두르의 판화는 이미 이 건축물이 유럽인들의 환상을 사로잡았음을 알려준다. 정확하지는 않지만 그림 속의 삽화는 불상을 담고 있는 (혹은 일부가 분실된 이유로 이전에 담고 있었던) 사원 정상의 많은 탑 중의 하나를 묘사하고 있다.

[2-10] 보로부두르의 최상층의 한 장면으로 불상을 반쯤 가린 모습을 포함한 많은 탑들이 보인다. 사진 속에 보이는 것은 부분적으로 파손되어 불상이 분명하게 보인다. 이 사원은 (예전처럼) 밝게 겉칠을 하면 자바의 풍경을 여전히 압도하게 될 것이다.

스에는 계속해서 붓다가 왕자로 태어나기 이전의 삶을 그린 본생담(Jataka, 本生譚)의 장면들이 나온다. 그리고 다른 불교도의 삶의 이야기가 뒤따른다.

그런 부조는 인도에도 흔하지만, 연속적으로 묘사 장면을 배치하여 이야기를 풀어내는 개념은 자바인들의 혁신적 생각이다. 그 이야기를 따라가는 참배객도 시계 방향으로 사원을 돌아다니는 것으로 그 자체만으로도 경건한 행위이다. 부조에는 일상생활, 즉 공예품, 교역, 농업, 직조, 예술, 식물과 동물 등의 많은 부분이 담겨져 있다. 농경 장면에는 벼의 경작과 묘종이 나오고, 이것은 중부 자바의 남쪽에서 9세기에 행하여졌던 것으로 오늘날 수도(水稻) 경작지에서도 볼 수 있다.

[2-11] 보로부두르의 하위 층의 부조의 장면으로 두 마리의 코끼리가 등장하며 나무 위에는 원숭이들이 놀고 있다. 이 그림에서는 사원의 엄청난 부조에 나타나는 매력적인 자연주의를 잘 반영하고 있다. 특히 하위 층의 부조에서는 붓다의 전생에 있어서 화신(化身)의 이야기와 관계가 있다.

자연 그대로의 언덕에 완공된 사원의 구조는 그 지역을 압도했다. 화려한 색채가 더해진 보로부두르는 상당히 먼 거리에서도 뚜렷하게 보였을 것이다. 그 사원의 엄청난 건설 작업에는 그 지역의 사람들을 동원했을 것이지만, 어떠한 전문가도 사원의 첫 모습처럼 거대한 작업이 되리라고 상상도 못했을 것 같다. 200명의 노동자를 동원하여 일 년에 절반 정도를 일해서 50년 안에 완공했을 것으로 추정한다. 물론 이 건축에 동원되었던 예술가와 조각가들의 수는 알려져 있지 않는다. 제법 큰 규모의 촌락이 근처에 존재했음이 드러나 있지만, 주변에는 큰 도시의 흔적은 없다.

나중에 보로부두르는 그 중요성을 상실했는데, 14세기 이후 자바의 이슬람화로 인하여 결국 희석되어버렸다. 식민지 관리들이 이 사원을 19세기에 발견했을 당시 붕괴의 위험에 처해있었다. 빗물이 언덕 아래로 스며들어 그 지지층을 약화시켰기 때문이다. 네덜란드 고고학자들은 20세기 초에 복구 작업을 벌였으나 붕괴가 재개되자, 1970년대에 유네스코의 지원을 받은 인도네시아 유적관리청(Indonesian Archaeological Service)이 보로부두르를 재건하여 후대의 사람들이 방문할 수 있도록 지켜냈다.

쁘람바난

보로부두르 사원의 5km(3마일) 반경 내에서 대부분이 힌두교로 알려진 사원 30개가 발견되었다. 825년 불교를 반대하는 움직임이 일어났고, 이는 산자야 왕조의 복귀와 일치한다. 그들은 불교 건축물을 파괴하거나 변형시키지 않고(사실 9세기말까지 불교 사원을 계속해서 건설하였다), 주요한 힌두교 사원을 추가로 건축하였다. 그 중에서 가장 큰 것이 쁘람바난(Prambanan)의 라라종그랑(Lara Jonggrang, Lara는 Loro로도 표기된다–역주) 사원군이다.

이 시기에 지배 권력은 힌두교도였던 라까이 뻬까딴(Rakai Pikatan)에게 넘어갔다. 그는 사이렌드라 공주와 결혼한 산자야 왕가의 사람일 것으로 본다. 뻬까딴은 보로부두르가 완공된 지 얼마 지나지 않은 856년에 완성된 힌두교 쁘람바난 사원군을 포함한 두 종교의 사원 건축을 후원했다. 인도의 기록에서 나타난 정보에 의하면, 사이렌드라 계승자들은 결국 수마뜨라로 이주하여 스리비자야의 지배자가 되었고, 뻬까딴에게 자바를 넘겨주었다고 한다. 자바의 전설에서 버림받은 구혼자가 돌로 만들어버린 공주이기도 하며 '날씬한 처녀'라는 의미를 지닌 라라종그랑은 실제로는 힌두신 시바의 아내인 두르가(Durga)를 표현한 아름다운 조각이다. 쁘람바난 사원군에서 가장 큰 사원은 시바에게 헌정한 것이다. 하지만, 사원군의 중앙에 있는 작은 석재 사원은 아마도 그 지역 지신(地神)에게 바친 것으로 보인다. 그 외의 큰 규모의 짠디는 비시누와 브라흐만을 위한 것이며, 작은 짠디는 세 신의 승용동물, 즉 비시누의 가루다(Garuda, 독수리), 시바의 난딘(Nandin 또는 난디 Nandi, 황소), 브라흐마의 앙사(Angsa, 거위)에게 헌정된 것이다. 앙코르왓과 다른 사원에서 볼 수 있듯이 이들 사원군의 위층도 신들의 거처인 메루산을 표현하고 있는 것 같다. 아래층에는 왕국의 귀족들이 부속적인 건축물을 세웠다. 그런 작은 규모의 사원들이 비대칭적으로 배열되어 있는 것은 왕국 내의 귀족들의 지리적 위치를 그대로 반영하는 것이다. 그래서 쁘람바난도 왕국 그 자체를 표현하는 것이며, 우주와 왕국과 사원군과의 조화를 반영하는 만다라인 셈이다.

[2-12] (왼쪽) '날씬한 처녀'의 의미인 라라종그랑은 9세기의 쁘람바난 사원군을 지칭하는 말로 사용되었고, 실제로는 시바의 아내인 두르가를 표현한 훌륭한 조각이다.

(오른쪽) 난딘(또는 난디)는 황소로 표현되며, 시바신의 승용동물이다. 쁘람바난에서 볼 수 있는 실제 황소 크기의 조각은 비교적 손상을 받지 않고 남아 있는 유일한 힌두신의 승용동물이다. 그 부드러운 느낌의 외양은 특별히 자바의 미적 개념을 반영한 것으로 얘기되고 있다.

[2-13] 쁘람바난의 브라흐마 사원. 여기 사원군 중에서 가장 높고 가운데에 위치한 사원은 시바에게 헌정된 것이며, 힌두교와 불교의 우주관에 있어서 우주의 중심인 메루산을 표현하고 있다. 사원군이 건축되어 있는 지역 또한 자바 왕국의 중심으로 표현된다.

[2-14] 나뭇잎 문양을 지닌 뚜껑 달린 사발은 1990년에 쁘람바난 근처인 워노보요(Wonoboyo)에서 발굴된 10세기 금제(金製) 보물 중에 속한다. 이 공예품들은 화산 폭발로 생긴 파편에 매몰되어 있었다.

중앙에 위치한 신이며 흔히 지배자와 동일시되는 시바의 옆에는 그의 아내 두르가, 그의 스승인 아가스뜨야(Agastya) 및 현자(賢者)의 속성을 지니고 코끼리 머리를 한 가네샤(Ganesha)가 그의 사원 내에 함께 자리하고 있다. 이러한 네 위(位)의 신은 자바 종교에서는 흔히 같이 놓이지만, 다른 힌두교 영역에서는 결코 조합되지 않는다. 이와 유사하게, 인도네시아 조각은 인도의 도상학(圖像學)적 규범을 따르지만 볼륨감 있는 인도의 조각보다 훨씬 날씬한 모습이다.

900년경의 것으로 추정되는 금은제 유물들이 화산 폭발로 묻혀 있다가 1990년에 우연히 발견되어 자바 예술에 새로운 관점을 제시하였다. 발굴 장소인 워노보요(Wonoboyo)는 쁘람바난의 사원군에서 5km(3마일)밖에 떨어져 있지 않다. 흥미로운 사실은 자바에는 금광이 없어 수마뜨라 혹은 보르네오에 있는 귀금속 광산을 찾아다닌 것 같다. 몇몇 금제품은 자연을 그대로 모방하였다. 금제 물바가지는 마을 주민이 실제 사용하는 야자수 잎으로 엮은 바가지 모양이다. 금박 연꽃사발은 중국 도자기를 복제하였다. 가장 관심을 끄는 것은 아무래도 라마야나의 장면으로 장식된 그릇이며, 라마(Rama)가 비시누의 화신이라는 점에서 아마도 비시누 숭배를 위한 종교적 의례에 사용되었던 것 같다. 아직 설명이 더 필요하지만, 자까르따 국립박물관에 다행히 보존이 잘된 상태로 전시된 그런 유물들의 표현 속에서 자바 금속공예가들의 기술과 미적 감각을 확인할 수 있다.

919년 자바 중부지역에서는 건축 활동이 납득할 만한 이유 없이 중단되었는데, 짐작컨대 이 지역이 머라삐 화산 부근이어서 화산 폭발이 이주를 촉발한 것으로 보인다. 전염병이나 전쟁과 같은 다른 이유도 들 수 있을 것이다. 혹은 그곳 주민들이 모든 건축 활동에 동원되어 지친 상태여서 휴식을 취했을 가능성도 있다. 928년경 자바의 지배자는 그들의 본거지를 자바 동부에서 확립하였다.

동부 자바

동쪽으로 이주했던 동기가 무엇이든 간에 결국 대규모 건축물의 시대는 막을 내렸다. 하지만, 인도풍의 조각과 소규모 사원은 새로운 이주지역에서도 계속 조성되었다. 자바 동부로의 이주는 또한 장거리 교역에도 변화를 일으켰다. 중국 송나라에서는 외래물산, 특히 향료의 수요가 급증하였다. 동부 자바의 지배자들은 향료 제도(Spice Islands)가 인도네시아 동쪽에 자리한 탓에 향료무역을 지배하는 데 있어서 스리비자야보다 우월한 위치에 있었다. 게다가 그들은 쌀 생산에 유리한 비옥한 브란따스(Brantas) 강 유역에 쉽게 접근할 수도 있었다. 990년과 1007년 사이에 이 지역은 아마도 교역의 지배권을 둘러싸고 스리비자야와 전쟁을 벌였을 것이다.

동부 지역의 주요 지배자 중 한 명인 아이르랑가(Airlangga, 재위기간 1016-49년)는 발리 왕가의 아들이었다. 그의 위업 중에는 중부 자바와 발리의 정복이 포함되어 있다. 그는 또한 벼농사에 필요한 관개용수 확보를 위해 브란따스 강을 개발하였고, 오늘날 수라바야(Surabaya)에서 멀지 않은 곳에 항구를 건설하였다. 해적을 소탕하여 국제 항해의 안전을 보장하자 그의 신항구에 많은 선박들이 방문하였다. 아이르랑가는 두 아들에게 왕국을 분할해 물려주어, 끄디리(Kediri)와 싱하사리(Singhasari) 왕국이 각각 성립되었다.

13세기말에 싱하사리 왕국이 끄디리 왕국을 정복하여 통합이 이루어졌다. 통일왕국의 첫 지배자 끄르따느가라(Kertanegara, 재위기간 1268-92년)는 발리를 정복하고, 당시 잠비-믈라유에 근거를 둔 스리비자야에 대한 패권을 장악하였다. 대부분의 인도네시아인들은 끄르따느가라가 1289년에 몽골제국의 쿠빌라이 칸(Kubilai Khan)이 자바로 파견했던 사절단을 멸시했던 사실을 기억하고 있다. 끄르따느가라는 칸의 특사를 구금하고 문신을 새기는 등 갖은 모욕감을 주어 중국으로 되돌려보냈다. 이에 격노한 몽골이 자바에 엄청난 함대를 파견했을 때 끄르따느가라는 이미 사망하였다. 그의 왕위계승자는 라든 비자야(Raden Vijaya)였고, 1294년 마자빠힛(Majapahit, '쓴 호박'의 의미)에 새로운 왕도를 세웠다. 라든 비자야는 몽골의 적은 자신이기도 하다는 사실을 주지시키고, 그들을 기습 공격하여 물러가게 하였다.

동부 자바의 종교 스타일은 혼합적이었다. 끄르따느가라의 부친은 시바교, 불교, 밀교 및 기타 신앙을 후원하였다. 그의 사후, 유골은 시바와 붓다 사원에 안치되었는데, 그가 시바와 붓다로 인식되었다는 사실을 암시해 주고 있다. 조각은 고전 형태에서 탈피하기 시작했고, 사원은 중심부를 벗어나 외각에 건축되어 이 지역에 큰 건축물이 존재하지 않은 이유가 되었다. 조각은 더욱 '자바'적이 되었고, 많은 신, 특히 비시누 또는 하리하라(시바-비시누)의 이미지는 이미 사망한 특별한 왕들의 초상이 되었다.

[2-15] 믄듯 사원(Candi Mendut)의 부조로 조각된 난간. 이 사원은 919년 이전 보로부두르와 쁘람바난에서 멀지 않은 자바 중부지역에 건립된 여러 건축물 중의 하나이다. 독실한 신도는 아직도 측면의 두 보살상의 중앙에 자리한 근엄한 불상 앞에 꽃을 바치고 있다.

마자빠힛

마자빠힛(Majapahit)의 문학적 전통에는 1365년 불교도 관리였던 므뿌 쁘라빤짜(Mpu Prapanca)가 쓴 장편시 느가라꺼르따가마(Negarakertagama, 또는 데사와르나나 Desawarnana)가 포함된다. 앞에서 인용했듯이(56페이지 참조) 하얌 우룩(Hayam Wuruk)의 행렬에서 보았던 국왕의 위업을 기록한 것 외에도 그 시에는 마자빠힛에 종속된 지역의 이름이 언급되어 있다. 마자빠힛은 자바 동부지역과 발리만을 직접 지배하였지만, 그 영토적 만다라는 뉴기니(New Guinea)와 향료섬에서 수마뜨라와 말레이반도까지 이른다. 또한, 마자빠힛은 베트남, 중국과 태국과도 관계를 유지하였다.

하얌 우룩은 1350년 16세의 나이로 아들 대신 몇 년간 여왕으로 통치했던 모친을 계승하여 왕좌에 올랐다. 그는 마자빠힛 최고의 지배자로 느가라꺼르따가마에서 암시하듯이 힌두교와 불교를 보호하였다. 그가 행차를 할 때엔 장편시의 저자인 므뿌 쁘라빤짜와 그의 유능한 재상이며 왕국의 확장에 크게 기여했던 가자 마다(Gajah Mada)가 동행했다.

마자빠힛은 그 세력의 범위만으로 중요한 것은 아니다. 당시는 도시화가 시작되고 교역이 활성화되던 시기였다. 세금과 벌금은 현찰로 지불하였다. 1300년경에는 중국 동전이 대부분 지역의 금은화를 대체했는데, 이는 아마도 낮은 액면가의 동전이 상업거래에 필요했기 때문일 것이다. 마자빠힛 지역에서는 사람, 동물, 가옥의 모양에서 아이들의 장난감에 이르는 점토(테라코타) 유물이 엄청나게 발굴되었다. 오늘날 뜨로우란(Trowulan)에 있는 왕궁터 주변에서 주로 발견되는 토기 유물에서 당시 일상생활의 단면을 엿볼 수 있다. 등이 굽은 인도네시아 돼지 모양을 한 동전 저금통도 출토되었다.

[2-16] 13세기 자바 동부의 싱가사리의 조각에서 아누사빠타(Anusapatha) 왕은 시바-마하데바(Shiva-Mahadewa, 마하데바는 '위대한 신'의 의미)로 표현되고 있다. 명상 자세를 취하고 있는 이 신상은 네 팔 중의 두 손에 힘의 상징을 쥐고 있는데, 각각 총채(fly-whisk)와 원형의 기도 묵주가 그것이다.

이슬람교의 확장과 함께 향료무역의 번성과 이 지역에 대한 중국인의 관심이 재개됨에 따라 새로운 경쟁자가 전면에 부상했다. 14세기쯤에 새로운 경향이 자바를 변화시키고 있었다. 뜨로우란에서 수행된 고고학적 발굴조사에서 궁중관리를 포함한 무슬림 정착자의 흔적이 나타나고 있다. 자바의 북부 해안에 형성된 항구도시들은 점차 이슬람 영향 아래에 놓이게 되면서 마자빠힛과 결별하게 되었고, 말

[2-17] 14세기 점토 동물의 등에 있는 슬릿으로 보아 돼지 저금통의 용도를 확인할 수 있다. 중국 동전(전형적인 사각형의 구멍을 지닌)은 국내와 해외 교역이 확대되고 화폐 사용이 보편화되면서 마자빠힛의 통화로 널리 유통되었다.

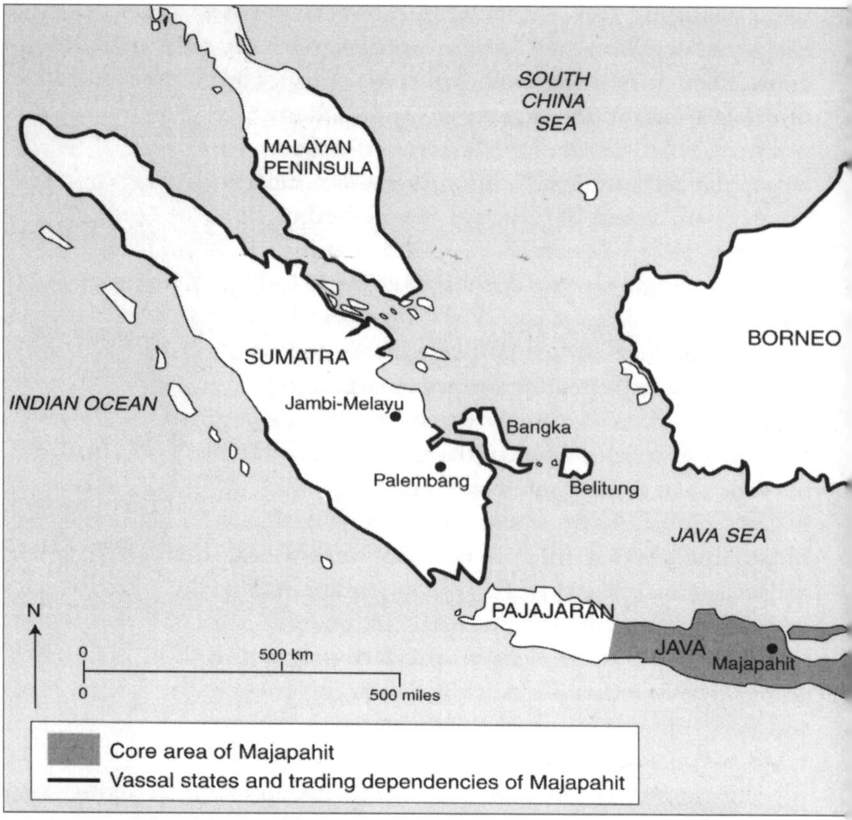

[2-18] 14세기 중엽의 마자빠힛 왕국의 핵심영역과 원거리의 종속지역.

라까의 술탄왕국은 교역의 경쟁상대로 등장했다. 1527년 마자빠힛은 북부 해안의 새로운 이슬람 항구도시의 연합체에 의해 멸망했다. 왕족의 일부는 발리로 피신하였다.

뜨로우란은 종교와 행정의 중심지였지만, 계속해서 외국인 이주자–인도인, 크메르족, 시암족–를 받아들였다. 마자빠힛은 자바 동부의 비옥한 토지를 활용한 농업 기반의 국가이면서, 또한 국제 향료무역의 중계지이자 주변지역에 주로 쌀을 수출하는 교역 기반의 경제구조를 동시에 지녔다. 하지만, 왕권의 정당성은 교역을 지배하는 것보다는 농업을 관장하여 풍요로운 수확을 얻는 데에서 비롯되었다.

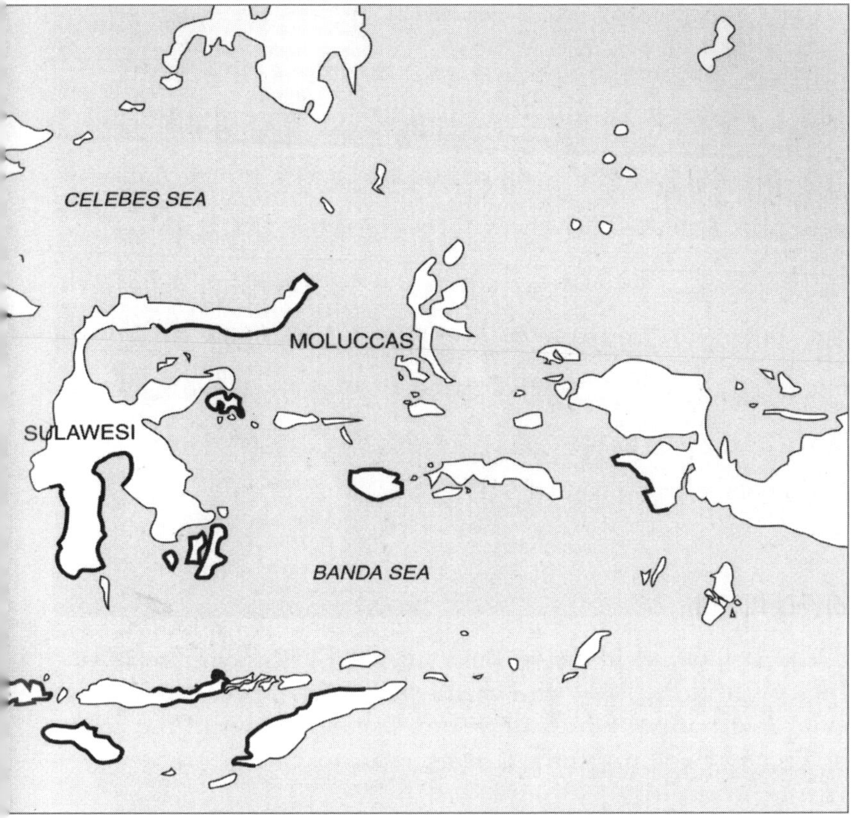

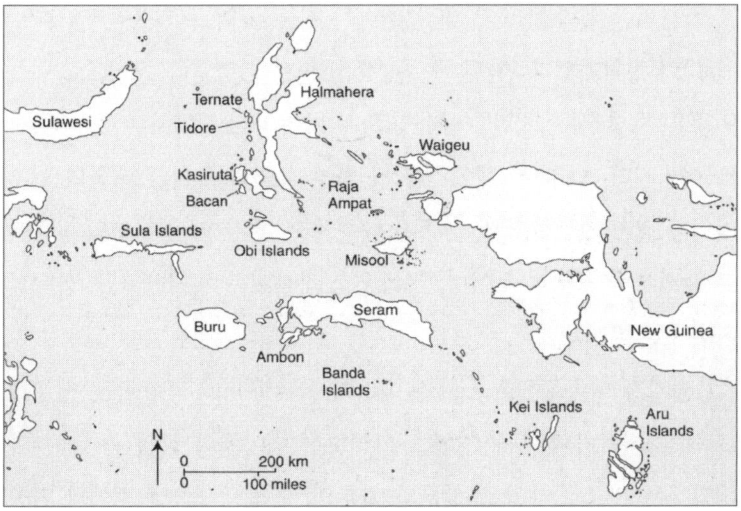

[2–19] 몰루까 제도 또는 향료 제도.

지리적으로 동남아의 가장 광활한 영역을 차지했던 마자빠힛은 현대 인도네시아의 국민적 감정을 형성하는데 기여하고 있다. 인도네시아의 국가 모토인 비넥까 뚱갈 이까(Bhinekka Tunggal Ika, '다양성 속의 통일성'의 의미)는 마자빠힛의 글에서 나온 것이다. 20세기 인도네시아 민족주의자들은 마자빠힛을 현대 국가의 상징적인 선행자로 간주하고, 향료섬과 뉴기니의 서부지역을 인도네시아 국가에 포함시키는 것이 정당하다고 강조하며, 인도네시아는 역사적 전신인 마자빠힛을 계승했다고 주장했다. 인도네시아공화국은 독립 이후 첫 대학교로 족자까르따(Yogyakarta)에 가자마다대학교를 설립하여 마자빠힛의 위대한 재상을 기념했다.

버강과 미얀마

오늘날 미얀마(이 글에서는 'Burma'를 '미얀마'로 번역한다-역주)의 영역에서 가장 초기에 등장한 것으로 알려진 정치단위는 기원전 2세기에서 서기 9세기에 걸쳐 에야워디(Irrawaddy, 현대 표기는 Ayeyarwady-역주) 강 상류에 흔히 '원시버마족'(proto-Burmans)으로 불리는 쀼족(Pyu, 중국 문헌에는 이들을 '驃'로 기록하고 있다-역주)의 정착지였다. 한편, 몽족(Mon) 또는 떠라잉족(Talaing, 이들 민족은 자칭 '몽'이지만, '떨라잉'은 버마족의 호칭에서 비롯된 것으로 여겨진다-역주)은 에야워디 강 하부 유역과 오늘날 태국의 일부 지역에 걸쳐 거주하였다. 쀼족은 대승불교, 힌두교 및 일부의 상좌불교를 신봉한 것으로 보이며, 몽족은 상좌불교를 채택한 최초의 동남아인으로 여긴다.

11세기경 버마족(Burman)은 미얀마 상부(Upper Burma, 상부라고 해도 미얀마의 전체 지역을 고려하면 에야워디 강의 중류지역에 해당하는 것으로 대체로 상부와 하부의 개념은 오늘날 삐에와 따웅

[2-20] 11세기 버강은 미얀마의 왕도였고, 종교 건축의 중심지였다. 수천기의 사원과 건물이 세워졌다. 다른 건축물 위로 우뚝 솟아있는 것은 흰색의 아난다(Anada) 사원으로 미얀마 건축의 백미(白眉)이다.

우를 잇는 선을 경계로 한다-역주)의 쌀 곡창지대를 장악했고, 중국 남부 세력(난짜오(南詔)를 의미한다-역주)의 침입으로 뿌족이 멸망함에 따라 버마족은 자신의 왕도인 버강(Pagan, 오늘날 'Bagan'-역주)에서 권력을 확립할 기회를 갖고, 곧 해안가로 세력을 확장하였다. 버강 왕국은 뿌족과 몽족의 영향을 강하게 받았으며, 특히 버마족은 몽족의 종교와 문자 체계를 받아들였다.

버강 왕조 최초의 왕인 어노여타(Anoratha, 재위기간 1044-77년)는 상좌불교로 개종하였지만, 다른 신앙도 유지했다. 그의 아들인 짱싯따(Kyanzittha, 재위기간 1084-1113년)는 쉐지공(Shwezigon) 사원을 완공하였는데, 이 사원에는 스리랑카(실론)에서 가져온 붓다의 유품인 불치(佛齒)가 안치되어 있다. 여기에는 또한 미얀마 전국에서 널리 알려진 정령(精靈)인 32낫(nat)의 이미지를 수용하고 있다. 짱싯따의 다양한 비문에는 그를 비시누의 화신, 짜끄라와르띤(우주 지배자), 보살, 불교도의 계율을 지키는 다르마라자(dharmaraja) 등으로 언급하고 있다. 왕권의 정당성을 확보하기 위해서 가능한 한 많은 영적 존재에 의존할 수밖에 없었다. 그의 두 번째 위대한 건축물인 아난다(Ananda) 사원은 프랑스 역사학자인 조르주 세데스가 '미얀마 건축의 걸작'이라고 불렀던 것으로 앙코르 또는 자바에서도 볼 수 있었던 국왕의 영생을 기원하는 분묘(墳墓) 사원일 가능성도 있다.

버강에서 12세기의 대부분은 혼란의 연속이었다. 1190년이 되어서야 어노여타의 왕가가 스리랑카의 도움을 받아 권력을 회복하고, 스리랑카 모델에 기반을 둔 불교 개혁을 단행하였다. 앙코르와 마찬가지로 해안지대를 확보한 내륙 농업기반 국가인 버강은 엄청난 기념비적 건축물 유산을 남겼다. 왕실이 건설한 거대한 사원 외에도 수천 개의 작은 규모의 파고다가 남아있다. 너야빠띠시뚜(Narapatisithu, 재위기간 1173-1211년)는 말기의 중요한 국왕으

[2-21] 1885년에 촬영한 양공의 쉐더공(Shwedagon) 파고다 경내의 불상. 전설에 따르면 이 사원은 몽족이 미얀마 남부를 지배하고 있을 때인 2,500년 전에 최초로 건축되었다고 한다. 붓다의 모발 여덟 가닥과 수천 년 전에 살았던 붓다 이전의 붓다들의 유품을 안치하고 있는 것으로 알려져 있다. 쉐더공 파고다는 18세기에 양공이 알려지기 아주 오래 전부터 중요한 종교적 사적지였다.

로 버마족의 문화적 지배를 확립하였다. 그는 또한 토지가 승원에 기부됨으로 인하여 왕국의 통제와 과세에서 제외되는 문제를 상가(sangha, 승려의 교단)를 개혁하고 승원의 토지를 몰수함으로써 해결하고자 노력하였다.

너야빠띠시뚜는 버강에 새로운 권력을 심었지만, 토지가 승원에 양도되는 문제는 재발하였고, 그의 왕위계승자들은 국왕의 권위를 발휘하지 못하였다. 불교 신앙과 왕권과의 모순은 결국 13세기 버강의 몰락을 초래한 이유가 될 수도 있겠지만, 내부의 분열과 따이어족과 몽골의 침입 같은 변방에서 발생한 사건들도 그 사유가 되었다. 이 시기에 따이어족의 한 갈래인 샨족(Shan)이 동쪽과 북쪽의 산지에서 미얀마의 저지대로 이주해 오기 시작하였다. 몽골의 원정군이 버강으로 진격하여 1287년 버강을 함락시켰다. 샨족이 14세기 초에 결국 몽골의 세력을 몰아냈지만, 버강은 평범한 지방으로 전락하였고, 샨족은 어와(Ava)에 그들의 왕도를 세웠다. 그 이후 수세기 동안 분열, 갈등, 혼란이 가중되었다. 마침내 버마족 중심의 국가가 16세기에 싯따웅(Sittang, Sittaung으로도 표기됨-역주) 강 유역의 따웅우(Toungoo)에 다시 등장하였다. 그곳에서 따웅우 왕조는 세력을 얻어 버마족 지배의 부활에 착수하였다.

따이어족의 시대

버강과 앙코르의 몰락은 따이어족 왕국들을 전면에 부상시켰다. 어와의 샨족 왕도는 미얀마 상부지역에 있어서 버강의 권위를 대체하였다. 스리비자야도 말레이 반도로 유입된 따이어족의 팽창에 고통을 겪었고, 한편 새로이 자기의식을 갖춘 민족(따이어족)은 앙코르를 공격하고 경계를 확장하였다. 데이빗 야트(David Wyatt, 태국지역을 전문으로 하는 미국 역사학자-역주)는 1200-1351년의 시기를

'따이어족의 세기'로 불렀다. 따이어족의 진출과 함께 그들의 새로운 국가가 형성되면서 이전 산지민이었던 그들에게 상좌불교가 정착되고 각종 불교 제도가 확산되어갔다.

따이어족의 진출 중에서 가장 중요한 것은 오늘날 태국의 비옥한 벼농사지역으로 진출한 시암인(Siamese)의 경우이다. 당시 이 지역은 몽족(이들의 초기 왕국에 관해서는 거의 알려져 있지 않다)이 거주하고 있었거나 크메르족이 살지 않았던 태국 북부지역과 라오스의 전역에 이르는 영토를 통치했던 앙코르가 지배하고 있었을 것이다. 앙코르왓의 부조에는 수르야와르만 2세의 군대 속에 포로로 여겨지는 시암 군사의 모습이 등장한다.

[2-22] 수코타이 스타일의 날씬한 몸매의 청동불상. 상좌불교를 채택함으로써 따이어족은 새로운 시야를 확보하였고, 13세기에는 대륙부 동남아에 그들의 영향력이 미치고 있었다.

따이어족의 북부 왕국인 란나(Lan Na)가 1292년부터 치앙마이(Chieng Mai)에 터전을 내리고 있었지만, 수코타이(Sukhothai) 왕국이 시암-태국의 가장 초기의 건설자로 여겨진다. 따이어족 귀족의 핵심세력이 13세기 중반 란나의 남동쪽 앙코르에서 멀지않은 짜오프라야(Chaophraya) 강 유역에서 크메족과 몽족의 문화적 영향을 받으며 성장하였다. 앙코르 같은 주변 국가의 비문에서 이들 집단은 사얌(Syam) 또는 시암인(Siamese)으로 알려져 있다.

수코타이의 세 번째이며 가장 유명한 지배자인 람캄행(Ramkhamhaeng, '위대한 라마'라는 의미, 재위기간 1279–98년)은 앙코르의 약화를 틈타 대륙부에서 자신의 왕국을 강력한 세력으로 구축할 수 있었다. 람캄행은 그의 새로운 국가를 상좌불교와 밀접하게 연관시켜, 군주와 상가가 상호 후원하는 관계로 만들었다. 그는 라오스의 지배자들과 오늘날 태국 대부분의 지역, 그리고 미얀마의 버고(Pegu, Bago) 및 말레이 반도 일부를 복속시켰다. 이런 세력 확장은 단순한 영토정복이 아닌 여타 권역을 모두 합병하여 속국들의 충성을 받고자 함이었다. 그 결과는 중앙과 변방의 만다라 또는 은하계 정체(galactic polity)로서 현대 동남아 사회에서 흔히 발견되는 후원–수혜(patrons and clients) 관계의 피라미드 형태와 흡사한 것이었다.

람캄행의 권력은 단지 군사적인 것만은 아니었고, 추종자들의 눈으로 확인되는 그의 불교에 대한 후원 같은 도덕적 신망에도 기초하였다. 그와 이후의 왕위계승자들의 불교에 대한 후원으로 인하여 불교 영향을 받은 수코타이 예술 전통이 확립되었다. 그의 조각가들은 계속해서 비시누와 시바의 이미지를 새겨 넣은 것으로 보아 왕궁에서는 힌두교의 영향이 여전히 남아 있었음을 알 수 있다.

람캄행 사후에 속국들이 독립하면서 수코타이는 그 영역의 통제권을 상실하였고 그 만다라는 축소되어버렸다. 따이어족의 왕국은 여러 성읍국가(principalities)로 분열되었지만, 그럼에도 따이어족은 대륙부 영역에서는 중요한 역할을 유지하였다.

아윳타야(Ayudhya)

1351년 현지 귀족 가문과 혼인했던 중국 상인의 아들인 우텅(U Thong)이 아윳타야(Ayudhya, 태국에서는 Ayutthaya로 표기–역주)에 왕도를 정하고 국명을 라마티버디(Ramathibodi)라 하였다. 짜오프라야 강 유역의 지리적 위치로 인하여 아윳타야는 당시에 활기차게 증대되고 있던 국제교역을 이용할 수 있게 되었다. 라마티버디의 중국인 공동체와의 연대는 이러한 이점을 더욱 강화시킬 수 있었을 것이다. 15세기경 아윳타야는 말레이인들이 장악했던 말라까 해협의 관문이었던 말라까와 긴밀한 상업적 접촉을 벌였고, 때론 경쟁을 벌이기도 하였다.

[2-23] 규모가 크지만 미적인 날씬한 모습으로 연꽃을 머리에 베고 있는 와불상에서 아윳타야 시대의 시암 불교 예술을 느낄 수 있다.

행정 부문에 있어서 아윳타야는 크메르의 제도를 도입하여, 이전 왕국보다 더욱 조직적인 권위체제를 만들었다. 이후의 국왕들은 사회구조를 계층화하는데 주력하였다. 이 역시 크메르의 영향을 받은

것으로 평등한 구조를 가진 따이어족 사회에서는 새로운 것이었다. 아윳타야의 권력을 뒷받침한 것은 우월한 따이어족 군사력에 있었다. 16세기 초에 이르면 이제 아윳타야는 사실상 제국의 위용을 갖추고, 대륙부에서는 가장 강력한 세력을 유지하였다. 크메르, 몽, 따이 요소를 혼합한 아윳타야의 문화는 확실히 시암적이었다.

그동안 따웅우와 어와에 성립한 새로운 버마족 국가는 점차 세력을 축적하여, 경쟁 상대였던 샨족과 몽족을 제압하고 확장 중에 있었다. 이 세력은 2세기가 넘는 기간 동안 피차 침입과 피습을 반복하면서 아윳타야의 주요 도전자가 되었다.

인도의 유산

인도 종교와 문화의 차용은 지금까지 언급해 왔던 대부분의 사실에서 중요한 주제임에 틀림없다. 그러나 동남아 그 어디에도 인도 양식을 통째로 채택한 곳은 없으며, 힌두 발리에서조차도 그런 일은 없다. 인도의 영향, 특히 문자, 언어, 건축 및 종교와 정치의 담론에서 뚜렷하게 나타나는 그 영향력은 결국 초기 동남아 문화에 흡수되어 기여한 바 크지만, 결코 대체된 것은 아니다.

일부 학자들의 주장에 따르면, 초기 인도 종교는 본질적으로 왕과 왕권을 정당화하는 수단이었고, 그 영향은 상층 계층에 국한되었다고 한다. 하지만, 대승불교와 힌두교가 대개 귀족 계층의 종교였고, 사원 건축이 대부분 국왕과 왕가 권력의 행사로 이루어졌다고 할지라도, 그 중요한 유산은 아직 남아있다.

힌두교 삼신(三神)의 구성요소인 브라흐마, 비시누, 시바가 동남아 유물에 모두 반영되었다고 하지만, 시바가 가장 널리 숭배되었다. 시바 숭배는 왕의 권위에 밀접하게 연결된다. 비문에 따르면 참빠의 군주들은 시바교를 4세기 후반에 받아들였다고 한다. 푸난에서 중국

왕실로 보낸 사절의 기록에 의하면, 시바 숭배는 중국에서도 성행했다고 한다. 또한, 크메르 지배자들도 시바를 경배하고 자신과 동일시했는데, 처음에는 링가(남근)로 나중에는 조상(彫像)으로 섬겼다.

크메르 왕들은 특별한 왕의 자질을 높이기 위하여 우주의 힘을 집적시키려는 목적으로 단식, 명상, 영력 집중을 수행하였다. 시바와 동격화 된 위신은 왕의 후손들에게 전해졌고, 국왕은 이를 통해 더욱 많은 건축물과 조각 또는 링가를 세웠다. 고행은 하층민의 종교적 실천에도 포함되었고, 이슬람교를 망라하는 타 종교에도 영향을 끼쳤다.

힌두교에 있어서는 기본이지만, 동남아에는 전혀 영향을 미치지 못한 것은 바로 카스트(caste) 개념이다. 인도 사회에서는 브라만(Brahman, 사제), 끄샤뜨리야(Kshatriya, 무사), 배시야(Vaisya, 상인), 수드라(Sudra, 농민) 등 네 계층의 주요 카스트가 있고, 혈통과 직업에 따른 수백 개의 하위 카스트와 불순한 직업(가령, 동물가죽 가공이나 가축 도살)을 가진 탓에 카스트에서 제외되는 집단(불가촉천민으로 분류되어 일반사회와 동떨어진 곳에 집단 거주하며 하리잔(harijan)으로도 부른다–역주)이 존재한다. 전생의 행위 결과로 비롯되는 카스트는 극복될 수 없는 것이었다.

융통성이 허용되는 동남아 사회에서 카스트는 별 의미가 없었다. 그럼에도 불구하고, 해외 여행이 허용되지 않는 전통 때문에 (귀한 존재가 된) 브라만 또는 자칭 브라만은 동남아에서 영적 의례의 기능을 급속히 담당하게 되었다. 자바 서부의 5세기 왕국이었던 따루마(Taruma)에서는 강줄기를 돌리는 수리시설의 안전을 기원하는 의식에 브라만을 사용하였다. 8세기경 캄보디아에서 브라만은 인도 법전을 도입하여 법률문제를 도왔다. 어떤 브라만은 상업에 종사하였다. 브라만은 왕가의 가족과 혼인하여 카스트의 장벽을 넘어 큰 영향

[2-24] 미얀마의 독립기념식에 참석한 점성가들. 동남아의 힌두교 군주 시대의 살아있는 증인인 이들 브라만은 1948년 1월 4일 새로운 공화국으로 주권이 양도되는 길일을 결정하였다.(218페이지 참조)

력을 미쳤다. 상좌불교의 왕실조차도 브라만 점성가를 사용했다. 그들은 비교적 최근인 1948년에도 그 비법의 지식을 발휘했는데, 바로 미얀마 독립기념식의 길일과 시간을 결정했다는 것이다.

이제는 오직 몇 군데에서만 힌두교가 대중 신앙으로 남아있다. 자바에는 몇몇 고립된 지역에 이 종교가 남아있지만, 가장 잘 알려진 힌두교의 예는 발리 섬에 있다. 그 지역 전승에 의하면, 마자빠힛이 16세기 초에 이슬람 술탄왕국의 침입으로 멸망하자 그곳 귀족 일부가 발리로 피신하여 그들의 신앙을 유지했다고 한다. 발리의 힌두교는 자바의 이슬람교 전파보다 이른 시기에 전래되었다고 하지만, 힌두교 전래는 마자빠힛 귀족의 피신과 관련되어 있다. 카스트는 발리에 존재하지만, 그 영향력은 인도보다 약하다.

힌두교의 개념을 전했던 중요한 매개체로는 라마야나(Ramayana)

와 마하바라따(Mahabharata)가 있다. 이들 양대 서사시는 앙코르왓의 부조에서 볼 수 있는 것처럼 오늘날에도 여전히 대중 민속극, 이야기, 예술 등에 폭넓게 등장한다. 마하바라따는 캄보디아에 5세기 후반에 알려졌다. 라마야나는 크메르어로 번안된 리암께(Reamker)로 아직도 인기를 얻고 있다. 자바에서는 양 서사시(마하바라따가 선호됨)에서 발췌한 주제로 만든 와양(wayang, 그림자 인형) 공연이 촌락과 도시에서 흔히 열린다. 여기에 새로운 상황과 등장인물을 도입시키거나 원래 스토리를 가공한 새로운 이야기가 만들어지고 있다. 태국의 라마끼엔(Ramakien)에는 라마야나의 배경이 인도가 아닌 동남아이다. 이야기의 줄거리는 현대 문학과 연재 문화를 통해서도 각색되고 있다.

위대한 벼농사기반 왕국과 신왕(神王)은 사라졌다 할지라도, 동남아인들은 새로운 용도이긴 하지만 기념물 건축을 멈추지 않고 있다. 그 중에서 눈여겨 볼만한 것은 1960년대 인도네시아 대통령 수까르노(Sukarno)가 주도했던 자까르따의 '기념화(monumentalization)' 사업이었다. 일부 조상과 건축물은 정치적 의도가 담겨있었지만, 몇몇은 종교적 목적에서 비롯되었다. 동남아 모든 국가의 민족주의자들은 식민지 건축물을 자신들의 새로운 주체인식을 표현하는 기념물로 대체하는데 경주하고 있다.

제3장

신앙의 다양성: 동남아의 종교

세계의 주요 종교들은 모두 동남아에 존재하며, 보통 혼합되어 있다. 힌두교, 불교, 이슬람교 및 기독교가 이 지역에 들어와 있지만, 앞 장에서 살펴보았듯이 이들의 신앙체계는 신학적인 측면에서 결코 '순전한' 형태로 나타나지 않는다. 오히려 토속적인 전통과 그 상호간의 영향은 동남아 사회에 있어서 종교적 관습의 특징으로 여겨진다. 일반적인 신도들이 그렇듯이 대부분은 교리에 관심이 없고, 물질적 축복이나 영적 구원에 주로 집중한다.

이 장에서는 앞에서 이미 언급한 시대에 가장 큰 영향을 미친 신앙이었던 힌두교와 대승불교(Mahayana Buddhism)를 먼저 소개한다. 그런 다음, 13세기 이후 동남아에서 대중적 지지를 얻었던 종교와 그 영향력을 살펴볼 것이다. 13세기는 몽골의 침입과 따이어족의 유입 및 말레이-인도네시아 세계에서 이슬람교의 전파가 시작된 시기와 일치한다.

[3-1] 발리의 장례식에서 한 여성이 브라만 사제의 사체를 모신 혼응지(papier-mâché, 混凝紙)로 만든 황소 모형 앞에 제물을 바치고 있다. 타 지역의 힌두교도와 마찬가지로 발리인들은 화장을 하지만, 사체는 일반적으로 가족들이 화려한 장례의식을 치루기 위해 자금을 마련할 동안 임시로 매장한다.

힌두교

동남아의 초기 왕국에 있어서 특출한 군주는 붓다와 힌두신과 동일시되어 숭배를 받았다. 힌두교는 여전히 인도에서 활기차게 살아있는 종교이며, 풍부한 신앙과 의식을 그 특징으로 한다. 힌두교 전통은 기원전 800년경 또는 그 이전에 확립되었으며, 모든 생명체의 통일성과 재생(再生)의 필연성 및 다신적 숭배를 강조한다. 일부 힌두교도들은 모든 신을 삼신(三神, trinity)인 브라흐마(Brahma), 시바(Siva), 비시누(Vishnu) 또는 유일신의 발현으로 여긴다. 일부 힌두교도들 중에는 심지어 무신론자도 있다. 교리나 정해진 의례가 없는 힌두교의 다양성은 많은 관습, 전승(傳承), 문헌에서 표현되고 있다. 이러한 다양성이 아마도 종교적으로 취사선택의 기회를 가지기 원했던 동남아 초기 지배자들의 마음을 끌었던 것 같다. 그런 종교적 역할에 대해서는 제2장에서 언급하였다.

불교

힌두교의 가르침은 불교에 크게 영향을 미쳤다. 붓다는 실존 인물로 기원전 5세기(6세기라고도 함) 지금의 인도와 네팔 국경지역에서 왕자의 신분이었다. 불교 가르침의 핵심은 선행과 악행의 결과로 발생하는 까르마(karma, 업)가 현생과 재생될 내세에 있어서 인간의 지위를 결정한다는 것이다. 명상과 고행을 통하여 윤회와 고통에서 벗어나 고통이나 욕망이 존재하지 않는 니르바나(nirvana)라 일컫는 열반(涅槃)의 경지에 이르게 한다. 재생은 신을 포함한 고귀한 존재나 저급한 존재 모두에게 일어나며, 우주를 지배하는 창조신이나 다른 신은 존재하지 않는다. 출생과 재생의 순환(윤회)과 세계의 재생과 파괴의 장기적 순환만이 실존한다. 붓다 자신은 열반에 들었지만, 신은 아니다. 그러나 그의 추종자들은 때론 그를 신으로 간주하는 것 같다.

붓다의 가르침은 인도 전역에 급속히 퍼져나갔지만, 힌두교와 그 이전의 신앙을 대체하지는 못했다. 힌두교와 달리 불교는 포교 성격의 종교였고, 곧장 다른 아시아 국가로 전파되었다. 이 신앙을 동남아에 들여온 이들은 아마도 상인과 순회 승려였을 것이며, 시기적으로는 늦어도 기원후 1세기경이었을 것이다. 불교는 5세기경 인도네시아 도서부에 이미 정착한 것으로 알려져 있는데, 이는 그 시대의 유물에서 불교의 흔적이 발견되기 때문이다.

동남아 지역에 유입된 불교의 가장 초기 형태는 '큰 수레'의 의미를 지닌 대승불교이지만, 그 경전의 기록 시기는 상좌불교(Theravada Buddhism)의 것보다 늦다. 대승불교의 가르침은 상좌불교와는 달리 소수의 수도승이 아닌 많은 대중에게 열반의 길을 열어주고 있다. 그 결과로 대승불교에서 승원과 승려의 존재가 상좌불교의 사회만큼 중요시 여기지 않는 것은 열반에 이르는 길이 승려에게만 부여된 것이 아니기 때문이다. 대승불교의 전통을 신봉하는 신도들은 열반의 경지에 도달하였지만 다른 중생들이 열반에 들 수 있도록 돕기 위하여 세상에 남아있는 보살(菩薩, bodhisattva, 산스끄리뜨어로 '신성한 존재'라는 의미를 지님-역주)을 숭배한다. 대승불교는 자바와 앙코르의 위대한 종교 건축물의 건설에 영감을 주었다. 여전히 동아시아에서는 대승불교가 중요한 위치에 있지만, 이제 동남아의 대부분의 지역에서는 사라지고 없다. 특히 앙코르와 마자빠힛의 쇠퇴 이후 힌두교와 대승불교는 거의 모든 동남아 사회에서 그 기반을 상실하였다. 그 점에서 베트남은 예외인데, 대승불교 신앙이 대중에게 확산되었던 중국과 문화적 교류로 친밀한 관계에 있었다는 사실로 설명될 수 있다. 이와 유사한 이유로 베트남 왕실도 19세기에 그 세력이 절정에 달했던 유교 정통주의 원리를 도입하였다.

인도와 중앙아시아 불교도는 오늘날 베트남 북부지역의 해안을 통하여 상업과 종교가 뒤섞여 들어왔던 기원 2세기와 3세기의 베트남(당시에는 중국의 지배하에 있었음)에서 극진한 대접을 받았다. 그 사제와 상인들은 새로운 교리를 가르쳤고, 초기 사원들의 건축은 이 시기에 시작되었다. 이곳에서 불교는 중국 남부로 확산되었다. 이와 동시에 그 북부지역, 즉 중국의 불교도들이 베트남을 방문하였다. 6세기에 선(禪, Thien, Zen, 인도 남부 따밀에서 창시된 것으로 열반에 이르기 위해서 명상의 수행을 강조함-역주) 불교도도 그 방문 행렬에 참여하였다. 이 명상주의 불교의 영향으로 인하여 중국과의 불교 교류가 활발해졌다. 불교가 확고하게 뿌리를 내린 중국과 인접해 있는 베트남의 일부 지역에서는 중국불교에 대한 의존도가 높았을 것이다. 반면 중국과 거리가 멀고 보다 복잡한 주변국 환경에 놓여 있던 지역에서는 중국적 불교는 거부의 대상이 되기도 했다.

일부 학자들의 주장에 따르면, 힌두교와 불교의 초기 형태는 지배자 및 사제와 승려 같은 종교지도자의 독점적인 관심 하에 존속하였다. 확실히 초기 사원은 신왕의 거처였으며, 제사를 수행하는 사제에게만 충분한 공간을 제공했던 것으로 신도를 위한 집회 장소는 아니었다. 그러나 스리비자야의 왕이 불교를 장려하고, 보로부두르 사원이 참배객의 시야에 들어오는 위치에 있어 접근할 수 있다는 점을 미루어보아 대중에게도 그 신앙이 확산되었다는 사실은 틀림없다. 일반인들은 자신들의 전통적 신앙을 가지고 있었을 것이다. 하지만 특히 불교는 이전에 숭배 받았던 전통 신을 흡수하는 데 크게 성공하였다. 그 전통적 신에는 미얀마의 낫(nat) 같은 땅과 물의 신령, 역사적 인물, 혹은 불교 이전의 신령으로 동남아 세계의 숲과 해변, 바다와 강, 산과 동굴에 거주한다고 믿었던 '정령'이 속한다. 베트남이 17세기와 18세기 동안 분열되었을 때, 남쪽의 응우옌(Nguyen) 왕조의 지배자들은 그들 왕국의 참족(Cham)과 다른 소수종족이 포함된 다종족 사회에 대한 통합 이념으로 대승불교를 채택하였다.

불교의 또 다른 종파로 밀교(Tantrism, 혹은 Vajrayana 금강교)가 있다. 딴뜨라(tantra)는 불교의 비경(秘經)으로, 만다라와 신비적인 종교적 수행을 통하여 깨달음을 얻는다고 강조한다. 밀교는 힌두교의 개념을 채택하였다. 스리비자야와 그것을 계승한 국가 및 자바의 지배자들이 신봉하였고, 보로부두르 사원의 건축에도 영향을 미쳤다.

상좌불교

때론 히나야나(Hinayana, '소승')로 불리기도 하는 테라바다(Theravada, '상좌(원로)의 가르침') 불교는 힌두교와 이전의 대승불교를 대신하여 대륙부 동남아의 대부분에 전파되어 지배적 종교가 되었다. 상좌불교의 경전어는 산스끄리뜨어가 아닌 빨리어(Pali)이다. 그것의 초기 경전은 기원전 1세기경에 나타난 것으로 보지만, 명확한 재해석본의 경우 기원 5세기에 등장하였다. 전하는 바에 따르면 버강(Pagan, 미얀마 최초의 버마족 왕조가 탄생한 곳-역주) 승려들의 도움을 받은 싱할족(Sinhalese, 오늘날의 스리랑카 다수종족-역주) 왕이 11세기에 전통 교리를 복원하였다고 한다. 그 이후에 동남아 불교도들은 교리의 회복과 유지를 위하여 스리랑카(Sri Lanka)와의 교류에 큰 중점을 두게 된다.

상좌불교는 아마도 몬족(Mon)에 의해 처음으로 대륙부 동남아에 도입된 것으로 여겨진다. 몬족의 왕국은 미얀마의 남쪽 해안인 떠통(Thaton)과 버고(Pegu, Bago)에 자리하였고, 또한 그들은 오늘날 태국의 상당한 지역으로도 확장하였다. 버강의 지배자였던 어노여타(Anoratha)를 상좌불교로 개종시킨 이는 몬족 승려였으며, 개종한 어노여타는 떠통을 정복하고 떠통의 왕족을 비롯하여 승려와 경전을 버강으로 옮겨왔다. 엄격히 말해 12세기 말경 이러한 과정을 통한 상좌불교의 확산 및 정통 교리를 확립하려는 미얀마와 스리랑카 간의 지속적인 접촉에도 불구하고, 버강의 종교는 한동안 신앙체계가 혼합된 양상으로 남아있었다. 13세기에 이르러 상좌불교는 대륙부 동남아 전역으로 퍼져나갔다. 앙코르 같은 전통시대 왕국의 와해가 개종의 기회를 제공했던 것 같다. 이제 상좌불교는 진정한 대중 종교로 거듭나면서, 마을로 들어가 모든 영역의 사람들에게 그 존재를 드러냈다. 왕국의 멸망에도 생존하였으며, 오늘날까지 살아있다.

몬족, 크메르족 및 버마족 외에도 상좌불교는 특히 중국 남부(따이어족은 광서성(廣西省)의 장족(Zhuang, 壯族)과 친연 관계가 있다)에 거주하였던 따이어족(Tai), 즉 시암족(Siamese), 샨족(Shan), 라오족(Lao) 등에게 도래한 것 같다. 따이어족은 그 이전에 어느 한 대종교에 유착되지 않았었다.

엄밀하게 살펴보면, 상좌불교는 깨달음(득도)과 열반(고통과 윤회에서 벗어난 상태)을 통하여 고통과 윤회의 탈피에 그 목적을 두고 있다. 오직 승려로 살아가는 선택받은 소수만이 득도할 수 있으나, 윤회를 거듭해야 하는 평신도나 여성에게는 득도의 기회는 오지 않는다. 실천적 현대 불교 학자들은 대부분의 불교도가 열반과 완벽한 세속적 탈피를 멀고도 거의 성취 불가능한 목표로 간주하는 것으로 믿고 있다. 불교도들은 현재의 상태에서 나아질 수 있도록 의례를 행하며 공덕을 베풀고 악행의 회피를 통하여 단순히 고통의 감소를 지향하고자 한다. 동남아 사회에서 엿볼 수 있듯이 상좌불교는 개인적 성향이 강하다. 대승불교와는 달리 상좌불교에는 타인을 득도에 이르도록 돕는 보살이 존재하지 않으며, 신도는 열반에 이르는 길을 혼자 걸어가야 한다. 상좌불교는 다양한 정령 숭배, 주술, 점성술 및 기타 비정통적 신앙을 포용하고 있다.

왕실의 후원이 새로운 가르침의 확산에 확실히 도움이 되긴 하였지만, 그럼에도 상좌불교의 핵심 기구는 상가(sangha, 승단)이다. 과거와 마찬가지로 오늘날에도 모든 남성들은 단기간이라 할지라도 소년 시절에 상가에 입문한다. 마을에 위치한 승원(monastery, 동남아의 경우 승려의 거처인 승원은 불교사원과 분리되어 별도의 장소(일반적으로 주민의 거주지)에 위치한다-역주)은 학교의 기능을 담당했고, 따라서 전통 불교사회의 상당한 비율의 남성들이 읽기와 쓰기를 배웠다. 매일 승려가 한 끼의 식사를 탁발하러 나오면, 신도는 그의 바리때에 음식을 채워 공덕을 쌓을 수 있다. 종종 성인 남성들은 승원에 잠시 기거하기도 한다. 과거 국왕이 그의 왕좌에서 물러나듯이 현대에도 정치인들이 공직에서 나와 가사를 입기도 한다. 청년들은 그들의 부모나 은인의 공덕을 위하여 계율을 받는 경우도 있다. 불교 축제와 수계식 및 기타 행사가 달력과 개인의 생활에 색과 의미를 더한다.

[3-2] 19세기 미얀마 야자수 잎 필사본으로 붓다가 생전에 방문했던 장소를 나타내고 있다. 과거의 많은 동남아 텍스트는 매우 썩기 쉬운 재료에 쓰였다.

[3-3] 태국의 수계식에서 흰옷을 입은 평신도가 승려로서 착복해야 할 사프란 색상의 가사(袈裟)를 받고 있다.

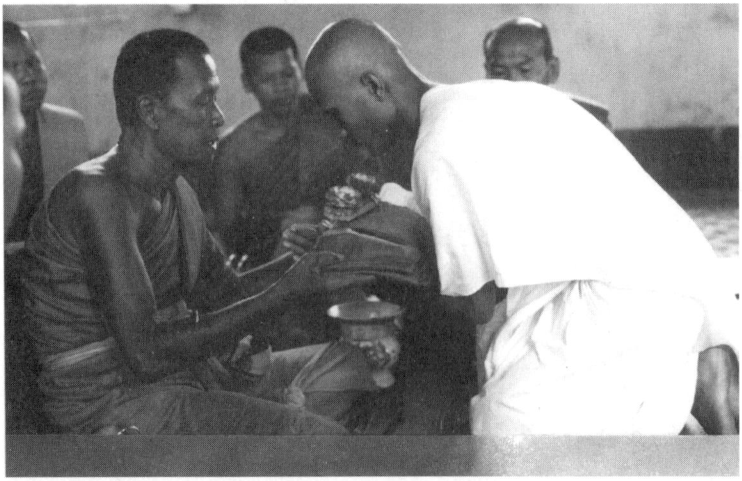

[3-4] 방콕의 한 승려가 배를 이용하여 자신과 동료 승려를 위한 탁발에 나서고 있다. 승려는 하루 한 끼의 식사만 하며, 평신도로부터 필수품을 받음으로써 그들의 공덕을 쌓게 한다.

상좌불교 국가의 지배자들은 다르마라자(dharmaraja, 다르마(법)의 왕)의 칭호를 흔히 사용하여 그것으로 상가를 통제하고 종교적인 문제에 관여하였다. 미얀마에서 국왕들은 자신들의 계율을 상가가 따르도록 하였으며, 19세기와 20세기에 이르러 시암(Siamese) 왕들도 그와 유사한 정책을 구사하였다. 19세기 베트남의 두 황제, 자롱(Gia Long)과 민망(Minh Mang)도 부분적으로 유교의 입지를 강화하기 위하여 계율을 정해 불교를 통제하였다.

[3-5] 베트남의 불교 장례 행렬.

불교도 지배자들이 종교적 계율을 강화하는 데에는 나름대로 근거가 있었다. 상가는 왕실의 보호 아래 부와 권력을 축적하고 나아가 국왕의 통치를 비판할 수 있는 지위를 누렸다. 시암의 위대한 계몽군주 중의 한 명이었던 라마 4세 몽꿋(Mongkut, 재위기간 1851-68년)은 왕좌에 등극하기 이전 승려의 신분이었다. 학식과 교양을 갖춘 몽꿋은 승려 시절 다르마(법)에 관한 자신의 생각을 바탕으로 상가를 개혁하고, 20세기 들어서면서 서서히 밀려오는 서구 지식을 탐구하도록 상가를 개방하기 시작하였다. 그의 계승자들도 몽꿋을 따라 상가의 통제를 계속하였다.

1932년 시암의 전제 군주제가 폐지되고 난 후에도 불교와 정치권력의 관계는 지속되었다. 승려들의 지위나 시험 및 종교 학교 등은 그 행정 담당자가 승려일 수도 있지만 관료제도의 통제를 받고 있다. 종교 활동에 대한 소액의 보조금이 제공되지만, 보다 나은 시설을 갖춘 국립 교육기관이 승원의 학교와 경쟁하고 있다. 1957년에서 1963

[3–6] 1963년 사이공(Saigon)의 중앙 교차로에서 응오딘지엠(Ngo Dinh Diem) 정권에 대한 시위에서 분신을 시도하는 승려.

[3–7] 전 태국 군부의 실세였던 타놈 낏띠까촌(Thanom Kittikachorn) 1973년 민주제도의 이양 이후 추방되었다가 1976년 가사를 입고 귀환하였다. 그의 불교 신앙적 겉모습에 실망한 방콕의 학생들은 그의 복귀에 반발하였고, 잔혹한 군부의 대응을 유발시켜 민주정치의 실험은 일시 중단되었다.

년까지 태국에서 독재 권력을 장악했던 사릿(Sarit) 장군은 '왕, 불교, 국가'라는 슬로건을 내세워 자신의 정권을 정당화하기 위해 종교와 국민주의 그리고 군주제에 호소했다.

1960년대 이후로 이른바 '포교 승려'(missionary monks)가 등장하였다. 이들의 임무는 정부 정책을 장려하는 것이었는데, 불교의 포교와 아울러 개발과 공공 위생의 목적을 전파하는 데 있었다. 지역적 불만과 소요에 직면하자 이들은 국가에 대한 충성을 유발하기 위하여 비불교도인 산지 부족들에게 파견되기도 하였다. 평원지대의 불교도들은 수 세기에 걸쳐 정착 농업 문화와 상좌불교를 고산족들에게 이식하기 위해 노력해 왔다. 한편, 포교 활동이 전개됨에 따라 이러한 개종 노력은 전통문화에 문제를 제기하고 다수민족의 문화와

종교만이 국가에 유익하다고 주장함으로써 적대감을 불러일으켰다.

아마도 대부분의 따이어족은 불교를 그들 국가의 정체성 구현에 절대적인 요소로 간주하며, 비불교도 소수민족의 개종은 국민통합에 필수적인 것으로 확신한다. 이런 입장은 미얀마의 전 수상이었던 우누(U Nu, 재직기간 1948-58년, 1960-62년)와 같은 지도자들에게도 나타난다. 열렬한 불교도였던 우누는 상징적인 종교 행위를 반복했고, 결국 승원에 (일시적이었지만) 귀의하였다. 미얀마 국가 형성의 핵심적 요소로 보았던 불교에 대한 그의 강한 집념은 결국 비불교도 소수민족의 소외감을 가중시켰다. 1962년 이후 네윈(Ne Win) 장군에 의해 주도된 독재적 군부 정권은 비종교 이념으로 '미얀마식 사회주의'를 채택하였다. 하지만, 그 이념에도 인간과 자연에 관한 불교식 개념을 계속 적용하였다. 승려에 관한 계율에 문제가 발생하거나 일부 승려가 정치적 반발에 동참할 경우, 군부 정권은 상가에 대

[3-8] (왼쪽) 우누 수상의 불교와 전통신앙에 대한 열정은 외국인들에게 때론 신비적이기도 했지만, 다수민족 버마족의 종교에 대한 그의 집착은 미얀마의 많은 비불교도 소수민족의 등을 돌리게 만들었다. (오른쪽) 군부의 실세이자 30인 지사(193 페이지 참조) 중의 한 명이었던 네윈 장군은 1958년 우누의 수상직을 승계했다. 그는 이후에 상가에 대한 엄격한 통제를 실시하였다.

해 그 권위를 내세웠는데, 1965년에 최초로 행사하였고, 1980년에는 더욱 성공적으로 발휘하였다.

미얀마에서 상가의 정치화는 새로운 것이 아니다. 미얀마의 군주제를 폐지한 영국 식민지배는 사프란 색상의 가사를 착용한 자는 진정한 종교인이라는 사실만 인정할 뿐이었으며 그 어떤 조직체도 허용하지 않았다. 승려는 종종 잘못된 수행이나 계율을 받기도 했고, 가사의 착복을 핑계로 식민주의를 공격하거나 가령 법을 피하기 위한 수단 등 비가치적인 일에 신분을 이용하기도 했다. 상가에 대해 권위를 행사했던 군부의 시도는 종교적 계율을 확립하고 여기에 더해 상가 내에 반정부 저항의 요소가 자리 잡지 못하도록 차단하는 데에 있었다.

많은 요인들이 사회 내에서 불교의 지위를 변화시켰음에도 불구하고, 대부분의 태국인, 미얀마인 및 문화적 변동과 전쟁 그리고 이념적 갈등을 겪었던 크메르인과 라오인에게조차 불교는 계속해서 생활의 일부분이 되어왔다. 라오스에서는 1975년 이후 집권한 공산주의 지배자들이 특히, 승려들의 탁발을 금지시키고 노동을 하도록 강요하는 등 종교에 관한 태도를 바꾸려고 시도했다. 이것으로 많은 승려들이 평신도의 삶으로 돌아오긴 했지만, 불교는 여전히 대중적인 신앙으로 남아있다. 1975년과 1978년 동안 크메르루즈 하에 사회 혁명의 암흑기에 놓였던 캄보디아에서는 사원과 승원이 파괴되고 많은 승려들이 살해당하거나 환속되었다. 불교의 관습은 이제 서서히 그 상처에서 회복되고 있다.

불교는 전통적으로 마을의 승원에 기초를 두고 마을 청년을 승려로 삼는 촌락의 제도였다. 도시인이 승려가 되기도 하지만, 일반적으로 일시적인 것이다. 그럼에도 불구하고, 도시의 새로운 평신도 운동이 불교 수행에 신선한 바람을 불어넣기 시작함으로써 불교는 동남아 도시에 영향력을 미치고 있다. 태국에서 생겨난 이러한 신중산층(new middle-class) 불교는 타 지역으로 확산되고 있는 것 같다. 여기에 더하여, 최근 몇 년간 승려들은 저항 운동에 꾸준히 참여하고 있으며, 자신들의 지위에 정치적 의미를 더하고 있는 것이다.

유교

공자는 기원전 6세기경 중국 북부지역에 살았다. 그는 아마도 비인격체인 신과 같은 존재가 아닌 하늘의 방식에 따라 살 수 있는 일련의 윤리적 교훈을 제자들에게 남겼다. 그의 가르침은 이제 중국 교육제도의 기초가 되어버린 광범위한 규모의 고전적 텍스트의 원천이 되었다. 유교는 보통 종교로 여기지 않지만, 중국과 베트남에서는 유교 사원이 존재한다. 인도네시아에서는 소수의 중국인(화교, 화인을 지칭-역주) 사이에 유교 운동이 20세기에 등장하여 의례의 중심에 하늘 숭배를 둔 종교로 인식하고 있다.

[3-9] 하노이의 유교 전당인 문묘(Van Miew)의 입구. 소수 중국인들이 실천하며, 베트남 전역에 전파된 동남아의 유교는 윤리체계와 대중종교의 경계가 명확하지 않다.

세속적 종교인 유교는 여러 시대를 걸친 베트남 군주제를 언급할 때 언제나 등장하는데, 이는 소수의 중국인을 제외하면 유교가 영향을 미친 곳이 유일하게 베트남이었기 때문이다. 또한, 대부분의 베트남인(중국인도 마찬가지이

지만)은 대승불교와 도교 및 지역적인 정령신앙에 더하여 공자의 윤리관도 함께 가지고 있었다. 사실 베트남의 국왕들은 '삼교' 즉 유교, 도교, 불교의 신앙을 받아들였다. 위계질서와 합리주의를 강조하는 유교는 대중종교라기 보다는 국가 철학에 가까웠다. 유교 정통주의를 가르치는 교육제도는 관료제의 관문인 중앙 과거제도의 핵심이었다. 11세기 베트남에 도입된 과거제도는 폐지되었다가 15세기말 레(Le, 黎) 왕조에 이르러 정례화 되었다. 베트남의 마지막 지배자였던 19세기 응우옌(Nguyen, 阮) 왕조 하에서 아마도 국내외의 각종 도전에 직면하여 국가의 확고한 기초를 필요로 했던 이유로 인하여 유교는 가장 큰 영향력을 갖게 되었다.

유교는 또한 가족생활을 규정한다. 즉 아내는 남편에게, 아들은 아버지에게, 남동생은 형에게 복종해야 한다. 그러나 베트남은 가령 여성들이 북쪽지역(중국을 지칭－역주)보다 훨씬 큰 자유를 누리고 있다는 점에서 동남아적인 요소를 항상 품고 있다. 중국과 달리 미망인과 버려진 부인들이 재혼에 자유롭다. 이런 놀랄만한 사실을 전해들은 15세기 중국의 한 황제는 베트남 여성들의 도덕성을 제고할 목적으로 유교적 수절을 가르치는 『열녀들의 전기』(Biographies of Exemplary Women) 수 만권을 제작 배포하여 비유교적 행위에 제동을 걸기도 했다.

도교

도교(Taoism, Daoism이라고도 씀)는 문자 그대로 도(dao, 道)의 원리를 의미한다. 도교의 신비적 창시자인 노자(Laozi, 老子)는 기원전 6세기의 인물로 추정된다. 공자가 가족과 국가에 관심을 가졌다면, 노자의 철학은 변화와 불확실성을 위한 질서와 위계를 거부하여 정의(定義)를 무시한다. 도교는 자연 종교의 요소를 포함하고 있으며, 예를 들어 나무나 바위의 기괴한 형태나 불로장생의 약을 구하는 것에 특별한 가치를 두고 있다.

여하튼 도교는 중국의 대중종교가 되었다. 중국의 사원과 가옥은 도교의 원리에 따라 건축되었고, 중국의 종교적 전문가들은 도교 사제들이며, 신격화된 역사적 인물들을 포함한 대부분의 신은 도교에서 기원한 것이다. 중국의 의술과 점술은 대개가 인간과 자연에 관한 도교적 사상에서 파생된 것이다. 중국과 베트남에서는 공히 대승불교와 도교는 상호 영향을 미친 것으로 보이며, 이들 종교의 관행을 구별하기 어렵다. 하지만, 문화적으로 중국화된 지역을 벗어나면 도교는 그 중요성을 갖지 못한다.

도교는 중국에서 베트남으로 전래된 것이다. 불로장생의 약과 다른 효능 있는 요소의 혼합을 통한 영생의 추구는 특히 삶에 대한 베트남인의 관념에 영향을 미쳤다. 유교적 지배자나 관료들은 흔히 도교를 비정통적이고 정치적 전복을 꾀하는 것으로 여긴다.

이슬람교

근동(Near East)에서 7세기경 이슬람교가 창시된 후, 무슬림 무역업자들이 동남아에 도래하기 시작하였으며, 초기 이슬람교 중심지는 남중국 지역에서 등장했다. 동부 자바에서 발견되는 초기 무슬림 묘비는 11세기로 거슬러 올라가지만, 도서부에서는 13세기가 되어서야 첫 이슬람 왕국이 세워졌다. 최초의 이슬람 왕국은 빠사이(Pasai)로 북부 수마뜨라에서 발원하였다.

동남아의 이슬람교에는 아랍 세계뿐만 아니라 페르시아, 인도, 심지어 중국의 많은 전통들이 영향을 미쳤다. 대부분의 신도들은 순니(Sunni)파 이슬람교에 속하는 네 개의 정통 종파 중의 하나인 샤피이 학파(Syafi'i School)의 교리를 따르지만, 지역에 따라서는 시아(Shiite)파적 요소와 함께 수피(Sufi)파의 신비적 전통도 받아들였다. 앞서 전래된 대종교들과 마찬가지로 이슬람교도 전파 과정에서 많은 지역적 요소들을 흡수하였다.

이슬람교는 여러 경로를 통하여 전파되었으며, 때론 단숨에 지배자와 그 주민 전체를 개종시키기도 했다. 이슬람교의 전파는 교역의 확대와 밀접하게 관련이 있었다. 14세기 경 동부 자바의 무슬림들은 마자빠힛(Majapahit) 왕도의 엘리트층에 속해 있었다. 게다가, 북부 자바의 항구 도시들은 이슬람교를 받아들이고 술딴(이슬람국의 군주-역주) 왕국으로서 교역을 두고 마자빠힛과 경쟁하였다. 새로운 계층, 특히 대부분이 외국인이었던 상인과 무역업자들은 이들 술딴 왕국의 엘리트들이었다.

이슬람교는 16세기에 가장 강력하게 전파되었으며, 이 시기에 인도네시아 다도해 상의 주요 도서 지방의 내륙 거주민에게 도달하였다. 개종의 방향은 뚜렷하게 북서쪽에서 남동쪽으로 옮아갔으며, 북부 수마뜨라의 아쩨(Aceh)는 초기 개종지역 중의 하나였다. 여전히 인도네시아의 가장 강력한 이슬람 지역 중의 하나인 아쩨는 스스로 메카(Mecca)의 '베란다'로 불리길 원한다. 술딴 이스깐다 무다(Iskandar Muda, 재위 1607-36년)의 통치 하에서 아쩨는 세력의 정점에 달하여, 막대한 이익이 되는 후추 교역을 장악하였다. 이슬람교는 수마뜨라 북쪽에서 인근 서부 수마뜨라 미낭까바우(Minangkabau) 지역을 비롯하여 산지 거주민에게 전파되었으며, 오늘날에도 여전히 확산되고 있다.

자바에 있어서 이슬람교는 다른 경로를 거쳤다. 자바의 이슬람 개종은 16세기 왈리 상가(Wali Sanga, 9명의 사도)의 헌신적 노력으로 이루어졌다고 전해진다. 전설과 때론 역사에 따르면, 이들은 아랍인, 중국인, 인도인 혹은 자바인으로 구성되었다고 한다. 그들

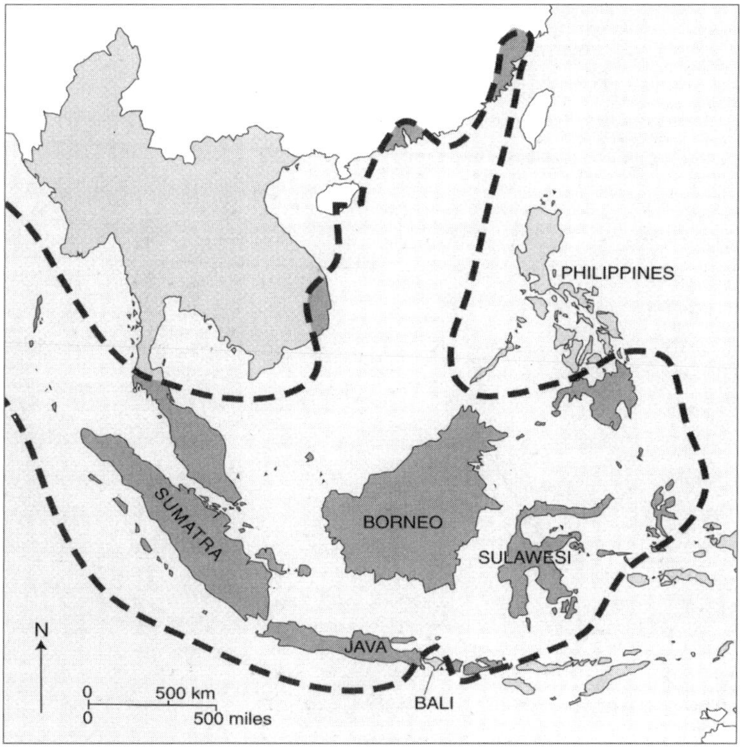

[3-10] 동남아와 중국 남부의 이슬람교의 세력권.

의 묘지는 오늘날에도 이슬람교도의 순례지가 되고 있다. 묘에 대한 경배는 정통 순니파 이슬람에서는 허용되지 않는 것으로 보아, 다른 이슬람 전통 혹은 이슬람 도래 이전 관습의 영향을 받은 것으로 여긴다.

당연한 것인지도 모르겠지만, 초기 모스크 건축에는 이슬람 도래 이전의 건축에 사용되었던 양식, 즉 힌두-불교적 메루산(Mount Meru)을 표현한 자바와 발리의 사원에서 볼 수 있는 여러 층으로 겹쳐있는 지붕과 분리된 출입구 등이 계속 사용되었다. 첨탑과 근동(Near East) 지역의 건축 양식은 비교적 최근에 도입된 것이며, 20세기에 이르러 많은 무슬림들이 '정통' 이슬람 양식을 모방하는 데 주력하였다.

[3-11] 1992년에 완공된 브루나이의 수도 반다 세리 베가완(Bandar Seri Begawan)의 모스크. 도서부 동남아의 초기 모스크가 힌두 사원의 건축 양식을 따르거나 인도의 양식을 차용했다면, 최근에는 근동의 영향이 증가하면서 돔과 첨탑이 압도적으로 등장하고 있다.

이슬람화의 또 다른 중요한 지역이라면 말라까(Malacca)의 술탄 왕국으로, 아마도 1402년 이 왕국이 등장한 직후 이슬람으로 개종된 것으로 보인다. 말라까의 두 번째 지배자는 이미 이슬람 이름을 사용하였다. 1511년 포르투갈인들에게 점령될 때까지 이 술탄 왕국은 말라까 해협을 통과하는 대부분의 교역을 장악하였다. 게다가 말라까는 말레이 문화의 중심지였으며, 이후 말레이반도와 수마뜨라 및 기타 지역에 말레이 무슬림 술탄 왕국들의 모델이 되기도 했다. 이슬람은 마침내 오늘날의 태국 남부와 필리핀 남부 지역에 도달하였다. 필리핀에서는 스페인의 진출로 인하여 이슬람화는 더 이상 진전되지 못하였다. 참빠도 적어도 부분적으로는 이슬람화되었다.

이슬람은 많은 측면에서 도서부 동남아의 문화를 변화시켰다. 새로운 문자 체계가 도입되어 말레이어는 자위(Jawi)라 불리는 아랍 문자로 쓰였다. 말레이어도 이슬람 담론의 주요한 수단이었던 아랍어와 페르시아어에 이어 종교적 저작 언어가 되었다. 이슬람교도를 위한 시, 이야기, 논문 및 주석서가 등장했으며, 현재도 나타나고 있다. 예술은 서서히 이슬람 양식을 채택하였으며, 인간과 동물의 표현은 억제되거나 극히 정형화되었다. 죽은 사람은 수의로 싸고, 메카를 향해 묻힌다. 모스크는 메카 방향으로 향하고, 이제 메카는 동남아 밖의 새로운 모범적인 중심지로 여겨져 왕도를 대체하였다.

새로운 기관들이 지역사회에 설립되기 시작했다. 우선, 주로 시골에 세워진 전통 이슬람 학교인 쁘산뜨렌(pesantren) 혹은 마드라사(madrasah)로, 이곳에서는 학생들이 선생인 학자와 함께 기숙하며 꾸란(Koran)과 이슬람법을 공부하였다. 이들의 교육에서

[3-12] 이슬람 미학은 열정적인 종교 지역에서 예술적 감각을 재구성하게 만들었다. 여기 수마뜨라의 바틱(batik, 밀랍을 이용하여 문양을 새기는 염색기술-역주)에 나타나는 새 문양은 아랍 서예와 닮은 곡선으로 이루어져 있다. 이것보다 앞선 초기의 패턴은 더욱 실감난다.

는 자립을 강조하고, 작물 재배와 교역 같은 실천적인 기술을 포함하였다. 힌두교에도 이와 유사한 기관(인도네시아어로 아스라마(asrama)라고 함)이 존재하였지만, 이슬람 전통학교는 보다 강한 흔적을 남겼다. 이들 학교는 18세기 기록에서 비로소 나타나지만, 그 이전에 이미 존재했을 것으로 여겨진다. 학생들은 학자 네트워크를 따라 종종 이 학교에서 저 학교로 옮겨 다녔다. 울라마(ulama, 자바에서는 끼아이(kiai)라고도 부름)로 불리는 학자들은 특별히 크게 존경받는 집단을 형성하고, 주도적인 가문의 경우 흔히 서로 통혼하기도 했다. 쁘산뜨렌은 또한 경제적인 자립을 가능케 하는 토지 혹은 다른 자원을 증여받을 수도 있었다. 정치와 윤리에 있어서 대안을 제시하는 울라마는 술딴과 다른 지배자들에 대해 비판을 토로할 수도 있었다. 당연히 쁘산뜨렌은 시대에 따라서 정통성의 또 다른 중심지가 되기도 하였고, 종교적 학자들은 빈번하게 국가의 권위에 대항하는 폭동을 주도하기도 했다.

길고 험한 여정임에도 불구하고 동남아인들은 하즈(haj, 메카 순례)에 빈번히 참가하였다. 최초로 성지를 방문한 사람 중에는 16세기 작가이자 아쩨 출신인 함자 판수리(Hamzah Fansuri)도 있었다. 이후 점차 성지순례자들이 메카 근처에서 수 년 동안 머물게 되면서, 자신들의 학자와 전문가를 보유한 '자위(Jawi)'(인도네시아인) 거류지가 생겨났다. 20세기 초에는 학생들도 카이로(Cairo)로 건너가 그곳의 알아자르(Al-Azhar) 대학교에 입학하여 이슬람 사상의 새로운 경향을 파악하는 통찰력을 배우기도 하였다. 그 결과 근동에서의 사건들은 동남아에 한층 더 가까이 다가오게 되었다.

종종 이슬람 학교로 간주되는 또 다른 기관으로는 신비적인 수피 형제단(Sufi brotherhoods)이 있다. 종교학교의 학생들은 이러한 우호적 집단에 가입하기도 하고, 메카 순례자들이 여러 성지에 머무는 동안 회원이 되기도 한다.

동남아의 이슬람은 결코 획일적(monolithic) 성격을 띠지 않는다. 과거에도 그러했지만, 오늘날에도 여전히 교리적 논쟁이 신도를 갈라놓고 있다. 율법적인 해석은 차별성을 허용하고 있다. 20세기에 들어와 첫 수십 년 동안, 이른바 구세대(까움뚜아 kaum tua)인 전통주의자와 신세대(까움무다 kaum muda)로 이슬람 실천의 개혁을 주창하는 이들 사이에 분열이 일어나 많은 종교 중심지에 영향을 미쳤다. 자바에서는 이러한 논쟁의 결과로 많은 수의 단체들이 발족하였다. 그 중 하나로 나흐다뚤 울라마(Nahdlatul Ulama)라 불리는 전통적인 성향의 이슬람학자협회(Association of Islamic Scholars)가 있다. 이것은 율법 해석에 있어 샤피이 학파에 매우 의존하고 있지만, 그럼에도 문화적으로 자바의 전통에 훨씬 개방적이다. 또한, 이슬람 실천에서 전통적이고 비이슬람적인 요소를 제거하고자 노력하는 근대적 조직으로 무함마디야(Muhammadiyah)가 있다. 이는 근대 이슬람 교육 분야에 있어 선구자에 속한다. 양 기구는 정치, 사회 및 경제에 관한 현대 인도네시아 현실에 적극적으로 참여하고 있으며, 그들의 추종자들은 별도의 이슬람 정당을 세웠다.

1980년대 이후로 이른바 이슬람 부흥운동이 동남아에서 힘을 얻기 시작했다. 설교 또는 포교의 의미를 지닌 말인 닥와(Dakwah) 운동이 신도들 사이에 파고들었다. 이슬람은 대중생활에 있어 점점 우월한 지위를 갖게 되었으며, 이는 무슬림 여성 특히 젊은 층 사이에서 머리 스카프가 비교적 새로 도입되었지만 폭넓게 사용되는 것에서 두드러지게 나타났다. 근대에 들어와 경제적 번영이 성취되면서 모든 종류의 종교 활동에 더 많은 투자가 이루어졌는데, 여기에는 하즈(메카 순례)와 금식의 엄격한 준수 및 이슬람 대중 문학의 확산이 포함된다.

[3-13] 머리 스카프와 컴퓨터. 말레이시아 대학생들의 모습에서 근대 말레이 청년에게 영향을 미치고 있는 다양한 유행을 엿볼 수 있다. 그런 머리 스카프의 전통은 사실 없었지만, 이것을 착용한 사람들은 이슬람 근대성을 표방한다.

이슬람의 부흥은 광범위한 영역에 걸쳐 영향을 미쳤다. 그 중에는 지역의 점점 많은 아이들이 다니는 국립 학교에서 행해진 종교 교육의 역할, 모스크 건립과 종교적 율법에 대한 정부의 지원, 근동의 영향, 이슬람의 정치적 이용 등이 이에 속한다. 말레이시아에서는 여당인 통합말레이민족기구(UMNO, United Malays' National Organization)가 친이슬람 경향을 보이면서 급진이슬람 성향의 경쟁 정당인 범말레이시아이슬람정당(PAS, Partai Islam SeMalaysia)의 지지층을 잠식하고 있다.

인도네시아는 공식적으로 다섯 개의 종교, 즉 이슬람교, 힌두교, 불교, 천주교 및 개신교(천주교와 개신교는 별개의 종교로 간주함)를 인정하며, 이들의 대중적인 조직도 허용한다. 하지만, 전체 인구의 약 85%를 차지하는 이슬람교가 명백하게 공공부문에 있어서 가장 큰 목소리를 내고 있다. 영향력 있는 군부 장교들이 과거 이슬람 분리주의 운동에 대항하여 전투를 벌인 일을 상기시키며 종교적 율법을 강화하려는 이슬람 국가 건설에 강력히 반대함에도 불구하고 정치인들은 여전히 이슬람교도의 표를 의식하고 행동한다. 최근 들어 일부 폭력적인 반기독교 폭동 및 무슬림과 기독교도 간의 분쟁으로 인하여 인도네시아의 종교적 관용에 대한 명성이 훼손되고 있다.

기독교

다른 대종교와 마찬가지로 기독교는 해상을 통해 동남아에 유입되었지만, 다른 점이라면 정복자와 식민지배자가 가져온 것이었다. 오늘날의 기독교는 필리핀에서 가장 강력한데, 인구의 약 85%가 천주교도이며, 여기에 적어도 두 개의 토착 필리핀 교파를 포함한 다른 기독교도들이 10%를 차지한다. 기독교도들은 인도네시아 동부지역,

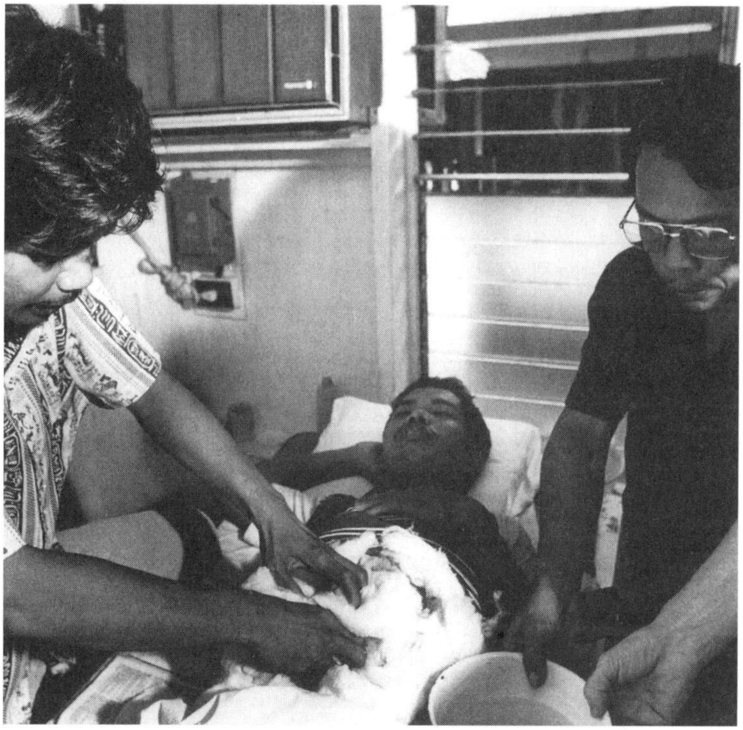

[3-14] 필리핀에서는 이단적 경향을 보이는 기독교파가 많다. 이 사진에서 보이듯이 신앙 치료사가 메스를 사용하지 않는 '수술'을 시도하고 있다. 치료사와 그의 추종자들은 이것을 기적적인 치료라고 주장한다.

수마뜨라 북동부의 또바족(Toba)과 바딱족(Batak)의 일부, 그리고 대부분의 기독교도들이 주로 도시 지역에 거주하는 자바 지역 등지에 상당수가 거주한다. 대륙부 동남아에서는 기독교 선교사들이 평지의 불교도들에 대한 포교가 성공을 거두지 못하자 산지의 소수민족집단에게 관심을 돌렸다. 베트남에도 상당수의 천주교도가 있으며, 그 수가 약 6백만 명에 이른다.

필리핀의 기독교화는 3세기 간에 걸친 스페인 정복에 따른 지속적인 정책의 결과로 여겨진다. 스페인인들은 촌락의 행정과 교육을 천주교 성직자에게 일임하고, 강력하게 성당을 중심으로 하는 정책을 추진하였지만, 철저한 문화적 동화를 달성하기에는 성직자의 수가 충분하지 못하였다. 16세기와 17세기 동안에는 겨우 400명의 사제

[3-15] 보르네오 북부(현 말레이시아 사바)의 시골 미션스쿨에서 한 수녀가 서구인과 아시아인의 자녀들을 돌보고 있다. 미션스쿨은 전통적으로 도시 지역에서 소수집단인 중국인과 인도인 및 일부 지역민들이 매우 선호하여, 많은 비기독교도 학생들이 입학하였다.

가 활동하였다고 한다. 광범위한 필리핀인의 개종에도 불구하고, 여러 토착 신앙이 새로운 종교와 함께 존속하여 그 실천에 영향을 미쳤다. 다른 동남아 지역의 이슬람교와 불교 신도들과 마찬가지로 필리핀 천주교도들도 많은 비교리적 전통을 받아들였다. 스페인 지배 이후 필리핀 성당들은 일종의 토착 천주교의 기반 위에 설립되었다.

모든 동남아에서 미션스쿨은 도시 지역에서 인기가 있었고, 지금도 좋은 명성을 얻고 있다. 특히 중국인과 인도인과 같은 소수집단에게 교육을 통하여 기독교가 전파되었다. 비교적 교육 수준이 높았던 기독교도들은 인도네시아 같은 나라에서 그 수와 관계없이 영향력을 행사해 왔다. 식민주의와 기독교의 밀접한 관련성을 기억하는 몇몇 민족주의 색채가 강한 정부는 외국으로부터 선교를 위한 인적 물적 유입을 제한하고 있다. 오늘날 동남아의 기독교 교회는 거의 대부분이 현지인 성직자가 세운 현지 교회이다.

구원 및 천년 신앙

> **대혼란이 이제 곧 다가온다.**
> **태양과 달은 하늘에서 위치를 바꾸며, 연기가 지구를 감싸게 될 것이다.**
> **집도 나무도 풀잎도 남아있지 않을 것이다.**
> **그리고 나면 평화와 완벽한 평안이 찾아오게 된다.**
> 〈베트남 호아하오(Hoa Hao)교의 창설자 후인푸소(Huynh Phu So)의 예언〉

동남아의 모든 신앙체계는 현존하는 세계가 곧 재앙으로 종말을 고하게 될 것이라는 예언을 수용한다. 기독교도는 그리스도의 재림을 맞이하고, 무슬림은 미래의 예언자인 마흐디(Mahdi)를 기다린다. 자바에서는 자신의 백성을 해방시킬 왕자인 라뚜아딜(ratu adil)의 전통이 마흐디의 개념을 뒷받침하고 있다. 불교의 가르침도 현 시대의 종말에 관하여 얘기하고 있는데, 그때 새로운 부처인 미륵불(Maitreya)이 나타나 새로운 시대로 인도한다는 것이다.

자연, 정치 또는 경제 위기가 닥칠 때마다 성인은 어김없이 등장하여, 때론 자신을 구세주라 주장하면서 현재의 고통에서 영원한 해방을 약속하는 종교적 상징과 전통을 사용하였다. 다가오는 종말에서는 오직 성인과 밀접한 관계에 있는 신도들만이 구원을 얻게 되며, 이른바 구세주라 칭하는 자가 보호와 구별의 표시로 건네는 부적, 의례 혹은 비밀 기호가 악을 막는다.

농민종교에서 특히 두드러지지만, 종교는 국가를 비판하는 언어나 대체윤리 혹은 이상주의적 관념을 제공했다. 19세기와 20세기 초에 걸쳐 새로운 세금과 중앙 권력자의 노동력 착취, 그리고 전쟁, 기근, 역병, 수탈 등으로 인한 모진 시련은 농민들 사이에 이러한 신앙운동들이 생겨나게 만들었다. 천년신앙은 특별히 민족 간 접경지역이나 여러 민족의 혼합지역, 그리고 이단적이거나 선동적인 종파가 오랜 기간 정착했던 지역에서 성행하였다. 신앙운동에 대한 과도한 기대와 제대로 된 조직의 결여 및 예언자를 표방한 지도자의 개인적 성향에 의존하는 경향 등으로 인하여 이러한 운동은 수명이 짧을 수밖에 없었다. 천년신앙운동은 결코 한 지역이나 시점을 벗어나 국가 전체를 전복시키지는 못하였다.

천년신앙의 개념은 새로운 형태로 지금까지 살아있다. 미얀마와 시암의 왕뿐만 아니라 근대 반식민주의 운동의 지도자들도 의식적으로 흔히 이러한 전통을 언급하였다. 인도네시아의 수까르노(Sukarno)와 같은 민족주의 지도자는 황금시대에 대한 약속으로 그의 추종자들에게 신념을 불어 넣었다. 이러한 기대로 인하여 인도네시아 국민주의 운동과 독립을 위한 투쟁이 일어났다. 미얀마의 군주제 폐지와 이어 상가(sangha)에 대한 중앙 통제의 상실과 함께 개인 신분의 승려, 주술사 및 성인들이 천년신앙과 반식민주의 운동의 지도자가 되어 영국 식민정부의 권위에 도전하였다.

[3-16] 까오다이의 신이 지니는 만물을 살피는 외눈은 기독교적 형상을 상기케 한다. 하지만, 이 상징물은 아시아 연꽃으로 둘러싸여 있다.

베트남 문화는 전통적으로 비교적 세속적인 양상을 띠고 있지만, 그곳에서도 이와 같은 종교 운동의 추종자들을 찾을 수 있다. 베트남 북부에서는 정치적 불만을 품은 관리(mandarin)들이 보다 세속적이며 정치적인 폭동을 이끌었다면, 다문화적 색채를 보이는 베트남 남부에서는 종교 운동이 번성했다는 사실은 그리 놀랄 만한 일은 아니다. 20세기에 걸쳐 특히 주목을 끄는 두 종교 운동이 베트남 남부의 이단적인 정치-종교적 풍토 속에서 발생했다. 베트남 남부는 베트남과 캄보디아 요소가 혼합되어 있고, 이 지역의 개척지 성격은 고난과 불만을 야기했다. 우선, 본질적으로 도교에 기초를 둔 까오다이(Cao Daiism)교가 종교 혼합적 개념을 확산시켰다. 까오다이교는 아시아와 서구의 전통을 접목시키는데 주력하여, 프랑스어를 구사하는 교육받은 중산층에 주로 접근하였다. 까오다이교의 '성인'(saint)으로는 붓다, 노자, 공자 외에 예수 그리스도, 빅토르 위고(Victor Hugo), 잔다르크(Joan of Arc) 등이 있으며, 이들 모두는 만물을 살피는 외눈의 형상을 지닌 최고의 신 아래에 속한다.

불교 종파인 호아하오(Hoa Hao)는 부손끼후옹(Buu Son Ky Huong, '성산의 기이한 향기'(寶山奇香)라는 의미로 베트남 남부 사람들을 나타내는 말)교를 계승하였는데, 이는 베트남 남부에 오래 전부터 존재했던 전통 불교의 한 종파였다. 호아하오교는 1939년 후인 푸소(Huynh Phu So)에 의해 창립되었으며, 그는 치료와 설교로 많은 추종자들의 마음을 끌었다.

두 종교운동은 공히 제2차 세계대전 동안 일본의 지원으로 군대를 창설하고, 자신들만의 지배영역을 확보하였다. 응오딘지엠(Ngo Dinh Diem, 1954년 제네바협정으로 프랑스 철수 이후 미국의 지원으로 수상직에 올랐고 1956년 남베트남의 초대 대통령으로 취임–역주)이 권력을 장악한 직후인 1955년 두 종교를 탄압했음에도 불구하고 오늘날까지 여전히 살아있다. 떠이닌(Tay Ninh)에 있는 까오다이 사원은 다양한 건축 양식으로 유명하며, 여전히 까오다이교의 본산이기도 하다. 호아하오교는 고인이 된 창설자 후인의 가르침을 계속 전파하고 있다. 하지만, 이제 베트남 정부는 양 종교의 정치 · 사회적 영향력을 엄격히 제한하고 있다.

제4장

교차로 역할의 동남아: 중국과의 관계 및 유럽의 진출

앞 장에서는 동남아에 대한 인도, 중국 및 근동(Near East)의 초기 영향력에 관하여 기술해 왔다. 아마도 동남아는 지구상에서 외부의 영향을 가장 크게 받은 지역인 것 같다. 흔히 '아시아의 지중해'라고도 불리는 동남아는 지리적으로 외부세계에 매우 노출되어 있다. 이러한 사실은 특히 '고전기'(classical) 왕국의 몰락과 서구 식민주의 강화의 분수령이었던 근대 초기에 이르러 명백하게 드러난다.

중국의 영향

동남아에 대한 중국의 관심은 수세기에 걸쳐 단속(斷續)적이었다. 중국과의 교역은 계속해서 동남아 경제의 원동력이 되어왔고, 19세기 초까지 인도나 유럽과의 교역보다도 더 중요했다. 송나라(宋, 960-1278년) 때부터 중국 선박인 정크(junk, 중국 내륙 하천에서 운항되던 선박에 말레이 해양 항해 선박의 장점을 취하여 개조한 것)는 장거리 화물 운송에 있어서 동남아 선박과 경쟁하였다. 17세기 이후 중국 정크는 동남아 운송의 대부분을 담당하였다.

[4-1] 17세기 중국 정크의 모습. 중국 선박은 10세기 이후부터 중국과의 장거리 교역에 있어서 말레이 선박을 압도하기 시작하였다. 결국 주도권을 장악하였고, 19세기까지 그 (해상 운송의) 영향력은 잘 남아 있었다.

몽골(1278년에서 1368년까지 중국을 지배함, 원(元)나라를 의미함-역주)은 동남아에 대한 정복을 시도하였지만, 그 외 중국 왕조는 교역만으로 만족하였다. 중국 관료에게 있어서 교역은 외국과의 관계를 규정하는 이른바 조공(朝貢) 체제의 한 부분이었다. 하지만, 명나라(明, 1368–1644년)는 장거리 아시아 교역의 안전 확보에 관심을 가졌다. 명 왕조의 후원으로 왕실 환관이자 무슬림이었던 정화(Zeng He, 鄭和) 제독이 이끄는 대규모 선단이 수차례의 원정을 통해 남쪽과의 교역을 확대함은 물론 이 지역에 대한 관심을 새롭게 환기시켰다. 일명 삼보(三寶, San Po)로도 알려진 정화는 특히 동남아에 거주하는 중국인들로부터 널리 추앙되었다. 중국 화교들은 대개 해안 지역에 정화를 기리는 사원을 지었으며, 그 중 가장 대표적인 것이 자바 중부의 스마랑(Semarang)에 있다.

중국의 새로운 관심으로 인하여 말라까는 15세기에 이 지역에서 지배적인 중계항으로 자리 잡았다. 상업의 증가로 특히 정화 함대의 선원을 포함한 많은 중국인들이 동남아에 영주하게 되었다. 중국인들은 개인적인 목적으로 해외에 나가는 것이 허용되지 않았지만, 이것은 잘 지켜지지 않았다. 중국인 정착자들은 현지 여성과 결혼하

[4–2] 16세기 말 자바 서부의 반뜬(Banten) 시장에서의 세 명의 중국인 후추 상인. 맨 왼쪽에 있는 상인은 중국식 저울로 후추 한 자루의 무게를 재고 있다.

여 가족을 구성하였다. 중국인 공동체는 점차 주요 교역항에 형성되었고, 중국인 교역자, 장인 및 시장 상인들이 동남아 주요 도시의 상업 대부분을 지배하였다. 이러한 과정은 현지 항구와 이후 바따비아(Batavia, 오늘날 인도네시아의 수도 자까르따-역주)와 마닐라 같은 유럽인 항구 정착지에도 크게 영향을 미쳤다.

동남아의 독립 왕국과 술탄국(sultanate, 이슬람교의 원리에 따라 성립한 국가로 술탄은 불교도 국왕과 같은 지위를 지닌다-역주)에서 성공적으로 정착한 중국인들은 시암과 베트남에서 흔히 볼 수 있었던 것처럼 그 지역 엘리트들과 혼인관계를 맺었다. 이러한 관례에 있어서 이슬람교도 장벽이 될 수 없었다. 중국인과 그의 자손들은 쉽게 개종하였는데, 이것은 아마도 그들의 본국에서 이슬람교를 접했기 때문으로 여겨진다. 동남아에서도 인구가 희박한 지역에 정착한 중국인은 중국 시장에 공급할 수 있는 원료 생산 같은 특정 분야를 개발하여, 갬비어(gambier, 무두질이나 염색에 사용되는 식물 염료)를 심고 수확하고, 금과 주석을 채취하거나 후추를 재배할 중국인 노동자를 불러들였다.

그러한 중국인들은 서구 식민주의가 확대되는 대부분의 시기에도 그들의 활동을 지속했다. 하지만, 식민지배의 영토가 확정될 즈음에 이르러 동남아의 경제 관계는 결정적으로 변화하였다. 주요 교역 상대였던 중국이 유럽과 북미 세력에 의해 그 지위가 역전된 것이다.

베트남과 중국의 특별한 관계

경제, 정치, 문화적 측면에서 중국 영향이 가장 크게 미친 지역은 베트남이었다. 동남아의 다른 국가들과 달리 상당한 지역이 중국과 인접한 탓에 베트남은 초기 역사에 관한 문자 기록을 가지고 있다. 그 역사 기록은 유교적 전통을 강조하고 있으며, 베트남 생활의 다른 측면에 대해서는 언급이 없다.

동썬 지역의 청동기 제작(30-31페이지 참조) 시기는 베트남 북부 지역의 반랑(Van Lang, 기원전 800-258년)과 오락(Au Lac, 기원전 257-208년) 등의 초기 왕국 시대와 거의 일치한다. 이러한 왕국에서는 사회적 계층화와 농업의 고도화가 진전되었다. 아마도 관개시설과 2기작 농법 등은 나중에 동남아의 인구 밀집지역으로 확산되었을 것이다. 오락은 중국의 한 군벌(warlord)에 의해 정복당하고 남월(南越, Nam Yue, 베트남어로는 남비엣 Nam Viet)이란 이름으로 그의 영토에 편입되었다. 남월은 현대 베트남 북부지역과 함께 중국의 광동성(廣東省)과 광서성(廣西省)을 포함했다. 기원전 111년 한나라(漢, Han)의 황제 무제(武帝)는 남월을 공략하여 반독립적인 상태를 종식시켰다. 이윽고 교지(交趾, Giao Chi), 구진(九眞, Cuu Chan), 일남(日南, Nhat Nam) 등 베트남에는 세 개의 군(郡)이 설치되었다(한 무제는 정복한 남월 지역에 7군을 설치하였고, 그 중 세 군이 현재의 베트남 북부 및 중부 지역에 해당된다-역주). 그 남쪽으로는 중국인이 링이(Linyi, 임읍 林邑)라 부르는 아마도 한 개 이상의 참(Cham) 왕국이 있었다. 서기 40년에 쯩(Trung) 자매로 불리는 두 여성이 중국 지배에 항거하는 반란을 주도하였다. 반란을 제압한 후 중국은 이 남쪽 지역을 중국의 한 주로 편입시켰다. 나중에 중국인들은 베트남을 평온한 남쪽이라

[4-3] 비단옷을 입은 채색 목상은 베트남에서 11세기 또는 12세기의 것으로 보인다. 목상의 인물은 독립 베트남의 첫 왕조인 리조의 한 왕으로 여겨진다.

는 의미로 '안남'(Annam, 安南)이라고 불렀다. 그 당시 베트남의 도읍은 오늘날 하노이에 인접한 땅롱(Thang-long, 昇龍)이었다.

오늘날의 베트남 북부지역에 한정되긴 했지만 11세기에 이르러 베트남은 독립을 쟁취하여 국명을 다이비엣(Dai Viet, 大越, 위대한 비엣이란 의미)이라 하였다. 중국과 맞선 항쟁의 지도자는 승려들의 후원을 받은 새로운 귀족 계층이었다. 이후의 왕조들은 정치 및 행정 질서를 공고화하는데 주력하였다. 조직 개념을 비롯한 중국 문화의 차용은 베트남이 중국에게서 독립을 쟁취하는데 도움이 되었다. 베트남어가 중국어와 계통이 다름에도 불구하고 현대 베트남어 어휘의 절반가량은 중국어에서 파생된 것이다. 중국과 주변 왕국을 비롯하여 산지민들과도 접촉함으로써 베트남인들은 자신들의 정체성을 강하게 깨닫게 되었다. 독립을 달성한 후 몇 세기 동안 베트남인들은 정체성 확립(self-definition)에 매달렸다.

첫 번째 독립 왕조는 리(Ly, 李, 1009-1225) 왕조로서 지배자들은 최초로 군인과 불교 승려간의 연합체에 기반을 둔 국가 차원의 군대뿐만 아니라 행정과 문화의 기초도 다졌다. 강력한 지배자들은 법전과 조세 제도를 개정하고, 베트남 내륙의 사람들과 교역 관계를 유지했다. 리 왕조의 황제들은 사원을 건축하고 대승불교를 후원했지만, 전통적인 정령에 대한 숭배도 지속했다. 리낫똔(Ly Nhat Ton, 재위 기간 1054-72, 리 왕조의 세 번째 황제-역주)은 중국의 황실 직함을 도입하였다. 중국인들은 리낫똔이 스스로를 '황제'라 칭하는 것에 대해 못마땅해 했다고 전한다. 리낫똔은 1059년 중국-베트남 국경 지역을 공격하여, 그 지역에서 확장을 획책하던 중국 관리들을 몰아내었다.

리낫똔도 그의 조부처럼 참빠와 전쟁을 치루었다. 남쪽의 참빠는 '인도화'된 왕국(혹은 여러 왕국일 수도 있다(37페이지 참조). 참빠도 베트남 문화에 영향을 미쳤는데, 이는 베트남인들이 그런 남쪽 이웃과 대립하거나 때론 그들을 모방하는 관계 속에서 자신들의 정체성을 확립하였기 때문이다. 또한, 다이비엣은 보통 영토 기반의 농업 중심 왕국으로 여겨지지만, 교역을 통해서 먼 곳의 영향을 받기도 했다.

송나라(宋) 황제들은 독립 의지를 지닌 이웃에 대해 못마땅해 했다. 수많은 국경 충돌에서 베트남인들은 중국인들을 물리쳤고, 마침내 양측은 국경선을 확정하는데 동의했다. 이는 중국 황제가 다이비엣을 단순한 속국이 아닌 그 이상으로 인식했다는 사실을 암시한다. 또한 국경선의 확정은 명백히 비동남아적인 것이기 때문에 다이비엣은 북쪽의 제국과 특별한 관계를 가진다는 인식을 갖도록 했다.

이 당시에 얼마 지나지 않아 폐지되긴 하였지만 중국의 과거제도가 도입되었다. 리 왕조의 업적 중에는 불교의 확립도 포함된다. 또한, 리 왕조는 중국 정치제도를 베트남식으로 제도화하였으며, 그들의 왕은 '남부 황제'로 칭하였다. 반면 중국은 그 범위가 베트남 국경에서 멈춘 탓에 '북부 황제'에게 속한다고 여겼다. 그럼에도 불구하고, 다이비엣은 중국에 계속해서 조공을 바쳤다. 리 왕조는 1225년까지 지배했으나, 12세기 동안 왕위가 계속해서 단순한 어린 왕자를 포함한 허약한 지배자에게 계승되었고, 13세기경에는 내전이 빈번하게 일어났다.

리 왕조를 계승한 쩐(Tran, 陳, 1225-1369) 왕조는 강력한 육군과 함께 함대를 창설하여 몽골의 위협을 격퇴할 수 있었다. 자신의 가문에서 왕비를 간택하고, 지배자가 왕위 계승자를 지명함으로써(현 지배자는 '상왕'으로 칭함), 쩐 왕조는 동남아의 왕위 계승에 있어서 빈번하게 발생했던 문제들을 피해갔다. 1230년대 쩐 왕조에서는 중국 과거제도를 재도입하였다. 이로 인하여 유교 교육 문화 속에서 성장한 학자 출신 관리 계층이 형성되었다. 이들은 베트남 고위 관리의 전신이었다. 몽골의 위협과 침입 속에서도 쩐 왕조의

[4-4] 베트남 '레 왕조' 지배자의 위풍당당한 행렬 속에 코끼리 및 파라솔과 부채를 든 시중들이 앞서 가고, 뒤에는 그의 관리들이 따르고 있다. 이 그림이 완성된 18세기경 레 왕조는 허구적 존재이다. 베트남은 북쪽 찐(Trinh) 왕조와 남쪽 응우옌(Nguyen) 왕조로 분열되었다.

지배자는 결코 중국 황제에 복속되지 않는 또 다른 황제임을 성공적으로 천명할 수 있었다.

쩐의 황제가 다른 가문에서 후궁을 간택하게 되자, 그녀의 친족들이 왕위를 장악하기 위해 나서면서 14세기 말에 정치적 불안정이 야기되었다. 참빠의 왕이 이러한 무질서를 틈타 쩐조의 왕국을 공격하고 왕도 땅롱을 유린하였다. 국내외의 불안한 상황에 재빨리 편승하여 1406년 중국의 명나라가 침입하였다. 하지만, 명의 군사력은 쩐의 왕국을 삼킬 정도는 되지 못하였고, 1428년 중국 군대는 새로운 왕조를 일으킨 레러이(Le Loi, 黎太祖)의 공격으로 철수하였다. 레 황제들 중에서 가장 뛰어난 이는 레탄통(Le Thanh Ton, 黎聖宗, 재위 1460-1497년)이었다. 그는 모범적 관료제를 정착시켜, 문학, 역사 및 법률에 있어서 문화적 위업을 남겼고, 라오스와 참빠에 이르는 영토 정복을 달성하였다. 그러나 그가 죽은 후 얼마 되지 않아 내전이 다시 발생했다.

다이비엣은 운하 체제를 통한 홍강 주변의 수도(wet-rice) 경작과 주기적인 홍수 관리에 만전을 기해 저지대의 조밀한 인구 문제를 해결할 수 있는 토지를 공급하였다. 왕국의 인력은 라이벌 참빠에 대항할 귀중한 자원이었으며, 결국 참빠의 멸망과 통합을 이끈 기반이 되었다. 17세기 찐(Trinh, 鄭) 가문이 북부의 패권을 차지하였고, 유교의 이념을 다시 강화할 수 있었다. 북부의 촌락은 긴밀하게 연결되어 조직화되었는데, 이는 인구가 조밀하지만 그들의 생존이 운하와 관개시설의 상시적인 관리에 달려있는 불안정한 상황에서 필요한 일이었다.

찐은 남쪽으로 진출하였지만 베트남의 통일을 달성하는 데에는 실패하였다. 이는 산맥을 따라 수 백 킬로미터로 뻗어있는 지리적 특성을 고려하면 당연한 일이기도 했다. 권력을 장악한 이후 찐은 레 왕조가 여전히 다이비엣을 지배하고 있는 것처럼 꾸몄으며, 실질적으로 왕국이 둘로 나뉘어졌을 때에도 계속해서 그렇게 했다. 이런 가운데 두 번째 베트남이 참족과 북부지역과의 경쟁 속에서 성장하였다. 찐의 장군인 응우옌 호앙(Nguyen Hoang)은 1558년 남쪽의 새로운 정복지에 군사기지 성격의 정착촌을 건설하였다. 한동안 그와 그의 가문은 찐의 속국으로 행세하였고, 레 왕조의 정통성을 인정하였다. 그러나 1687년 찐의 반대를 무릅쓰고 후에(Hue)에 새로운 응우옌 왕도를 세웠으며, 19세기 초까지 남쪽으로의 진출을 계속했다. 17세기 말경 베트남은 조공을 바치며 19세기까지 독립을 유지한 한 작은 국가를 제외하고 참빠의 모든 영역을 장악하였다. 많은 참족들이 베트남에 잔류했지만, 대개가 이웃 캄보디아로 이주하였다.

남부 지역은 많은 개척지적인 특성을 지니고 있었다. 북부의 밀집된 상황과는 대조적으로 넓은 토지, 담이나 울타리가 없는 개방 촌락, 다종족 사회, 그리고 구속력 있는 사회 조직의 결여 등이 그것들이다. 다른 개척지와 마찬가지로 이곳은 폭도, 범죄자, 추방자의 피난처이기도 했다. 하지만, 풍부한 자원의 보고인 탓에 모험가들의 발길을 막을 수 없었다. 한 민요의 가사에 나타나듯이,

> **새들은 마음껏 들판을 날아다니고,**
> **물고기는 떼를 지어 저 넓은 바다와 호수를 헤엄쳐 다닌다네.**

새로운 영역이 확정되자 응우옌 지배자들은 대승불교를 채택하고, 불교 속에 이주자와 참족(17세기경 참족 대부분은 이슬람교를 신봉하였다)의 고유 신앙체계를 포섭하였다. 때론 전통적인 참족의 신이 공식적으로 베트남의 신전에 등장하기도 했다. 응우옌 지배자들은 중국인 이주자(1644년 중국의 왕조 교체기에 도피해온 이른바 '친명파')들을 환영하였다. 외국 무역은 국제시장이었던 호이안(Hoi An, 또는 파이포 Faifo)에서 번성하였다. 일본인, 중국인, 기타 동남아인, 포르투갈인 및 네덜란드인들이 17세기와 18세기에 그곳에서 교

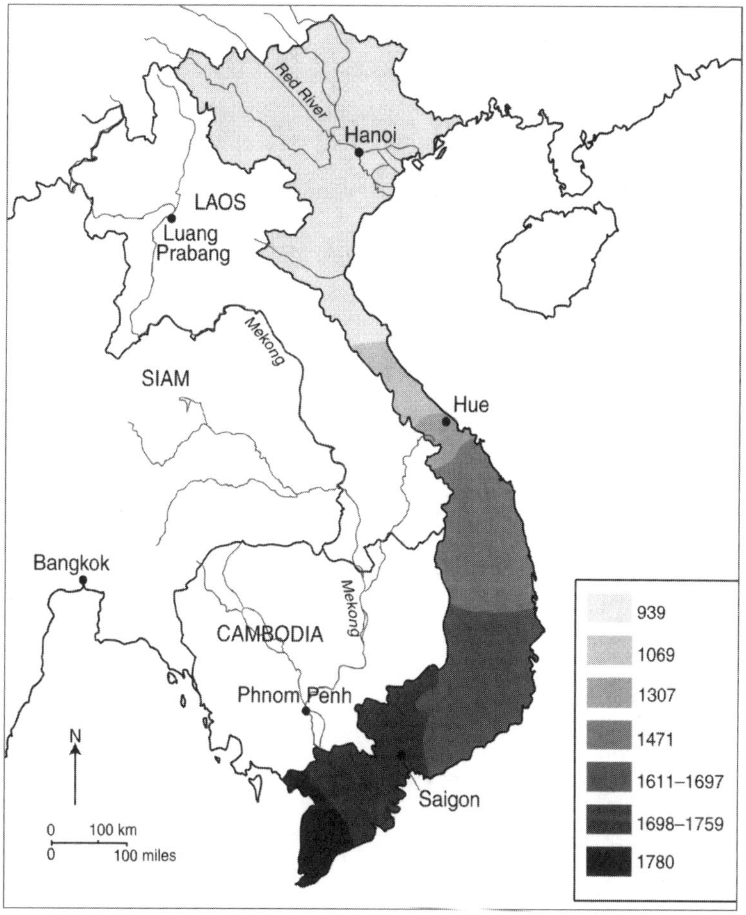

[4-5] 베트남인의 정착과 지배의 확장.

역하였다. 남쪽 확장을 통해 베트남인들은 또 다른 이웃인 크메르족과 마주치게 되자, 그들의 영토도 합병하기 시작하여 마침내 1780년대에 이르러 메콩강 델타를 장악하였다. 응우옌 영토는 다종족 사회로 이루어졌고, 그 영역은 소금이나 다른 물품과 교환하기 위해 진귀한 삼림 물산을 생산하는 산지민의 지역에도 미쳤다. 고산지의 물산은 지방 시장을 통하여 해안으로 옮겨지고, 호이안 같은 상업중심지에서 외국상인들에게 매매되었다.

1771년에서 1802년까지 남쪽 중부 베트남의 고향 이름을 딴 떠이선(Tayson) 형제 세 명이 응우옌의 통치를 종식시키고, 북부 찐의 세력도 무너뜨렸다. 이 반란은 흔히 농민 폭동으로 여기지만, 최근의 연구에 따르면 이는 후기 응우옌 지배 하에서 국제무역의 붕괴와 화폐 가치의 상실 및 과도한 징세의 고통을 겪은 산지민의 문제에서 비롯되었다고 한다. 그 근본 원인이 무엇이든 그 반란은 응우옌 지배를 무력화시켰다. 마지막 왕위에 올랐던 응우옌안(Nguyen Anh)은 방콕으로 망명하였고, 그곳에서 라마 1세(Rama I)의 도움으로 귀국하여 후에를 왕도로 하는 통일 베트남의 자롱(Gia Long, 嘉隆, 재위기간 1802-20년) 황제로 왕좌에 올랐다. 프랑스 상인과 선교사도 그의 복귀를 후원했다.

응우옌 복고왕조는 반란과 내전으로 신음하는 민중에게 정통성을 입증할 필요가 있었다. 그 수단으로 정통적 유교를 도입했다. 불교의 영향력을 견제하기 위해 몰두했던 자롱은 성인 남성들이 불교 의식에 참여하는 것을 금지하였다. 그의 계승자인 민망(Minh Mang, 재위기간 1820-44년)은 정통적 유교에 더욱 집착하여 불교를 억제하였고, 모든 승려들을 승원에 귀속시키고 신분 증서를 소지하도록 하였다. 그는 일반적인 인쇄물 발행에 제한을 두었으며, 가톨릭 선교사와 개종자의 박해를 시작했고, 물론 반발이 없진 않았으나 그의 왕위 계승자들도 박해를 계속 이어갔다. 기독교도의 이러한 운명은 식민지 확장 중에 있던 프랑스의 관심을 끌었다. 이에 대한 자세한 설명은 뒤에 이어진다(151페이지 참조).

이 복고된 왕조는 유교적 정통주의에 대한 집착에 있어서는 중국황제들과도 견줄 정도였다. 하지만, 베트남의 상층부 문화에서 조차 다른 가치관을 발견할 수 있다. 베트남인들은 중국어의 어휘를 차용하고 중국 문자를 사용했지만, 베트남 고유어를 표현하기 위해 새로운 문자 체계인 놈(nom, 일반적으로 '쯔놈'이라 부르며 한자를 변형하여 만든 베트남 문자–역주)을 사용하였다. 사회, 문화 및 정치 분야는 고유한 동남아 요소와 중국 요소가 혼합된 독특한 특징을 나타냈다.

유럽의 접촉과 초기 식민지화

다른 동남아 국가들은 베트남만큼 중국과 깊은 관련이 없었지만, 모두가 강력한 서구의 영향 하에 놓였다. 첫 유럽인이 동남아에 도래

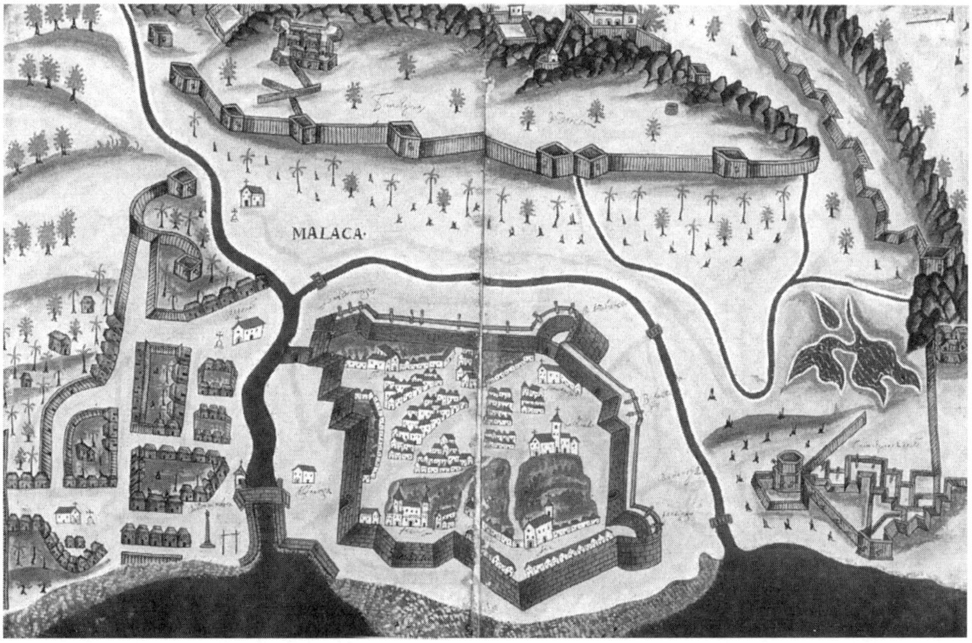

[4–6] 1511년 포르투갈의 지배가 확정된 직후 그려진 지도 속의 말라까. 유럽인의 정착지를 성벽이 둘러싸고 있다. 포르투갈은 동남아 교역에 있어서 말라까의 주도적 지위를 유지하는 데에 실패하였고, 다른 중심지들이 전면에 등장했다.

한 것은 16세기로 많은 수의 이슬람 술탄국과 다른 소왕국이 성립되었던 도서부 지역에 관심이 집중되었다. 그 중에 단연 중요했던 곳은 말라까(Malacca) 술탄국이었다. 1511년 말라까가 포르투갈에 점령되자 수마뜨라의 아쩨(Aceh)와 말레이반도의 조호르(Johor)에 있던 두 왕국이 지역 패권을 두고 각축을 벌였다. 서부 자바에서는 반뜬(Banten) 술탄국이 16세기의 주요한 항구가 되었다.

[4-7] 중국 비단은 동남아 지배자와 그들의 가까운 추종자들이 선호하는 값비싼 교역품이었으며, 유럽으로도 수출되었다. 20세기 초의 사진 속에서 라오스의 왕비와 공주가 화려하게 직조되고 치장된 비단 옷을 보여주고 있다.

유럽인들의 초기 동남아에 진출에는 여러 가지 동기가 있었다. 우선 유럽 시장에 공급할 향신료를 구하고, 다음으로 외부지역인 중국과의 교역이 가능했던 동남아를 통하여 중국과의 사치품 교역에 참여하려는 바램이었다. 여기에 포르투갈과 스페인 선박을 타고 가톨릭 선교사가 동남아에 도래하여, 아시아의 땅 끝까지 기독교를 전파하고자 하였다.

포르투갈은 16세기 초에 동남아에 도달하여 말라까 술탄국을 점령함으로써 말라까 해협에 무역기지를 건설할 수 있었다. 그곳에서 당시

전 세계적으로 유일하게 정향(clove), 육두구(nutmeg), 메이스(mace) 같은 향료가 생산되던 동부 인도네시아(몰루까 제도 Moluccas 또는 말루꾸 Maluku)의 향료제도로 그 세력을 확장하였다.

하지만, 포르투갈의 주도권은 단명했다. 부패와 잔인, 그리고 무능으로 그들의 지배는 효력을 상실했다. 이웃 이슬람 술탄국들이 말라까를 공격하여 기독교 침입자를 몰아내려 하였다. 포르투갈을 정치, 교역 및 종교에 있어서 경쟁자로 여긴 네덜란드는 도서부에서 포르투갈이 점령한 지역을 점거하기 시작했다. 1605년 향료 제도에서 밀려난 포르투갈도 1641년 말라까를 네덜란드에게 양도할 수밖에 없었다. 이것으로 도서부에서 포르투갈의 역할은 종식되었고, 단지 작은 섬 띠모르(Timor)의 일부지역만이 포르투갈의 지배하에 놓였다.

스페인은 동쪽과 서쪽을 향한 항해로 아시아에 도착했던 페르디낭 마젤란(Ferdinand Magellan)의 업적으로 큰 소득을 올렸다. 원래 포르투갈 출신이었던 항해자 마젤란은 1521년 그의 함대를 이끌고 필리핀 제도에 도착하여 스페인 국왕의 영토임을 선포했다. 그러나 그 자신은 원주민과의 분규 과정에서 목숨을 잃었다. 20년 후 이 제도는 스페인 국왕 필립 2세(Philip II)를 기념한 필리핀(Philippines)이란 이름을 얻었고, 1560년대에 본격적인 식민지화가 시작되었다. 스페인의 주요 목표는 원주민의 기독교 개종이었다. 마닐라는 스페인인이 도착했을 당시에 무슬림의 지배하에 있었지만, 남부의 큰 섬인 민다나오(Mindanao)의 해안과 술루(Sulu) 다도해상의 섬들을 제외하면 이슬람교는 그다지 필리핀에 확산되지 않은 상태였다. '국가'는 전혀 존재하지 않았다. 원주민 정치세력과 경제가 지방 수준에서만 머물러 있었다.

스페인은 필리핀의 물산에 그리 관심을 가지지 않았다. 그 대신에 뛰어난 항구였던 수도 마닐라를 중심으로 한 갤리온(galleon, 중세에 있어서 주로 전함의 용도로 사용된 것을 16세기에 많은 교역품을 적재할 수 있도록 개량한 유럽의 범선-역주) 무역체계를 확립하였다. 중국 정크들이 매년 스페인 업자에게 공급할 실크와 고급 상품을 싣고 건너왔다. 중국인들이 대금으로 은을 선호하자, 해마다 라틴아메리카의 광산에서 은을 적재한 갤리온이 아카풀코(Acapulco)를 떠나 필리핀으로 향했고, 마닐라에서 스페인으로 향할 중국 상품을 싣고 멕시코로 돌아갔다(스페인 본국과의 거의 모든 연락은 멕시코를 통하였다). 이러한 유형의 교역은 1815년까지 식민지 경제를 지배하였다.

마닐라에는 대개가 일시 거주자였던 중국 이주민의 소규모 공동체가 형성되었다. 또 다른 집단으로는 중국인 아버지와 원주민 어머니에서 태어난 기독교도 후손 집단들이 생겨났고 이들을 중국인 메스띠조(Mestizo)라 불렀다. 스페인인들은 메스띠조를 선호하였지만, 가톨릭으로 개종하지 않는 중국 이주민들에게는 적대감을 가졌고 때론 폭력적으로 대하였다. 하지만, 양 집단은 꾸준히 성장하여, 마침내 메스띠조가 지역경제를 지배하게 되었다. 정치 및 종교 권력은 비록 그 수가 소수이긴 하지만 스페인 본국 출신자들이 확고히 장악했다. 그들은 식민지에서 핵심적인 군사 및 행정 업무를 담당하였다.

지방의 유일한 관리로는 원주민 개종의 책임을 맡은 스페인 출신 가톨릭 사제가 있었다. 이들은 원주민들에게 적절한 교육을 제공하고 충실한 스페인 식민으로 편입시키고자 노력하였다. 모국 스페인은 식민지의 근간을 구축한 성직자들에게 광활한 토지를 제공하였다. 그 토지는 관리자의 통제 속에서 대개 소작농에게 임대되었다. 이를 통해 교회는 거의 자립이 가능했으며, 마닐라 통치비용은 적어도 이론적으로는 갤리온 무역의 이윤에서 충당되었다. 그러나 실상은 투자와 이윤을 사적인 목적으로 유용함으로써 식민지 국고는 언재나 적자를 면치 못했다. 세계시장에 내놓을 상품작물 재배를 통한 식민지 착취는 19세기가 되어서야 시작되었다.

교역을 통한 식민지화: 네덜란드 동인도회사(The VOC)

스페인과 포르투갈의 식민지주의가 각 왕실의 모험에서 비롯되었다면, 네덜란드는 1602년 설립한 주식회사, 연합동인도회사(VOC, Vereenigde Oost-Indische Compagnie)를 통하여 인도네시아를

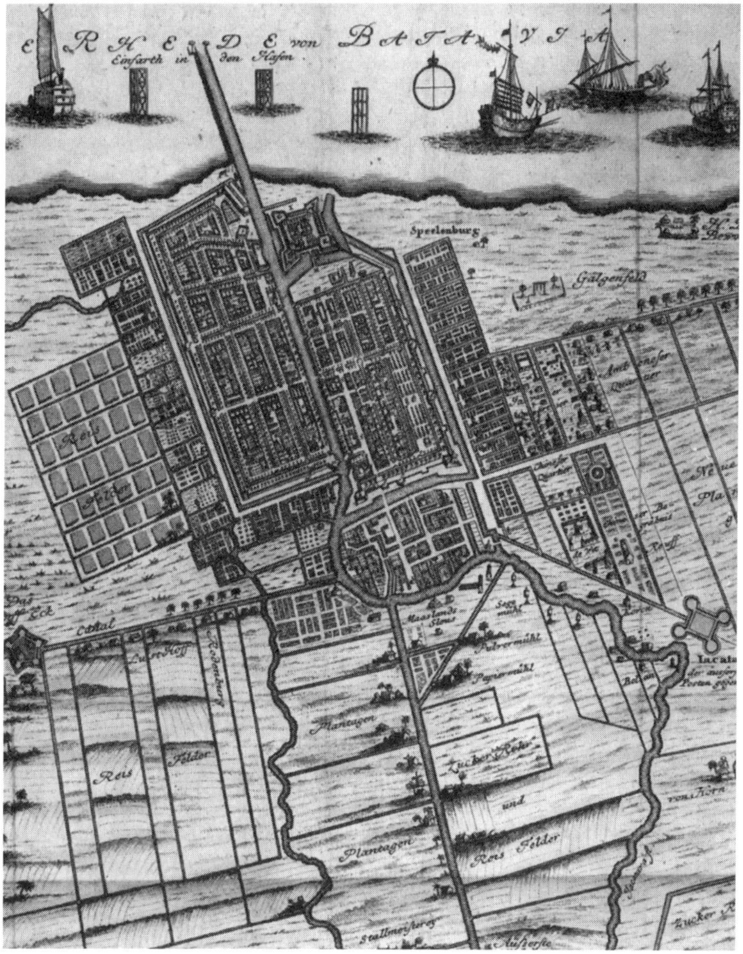

[4-8] 17세기 바따비아. 유럽인들은 항구에 인접한 상부 중심지에 그려진 네덜란드 동인도회사 요새 근처에 정착하였다. 이 도시 주변에는 엄청난 규모의 논과 사탕수수 밭 그리고 중국인 채소밭이 있었다. 네덜란드인은 암스테르담을 생각하며 배수와 교통을 위한 운하를 건설했다.

식민지화하였다. (20세기 말에 이르도록 인도네시아의 시골 사람들은 여전히 식민정부를 '회사'의 의미인 꿈빼니라고 불렀다) 유럽 국가의 이러한 회사들은 (영국 동인도회사는 1600년에 설립되었다) 정복보다는 무역과 이윤을 위해 존재하였다. 네덜란드의 선박이 1596년 첫 입항했던 서부 자바 반뜬 항구에서는 술탄이 모든 국가의 무역업자들을 환영하였다. 그러나 반뜬에서의 불화와 VOC로의 재조직 이후 네덜란드인들은 자바의 북부 해안으로 옮겨갔다. 그곳에서 향료 제도와의 접촉을 더욱 잘 유지할 수 있었고 다른 아시아 지역과의 무역에도 나설 수 있었다. 1619년 인도네시아 주재 VOC의 지사장이었던 피테르준 코엔(Pieterzoon Coen) 총독이 자야까르따(Jayakarta, 현재의 자까르따 Jakarta)로 불리던 초기 정착지에 도시 바타비아(Batavia)를 건설하였다. 바타비아는 이제 네덜란드가 독점하였던 향료 무역에 있어서 최고의 교역기지가 되었고, 중국 정크와 원주민 교역자들의 관심도 얻어 진정한 아시아 무역 시장이 되었다. 반뜬과의 경쟁과 1628-29년 중부 자바 왕국 마따람(Mataram)의 술탄 아궁(Agung)의 공격을 이겨낸 바타비아는 동남아에 있는 VOC 본부로서 지위를 확고히 했다.

VOC는 기독교 선교에 관심이 없었다. 현실적으로 아시아 종교들은 외부세력에 대해 대단히 수용적이었고, 이슬람교는 네덜란드의 등장에도 불구하고 그 영향력이 증가하였다. VOC는 영토 확장도 바라지 않았는데, 넓은 영토를 관리하고 방어하기 위해서 경제적 이윤을 행정 비용으로 지출해야 하기 때문이었다. VOC가 추구했던 것은 무역거점으로서 자신들의 것이든 지역 지배자들의 것이든 상관하지 않았다. 또한 무역품의 독점을 원하였고, 가장 중요하다고 생각한 물품에 대해서는 유럽인이든 아시아인이든 다른 무역업자들의 개입을 배제시켰다. 이러한 배타성을 실행하기 위하여 그들의 선박에는 중화기들이 적재되었다. 정향(clove)과 육두구(nutmeg)의 생산지역이 한정되어 있었던 탓에 향료 무역을 독점하는 것은 의외로 단순했지만, 앞서 언급한 그들의 정책에도 불구하고 오래 전부터 VOC는 여러 활동과 군대를 통하여 영토 분쟁 및 행정 관리에 공히 관여하였다.

바타비아는 급속도로 성장하였다. 많은 중국 정크가 그 항구를 방문하여 중국 상품과 현지 물산을 교환하였다. 스페인인과 달리 VOC는 무역선을 잘 갖추고 있어서 중국에서 필요로 하는 아시아 물산을 잘 구비하여 바타비아에서 교역할 수 있게 하였다. 게다가 네덜란드인들의 장려에 힘입어 많은 중국인들이 도시에 정착하였다. 중국인들은 선박의 화물 적재와 하역 작업에 필요한 노동력을 제공했을 뿐만 아니라 운하, 가옥 및 도시 인프라의 상당 부분을 건설하였다. 중국 농부의 정착지는 얼마 지나지 않아 도시를 에워쌀 정도가 되었다. 그들은 VOC 사람들의 식탁에 오를 야채와 아락(arrack, 사탕수수를 원료로 하는 중근동 지역의 독주-역주)을 주조하는데 필요한 사탕수수, 그리고 데니스 롬바드(Denys Lombard)에 의해 '산업적 농업'이라는 용어가 사용되기 이전에 직물의 염색에 사용되었던 인디고(indigo) 등을 재배했다. 그러나 그 관계는 점차 악화되어갔다. 1740년 중국 이민자들의 위협적인 폭동이 일어나자 네덜란드인들은 끔찍한 학살을 통해 중국인 거주지를 파괴하였다. 이윽고 법률이 제정되어 중국인들은 자신들의 지도자(까삐딴 kapitan)에 예속되어 도시의 특별구역에 거주하게 되었다. 현대 자까르따의 일부 지역, 특히 도시의 북부 지역은 여전히 '차이나타운'의 모습이 엿보인다. 그러나 도시 개발과 함께 전통적인 중국인 비즈니스 구역인 글로독(Glodok)의 대부분이 1998년의 대폭동으로 인하여 파괴됨으로써 전형적인 중국 가게는 이제 거의 사라졌다.

바타비아의 나머지 인구 대부분은 인도네시아 항해지역에서 온 이주자들과 발리같은 비이슬람 지역 출신 노예들이 섞여있었다. 도시 거주 공간은 과밀하지 않았다. 자바인과 순다인(서부 자바인) 및 자바인 노예조차 안전을 이유로 도시 성벽 내에 거주하는 것이 허용되지 않았다. 나중에 원주민 정착지는 증가하였지만, 성립 이후 첫 세기 동안 바타비아는 자바인과 순다인의 배후지에 건설된 중국인과 네덜란드인의 도시였으며, 유라시아인(Eurasians)과 포르투갈어를 사용하는 기독교도가 포함된 메스띠조 집단이 이곳에서 강하게 성장하였다. 바타비아에는 포르투갈 교회가 세워지기도 했다. 인도네시아가 독립하고서야 비로소 자바인들이 그 도시의 지배집단이 되었고, 반면에 화인(ethnic Chinese)은 오늘날 자까르따 인구의 10% 정도에 불과하다.

그 도시의 또 다른 특징으로는 유럽인 또는 유라시아인 가족에 있다. 초기에는 순수한 네덜란드인의 수는 적었지만, 남성들은 현지 여성들(VOC는 이들 여성들이 기독교도가 되어야 한다고 요구함)과 결혼하여 현지 가족들이 생겨났다. 17세기와 18세기의 바타비아 여성들은 네덜란드 여성들의 칙칙한 모습과는 대조적으로 화려한 양상을 보였다. 그들은 우아한 드레스를 즐겨 입고, 보석을 사들여 치장하였다. 공적으로는 유럽인 행세를 했지만, 사적으로는 동남아인으로 행동하였다. 노예들은 그들의 기호품, 특히 빈랑씹기(betel-chewing, 구장나뭇잎에 빈랑 열매와 석회 및 각종 약초를 넣어 씹는 열대지방 기호품으로 인도에서 전래된 것-역주)를 공급하였다. 또한 그들은 네덜란드식 이름을 갖고 있었지만, '네덜란드인'이라기보다는 '원주민'에 가까웠다. 홀아비나 아들은 네덜란드로 귀국하기도 했지만, 딸은 식민지에 남았다. 일부 현지 여성들은 식민지에 토대를 둔 모계 가족사회를 형성하고, 남편보다 오래 살면서 상속으로 받았거나 벌어들인 재산을 재혼에 사용하거나 딸의 혼사를 위한 중매비로 사용하기도 했다.

[4-9] 17세기 바타비아를 방문했던 여행자가 노예의 마사지를 즐기고 있는 바타비아 여성들을 그렸다.

차이는 있지만 마닐라와 바타비아 사회 모두 메스띠조적인 특징이 19세기까지 지속되었다. 이후에 퍼니벌(J.S. Furnivall)이 '복합사회'(plural societies)라 불렀던 사회구조가 식민지에 등장하였는데, 이는 [사회계층] 피라미드의 정상에 소수의 유럽인 행정 및 경제 엘리트가 있고, 중간층에 중국인 또는 기타 아시아 이주민 중산층이 있으며, 하층에는 방대한 수의 원주민들이 속했다. 그들 모두는 퍼니발이 기술한 것처럼 오직 시장에서만 만나게 된다. 이러한 종족적인 위계와 구분에 관한 기술은 종족성이 강조되었던 20세기에나 타당한 것이었으며, 필리핀에서는 아마도 이러한 구분이 적용된바 없을 것이다.

네덜란드는 스페인이 마닐라를 유럽식으로 설립한 것과 마찬가지로 바타비아를 설계하였다. 바타비아에는 네덜란드 도시처럼 운하가 있었다. 얼마 되지 않아 그곳 건물들은 동남아 주거시설에 사용되던 대나무와 짚이 아닌 벽돌과 타일로 건축되었다. 1710년에 완성된

[4-10] 여기 바타비아의 구 총독 관저의 모습에서 나타나듯이 초기 네덜란드 식민지 건축물은 본국의 모델을 본떴다. 내부는 어둡고 통풍이 잘 되지 않아 그다지 위생적이지 못하였다. 모기가 습지 환경에서 창궐하였고, 악어들이 간혹 운하를 타고 나타나기도 했다.

시청사는 전형적인 네덜란드식 건축물이었다. 하지만, 북유럽 건축물은 열대 기후에 전혀 맞지 않아, 나중에 네덜란드인들은 그 환경에 보다 알맞은 건축물을 채택하였다. 19세기 무렵 바타비아는 내륙으로 확장되기 시작했고, 20세기에는 새로운 도심지역이 남쪽으로 추가되었다. 오늘날 자까르따는 거대한 도시로 변모하여 외곽으로 수십 킬로미터 뻗쳐있고, 7백만 명이 넘는 인구가 밀집해 있는 슬럼가를 포함하고 있다.

스페인은 될 수 있는 한 중국 이민자와 긴밀한 협력을 피한 반면(때론 그들을 학살하였다), 네덜란드는 VOC의 위세가 팽창함에 따라 중국 이민자들을 최대한 이용하였다. 중국인들은 18세기와 19세기에 인구세와 소비세를 납부하는 세수의 원천이었다. 그들은 또한 수세 도급인(revenue farmers)으로도 유용한 존재였다. VOC는 통행세와 정박세 및 각종 세금 징수에 관한 권한을 중국인에게 '도급 주었다'(farmed out). 그들은 그 세금을 징수하고, (일반적으로) 담당기관에 약정금을 지불하였다. 네덜란드인들이 이러한 방법을 사용한 유일한 식민지배자들은 아니었다. 이후에 프랑스와 영국 식민정부 및 시암인들도 아편, 도박 및 주류 등 공적인 독점 사업에 대한 세수에 있어서 중국 '도급인'을 사용하였다. 수세 도급은 부의 원천이었고, 세금을 내야했던 사람들은 점차 수세 도급에 분개하기 시작했다.

네덜란드의 자바 정복

VOC는 일찍부터 향료 제도를 장악하였다. 바타비아에 이어 인도네시아 다도해에 여러 기지를 구축하기 시작하였다. VOC는 자신들의 선박과 정착지에 지방에서 생산되는 쌀과 각종 물품을 공급해야 할 필요성을 느끼고, 선박의 건조와 수리에 사용될 자바 티크 삼림의 목재에 대한 탐욕을 드러냈다. 이러한 야욕으로 인하여 VOC는 중부 자바에 성립한 마따람(Mataram) 술탄국과 충돌하였다. 마따람은 당시 마자빠힛(Majapahit)의 멸망 이후 자바의 북부 해안을 따라 생겨났던 독립 소국(principalities)에 대한 지배력을 확장하려는 과정에 있었다. 18세기에 걸쳐 마따람과 치른 충돌의 결과로 네덜란드인들은 더 많은 영토에 지배력을 행사하였다.

자바의 외부에서 네덜란드인들은 대체로 주요 항구에 무역기지를 설치하는데 만족하였고, 필요 이상의 분규는 피하려고 했다. 이러한 노력은 항상 성공을 거둔 것은 아니었지만, 나폴레옹 전쟁 이후까지 네덜란드인들은 자바 이외의 지역에서 이와 같은 기지와 영토를 거의 확보하지 않았다.

자바의 외부에서 네덜란드인들은 대체로 주요 항구에 무역기지를 설치하는데 만족하였고, 필요 이상의 분규는 피하려고 했다. 이러한 노력은 항상 성공을 거둔 것은 아니었지만, 나폴레옹 전쟁 이후까지 네덜란드인들은 자바 이외의 지역에서 이와 같은 기지와 영토를 거의 확보하지 않았다.

유럽 지배의 확장

서구의 진출은 우세한 화력을 통해 달성된 것은 아니었다. 유럽의 무기가 아무리 우수해도, 동남아인들은 그러한 무기를 쉽게 모방해서 만들만큼 영리했다. 미얀마와 베트남의 국왕들은 포르투갈 총으로 전쟁을 치렀다. 그러나 대부분의 동남아 국가들의 조직은 위약했다. 군대는 비전문적이었고 정규적인 훈련을 받지 못했다. 군인들은 되도록 농한기에 지방에서 징발되었고, 쉽게 탈영하여 자신들의 마을로 돌아갔다. 지배자들은 자주 유럽인의 군사 원조를 구하였는데, 소수의 훈련된 군대가 현지의 권력 투쟁에 상당한 영향을 미칠 수 있기 때문이었다. VOC는 이러한 종류의 후원에 정통했다. 그 대가로 유럽인들은 간혹 새로운 영토를 요구하거나 취하기도 했다. 통치자의 영토경계에 대한 관심 부족, 불명확한 왕위 계승 제도, 추종자들에게 분산된 권위 등 이 모든 것이 유럽인들에게 개입할 여지를 제공한 셈이었다. 19세기에는 개입을 위해 의도된 사건과 핑계가 더욱 더 빈번하게 등장했고, 영토 정복은 다른 식민주의자들의 진입을 막기 위한 필요성에 의해 마침내 정당화되어 버렸다.

유럽인의 식민지가 도시지역에 한정되는 한 사회 변화는 제한되었고, 전통적 권위체제는 지방에서 유지되었다. 하지만, 식민지주의 초기에도 교역 형태에 영향을 미치게 되어, 어떤 지역에서 새로운 부가 창출되면 다른 지역에서는 빈곤이 확산되었다. 충격적인 예를 하나 들면, 18세기에 정향과 육두구의 가격이 과잉 공급으로

폭락할 것을 우려한 네덜란드인들이 향료 제도의 향료 나무를 의도적으로 잘라내기도 했다. 이러한 조치로 인하여 그 지역은 고질적인 빈곤에 시달리게 되었다.

자바에서 VOC의 영토 확장은 마침내 마따람을 제거하였으며, 이제 자바의 한정된 지역에서 두 명의 경쟁적인 마따람의 후계자들, 즉 족자까르따(Yogyakarta)의 술탄과 수라까르따(Surakarta)의 수수후난(Susuhunan, 수라까르따 국왕의 칭호-역주)이 남게 되었다. 그러나 18세기 말에 VOC가 몰락하게 되면서, 다른 무역업자들이 이 지역에서 활동하며 VOC가 주도권 장악을 위해 그토록 중요시 했던 독점사업을 잠식해 들어갔다. 1786년에 말레이반도 서쪽 해안의 삐낭(Penang)섬에 영국 기지가 구축되어 영국 무역업자들이 추가적인 혜택을 얻게 되었다. 대다수가 영국 동인도회사와 연관되지 않은 사무역 종사자인 영국인들은 인도네시아 다도해와 말레이반도에 교역을 할 수 있도록 자유 출입권을 요구하였으며, 현지 지배자들과 직접 접촉함으로써 네덜란드의 무역망을 침해할 정도로 충분히 성장하였다. 이러한 경쟁 양상은 VOC에게 심각한 손해를 끼쳤다.

또 다른 문제는 내부에 있었다. VOC의 직원들은 자신의 주머니를 먼저 채우기에 급급했고, 부패는 회사의 파산에 결정적 요인이었다. 부채로 허덕이던 VOC는 1799년 12월 31일에 폐업하였고, 네덜란드 국가가 그 채무와 자산을 떠맡았다. 그 자산 중의 하나는 자바섬의 대부분이었다. 다음 세기에 네덜란드는 인도네시아 다도해에 걸친 영토 지배를 확대해 나갔다.

영국

영국 동인도회사는 삐낭섬(Penang Island)에서 곧장 말레이반도의 좁고 긴 땅으로 진출하였다. 나폴레옹 전쟁 동안 영국은 아시

[4-11] 토마스 스탬포드 래플즈(1781–1826)경에 의해 건설된 지 11년 후인 1830년 가번먼트힐(Government Hill)에서 바라본 싱가포르.

아의 네덜란드 소유지를 점령하였다. 1811년 동인도회사의 직원이었던 토마스 스탬포드 래플즈(Thomas Stamford Raffles)가 자바의 부총독이 되었다. 영국이 인도네시아를 네덜란드에 반환하기로 결정한 후, 래플즈는 1819년 싱가포르에 기지를 건설하였다. 말레이반도 끝단 섬에 있는 이 마을은 훌륭한 항구를 가지고 있었고, 무역을 유치하고, 동남아 물산의 중계항으로서 더할 수 없는 최적의 입지였다. 싱가포르는 급속도로 성장하여 수천 명의 중국인과 다른 이주자들을 끌어들였고, 동남아에서 영국인과 중국인의 경제적 근거지가 되었다.

[4-12] 래플즈는 날카로운 지성과 일에 대한 엄청난 열정의 소유자였다. 그는 자바와 수마뜨라의 자연과 역사 및 문화에 관한 광범위한 자료를 수집하였다.

1824년 영국과 네덜란드는 동남아에서 관심지역을 구분하는 협정을 체결하였다. 영국은 오랜 기간 동인도회사의 식민지였던 수마뜨라섬의 빈꿀런(Benkulen)에서 철수하였고, 네덜란드는 바타비아 다음으로 중요한 항구였던 말라까를 영국에 양도하였다. 삐낭과 싱가포르 및 말라까 등 영국의 세 정착지는 1826년 해협식민지(Straits Settlements)가 되었다. 이 지역들은 1867년 식민지청에 이양되었다. 처음에 영국은 말레이반도에 더 이상 개입하는 것을 피했다. 그러나 19세기를 거치면서 다양한 말레이 술탄국들을 규합하여 식민지를 구축하였다. 1860년대와 1870년대에 걸쳐 말레이반도 서쪽에서 일하던 중국인 주석 광부들 사이에 대규모 분쟁이 발생하자 영국의 이권을 강화하기 위해 개입하기 시작했다. 1909년 시암에 복속되었던 네 개의 북부 말레이 국가들-끄다(Kedah), 뻬를리스(Perlis), 끌란딴(Kelantan), 뜨랑가누(Trangganu)-이 말레이 식민지에 편입되었다.

또한, 영국의 이권은 보르네오로 뻗쳤다. 네덜란드 통합동인도회사(VOC)는 18세기 보르네오에 여러 기지를 구축하였지만, 회사의 폐쇄 이전에 이미 대부분이 방치되어 있었다. 영국 탐험가 제임스 브룩(James Brooke)이 1841년 말레이 국왕 칭호인 라자(raja, 왕)를 채택하고 사라왁(Sarawak)에 독립 국가를 세웠을 때에도, 네덜란드는 여전히 이 엄청난 규모의 섬이 확고히 자신들의 이권 영역 내에 있다고 생각했다. 네덜란드는 즉시 보르네오의 나머지 부분에 대한 소유권을 주장하였다. 하지만, 사라왁은 제2차 세계대전까지 브룩 가문의 왕국으로 남아있었던 반면에 북부 보르네오에서는 별도의 영국 합자회사가 자신의 영토에 대한 지배권을 행사하였다. 두 국가들은 공히 1963년 말레이시아에 편입되었다. 브루나이 술탄국은 영국의 보호령이 되었다가 1984년 이슬람 술탄국으로 독립하였다.

미얀마에 대한 영국의 관심은 인도에 대한 정책의 연장이었다. 미얀마가 인도에 인접해 있기 때문에 가장 우선적으로 해야 할 일은

[4-13] 영국 군대가 1824-25년에 발발한 제1차 미얀마전쟁에서 양공(Rangoon, Yangon)의 본거지를 습격하고 있다. 그들은 이후 1852년과 1885년에 걸친 두 차례의 전쟁을 통하여 미얀마 영토에 대한 지배를 공고화하였고, 양공을 그 수도로 삼았다.

국경의 안전을 유지하는 것이었다. 미얀마는 영국이 신뢰할 수 있는 방식으로 부응하지 않았다. 어와(Ava)에 다시 왕도를 정한 꽁바웅(Konbaung) 왕조의 통치자들은 국경에 관하여 지극히 동남아적인 무관심으로 일관하였다. 1824-25년에 발발한 제1차 미얀마전쟁의 결과로 미얀마의 변방지역인 여카인(Arakan)과 떠닝다이(Tenasserim)가 영국에게 양도되었다. 미얀마 국왕의 '오만'(외국 상인에 대한 미얀마 관리들의 반감과 영국 선박에 대해 관세 위반으로 벌금을 부과한 것-역주)을 응징하기 위해 재발된 1852년 제2차 전쟁으로 영국은 하부 미얀마(Lower Burma)를 장악하였다. 국왕은 왕국의 핵심 지역인 상부 미얀마(Upper Burma)로 퇴각하였다. 그러나 상부의 그 건조한 땅에서는 생계유지가 어려웠다. 기근이 이어지고, 하부 미얀마의 델타 지역에서 새로운 농지가 개척되면서 수천 명의 피난민과 이주민들이 영국 관할지로 넘어갔다. 제3차 전쟁은 1885년에 발발하였는데, 부분적으로는 인도의 측면을 위협하는 인도차이나의 프랑스 진출을 저지하려는 것에 있었다. 왕도 만덜레(Mandalay)가 정복되면서, 미얀마 군주제는 폐지되고 미얀마는 이제 인도 식민지의 일부로 편입되었다.

프랑스 지배하의 인도차이나

인도차이나(프랑스가 진출 이후에 사용한 명칭-역주)에 대한 프랑스의 관심은 가톨릭에 대한 박해(134-135페이지 참조)와 식민지주의의 경제적 이익 확보라는 점에서 시작되었다. 프랑스는 1858-62년에 걸쳐 베트남 남부를 정복하고 코친차이나(Cochin China)로 명명하였다. 이곳은 비교적 인구가 희박하여 플랜테이션과 다른 상업적 이권의 가능성을 제공하였다. 프랑스는 계속해서 후에(Hue)를 중심으로 하는 중부로 지배 영역을 확대하고 그 지역을 안남(Annam)이라 칭하였다. 이어 단기간의 전투를 치른 후 하노이(Hanoi)를 1883년 점령하고 그곳을 북부 통킹(Tonkin)이라 불렀다. '베트남'이란 이름은 공식적인 명칭에서 사라졌다. 이렇게 구별되는 세 식민지는 마침내 캄보디아(1863년부터 보호령이 되었음)와 라오스와 함께 프랑스령 인도차이나로 합병되었다. 후에에서는 황제가 존속하였지만, 그의 권위는 프랑스의 직접 지배하에 들어간 코친차이나에 미치지 못하였고, 안남과 통킹의 보호령에서도 프랑스 관리들이 통치하였다. 1907년 프랑스는 이전에 캄보디아 영토였던 두 지역에서 시암인들을 몰아냈다. 비록 프랑스가 왕위 계승권에 결정적인 영향력을 가지고 있었지만 캄보디아와 라오스의 왕들은 그 지위를 여전히 유지했다. 적어도 캄보디아 군주제는 프랑스의 간섭에 은혜를 입은 것처럼 보였다. 왜냐하면 캄보디아는 수세기에 걸쳐 베트남과 시암 세력의 확장을 정면으로 맞았고, 그들의 영토를 결국 누군가가 삼키게 될 것이라고 믿을 만한 충분한 이유가 있었기 때문이다.

[4-14] 19세기 인도차이나에서 한 프랑스 여성이 인력거(rickshaw, 릭쇼)에서 포즈를 취하고 있다. 두 바퀴가 달린 인력거는 일본에서 영국과 프랑스의 식민지로 도입되었다. 인력거꾼은 가장 가난하고 비참한 도시 꿀리들이었다.

[4-15] 캄보디아 국왕 씨소왓(Sisowath, 재위기간 1904-27년, 왼쪽에서 두 번째)은 여기 사진의 열에서 엿보이듯이 20세기 초기 수십 년 동안 프랑스 식민행정가들의 위세에 눌려있었다. 하지만, 프랑스 금몰(gold braid)과 현장(sash)은 크메르 왕실의 비단과 공단(satin)과는 거의 어울리지 않는다.

미국

또 하나의 국가가 1898년 동남아의 식민지 세력의 대열에 가담하게 된다. 미국은 스페인과 카리브 해(the Caribbean)에서 각자의 이권을 둘러싸고 단기전을 벌인 뒤 스페인령 필리핀을 획득하였다. 국내의 상당한 반대에도 무릅쓰고 미국이 식민지 실험에 뛰어든 공식 의도는 윌리엄 맥킨리(William McKinley) 대통령의 말에서 찾을 수 있다. 그는 필리핀 사람들을 '기독교화'하는 것에 있었다고 했는데, 필리핀의 기독교화는 스페인에 의해 이미 200년 전에 완수된 사업이었다.

시암의 독립적 지위 공고화

오직 시암만이 식민지화에서 탈피하였다. 20세기 초 무렵 시암은 그 영토가 상당히 축소되긴 했지만, 독립 국가를 유지하고 적어도 미얀마와의 대립 구도에서 벗어났다. 라마 1세(Rama I, 재위기간 1782–1809년)의 계승자들은 시암을 만다라(mandala, 중심부는 주변의 정체들(polities)에 대하여 느슨한 지배를 행사하고, 영토는 그런 주변부와의 동맹 관계의 강약에 따라 확장되거나 축소되는 모형) 국가에서 근대적인 영토 확정 국가로 변모시켰다. 몽꿋(Mongkut, 라마 4세, 재위기간 1851–68년)의 치세에 시암인들은 유럽 식민지주의의 위험을 인식하고, 식민세력의 도전에 대항하기 위하여 면밀하게 준비한 개혁 프로그램에 의존하였다. 이후의 왕들은 지속적으로 주변 정체들에 대한 통합을 지속하였고, 그 중 일부는 영국과 프랑스가 대륙부로 진출하면서 상실하기도 했다. 왕위계승자들은 대륙부에서 영국과 프랑스의 확장에 따라 계속해서 주변의 정체들을 잃어갔지만, 그럼에도 통합을 멈추지 않았다. 그 반면에 근대화(때론 외국 고문의 도움을 받아)와 외교를 통하여 시암은 정치적 독립을 유지할 수 있었다.

몽꿋과 그의 재능 넘치는 아들 쭐랄롱꼰(Chulalongkorn, 라마 5세, 재위기간 1868-1910년)은 시암의 정치적 독립에 가장 많은 공헌을 하였다. 그들은 또한 시암의 독립을 보장하여 프랑스를 견제하는 것이 영국에게 이익이 될 것이라고 납득시키는 데에 한 몫을 하였다. 그들 이후의 왕위계승자들은 그리 두각을 나타내지 못하였고, 시암 사회의 변화는 새로운 집단들을 전면에 부상하게 만들었다. 1932년 새로운 시민 및 군부 엘리트들이 당시의 국왕 쁘라차티뽁(Prajadhipok, 라마 7세, 재위기간 1925-35년)에게 시암의 절대군주제를 종식시키는 헌법을 채택토록 강요하였다.

[4-16] 시암의 국왕 쭐랄롱꼰(Chulalongkorn, 라마 5세)이 그의 아들인 왕세자와 포즈를 취하고 있다. 그는 서구식 및 아시아식 교육을 받고 총명한 사고를 결합하여, 시암의 사회와 정부에 대하여 주요한 개혁을 이루었다.

제5장

새로운 체제와 엘리트: 동남아의 식민지 지도

19세기에 새로운 유형의 식민주의가 들어왔다. 영국, 네덜란드, 프랑스, 스페인, 미국을 망라하는 주요 식민세력들이 동남아 지도에 각자 고유의 색을 칠하였다. 다양한 요소들이 개입의 빌미를 제공하였다. 왕국의 내분이나 해적, 노예무역, 아편 밀매와 같은 행위에 대한 처리문제, 기존 식민지에 대한 국지적 공격, 혹은 천연자원, 토지, 광물의 수탈 등이 그것이었다. 시암만이 식민지화에서 제외되었지만, 다른 지역과 마찬가지로 그곳도 많은 경제적 변화를 겪었다.

식민지주의는 이제 국가적 사업이 되었다. 네덜란드 동인도회사(VOC)는 19세기에 들어서면서 파산하여 해체되었고, 영국 동인도회사도 수십 년 뒤에 같은 길을 걸었다. 식민지 정책은 의회와 본국 언론의 화제가 되었다. 동남아인들도 이제 외국인 지배의 결과에 대항하여 반발을 시작하였는데, 처음에는 전통적 방법에서 시작하여 점차 자신들의 언론과 문학을 통해 지도자들과 함께 민족주의 운동(national movements)의 전개했다. 더 나아가 그들 스스로가 단순히 가족, 마을 또는 종족집단(ethnic group)이 아닌 영토적으로 규정된 국가의 구성원으로 인식하게 되었다. 식민지 지배의 성립 근거에 도전하는 그들은 어떤 의미에서는 식민지주의 그 자체의 산물이었다.

새로운 식민지주의의 영토 점유는 설명하기 쉽다. 1800년에 네덜란드 통합동인도회사(VOC)가 인도네시아에서 점유하고 있던 지역은 자바, 향료제도, 그리고 군도(群島)의 일부 지역에 국한되어 있었다. 1910년에 이르면, VOC는 사실상 군도 전역을 장악하였고, 보르네오 북부와 포르투갈령 동티모르는 이 식민지에서 제외되었다. 뉴기니(New Guinea)는 분할되었다. 1800년 영국은 삐낭(Penang)에 기지를 두었지만, 버마에는 진출하지 않았다. 프랑스는 인도차이나 국가들과는 오로지 선교사나 무역업자들을 통하여 접촉하였다. 필리

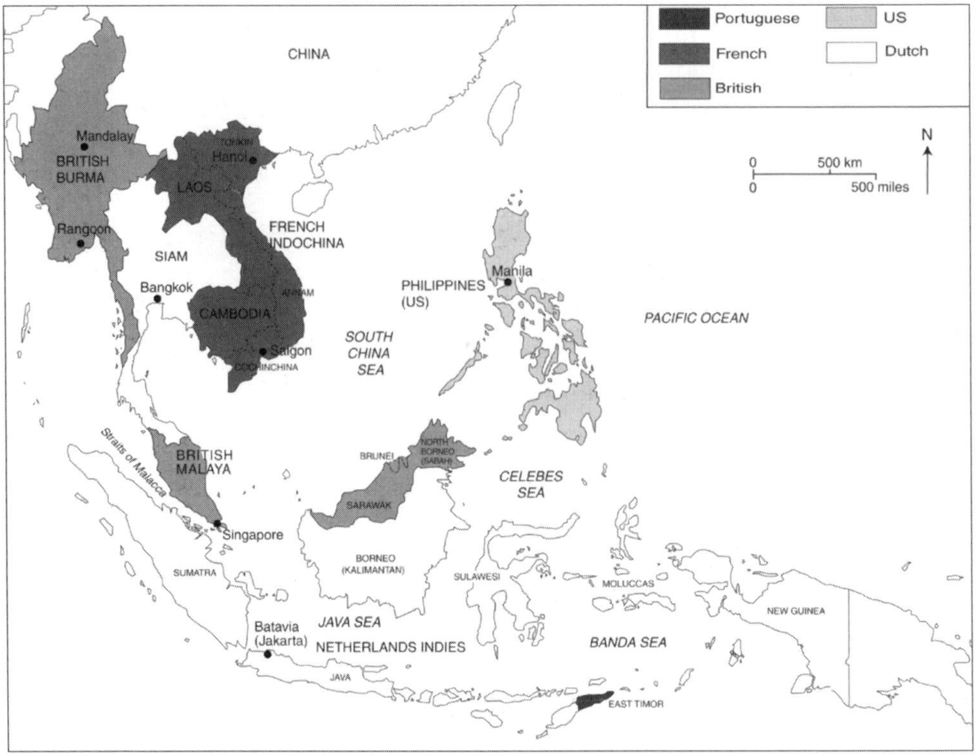

[5-1] 20세기 초 식민지 지배하에 놓인 동남아.

핀은 이미 스페인의 식민지가 되었지만, 거주민이 이슬람교도인 남부 지역은 여전히 스페인 지배에 맞서고 있었다. 1900년에 들어서자 식민지화할 곳은 남아있지 않았고, 영국과 프랑스는 두 영역간의 완충지로 시암을 독립 상태로 유지할 것에 합의하였다.

이렇게 식민지 점유에 관한 언급으로는 식민지주의의 경제적, 심리적 충격을 설명할 수 없다. 서구 세력들은 평화와 전쟁의 목적으로 그들의 급속히 성장한 기술과 산업의 모든 역량을 총동원하였다. 여기에는 도로건설, 통신시설, 인쇄기, 근대 무기, 철도, 자동차, 증기선, 전기 등이 포함되었다. 식민지의 자원을 보다 효율적으로 착취하기 위하여 서구가 설치한 이러한 설비와 기반시설은 새로운 민족의식을 태동시키는 기초가 되었다.

20세기 초 서구식 학교가 본국에서 사용되는 똑같은 교과과정으로 여러 지역에서 설립되었다. 이들 학교 중에 선교사가 운영하는 곳도 있었는데, 이들은 학생들이 서구인의 관습을 받아들일 것으로 확신하였다. 초기에 부임한 유럽의 식민지관리들은 대개 독신으로 건너와 자신들의 생활양식을 주변 환경에 적응시켰던 반면에, 이제 모든 가족들이 함께 살면서 열대 관습에 맞서며 서구 양식으로 살 수 있게 되었다. 마침내 서구 소유의 기업, 광산 및 농장이 확장되면서 제법 많은 아시아 노동력을 고용하기 시작하였다.

[5-2] 19세기 자바의 커피 농장에서 맨발의 노동자들이 원두를 고르며 말리고 있고, 허리에 손을 얹은 유럽인 소유자 혹은 관리인이 그들의 작업 모습을 지켜보고 있다.

농업변화와 인구증가

식민지주의의 경제적 및 정치적 파장은 인구와 농업에 있어서 전반적인 변화를 초래하였다. 로버트 엘슨(Robert Elson)은 1800년부터 시작된 이 시기를 '농민의 시대(Age of Peasant)'라 불렀다. 150년이 지나지 않아 농민들은 경작방식을 고도화시켰고, 새로운 작물을 수용하여 세계시장에 공급하는 생산자가 되었다. 여전히 촌락 중심으로 대부분 자급자족 생산에 매여 있으면서도 농민들은 이윤과 경제적 어려움을 동시에 가져온 보다 넓은 경제권과 서서히 연결되고 있었다.

동남아 농민들은 또한 인구가 증가함에 따라 무리를 지어 새로운 땅을 개척하였다. 19세기 초 삼림이 동남아의 대부분을 덮고 있었고, 자바의 상당 부분이 나무로 울창했다. 1945년경 자바에는 삼림이 거의 남아있지 않았고, 그 밖의 지역에도 현저히 줄어들었다. 태국과 베트남의 메콩 델타 그리고 하부 미얀마에서는 사람들이 이주해와 벼농사를 짓기 위해 이전에 인간의 흔적이 전혀 없었던 습지를 간척하였다. 이미 사람들이 살고 있던 지역에서는 관개 시설이 확장되고 개선되었으며, 2기작 벼농사는 더욱 흔한 일이 되었다.

고지에서는 화전 농업(53페이지 참조)이 보다 생산적이고 노동집약적인 경작 방식으로 대부분 대체되었다. 어떤 산지에서는 인구 증가가 '유목'적인 화전민에게 부담을 주어 많은 이가 정착 농업으로 전환하고 심지어는 수도(wet rice) 경작을 하였다. 대부분의 정부는 이러한 변화를 후원하였는데, 이는 화전 농업을 생태 파괴로 간주한 것에서도 있지만, 그들을 정착케 하여 세금을 걷고 부역을 시키기 위한 이유에서도 비롯되었다. 예를 들어, 1825년에서 1830년까지 디뽀느고로(Diponegoro) 왕자가 식민주의자들에게 대항하여 집요하게 벌였던 자바 전쟁이나 1850년과 1851년 사이에 주석 생산과 관련되어 발생한 방까(Bangka)섬의 소규모 폭동 이후, 네덜란드인들은 시골 거주민을 치안상의 이유로 관리 가능한 마을로 강제 이주시켰다. 이러한 정책은 영국인들이 1950년대 말레이 반도에서 실시하기도 했다.

화전경작자들은 완전히 사라지지는 않았지만, 정착지의 외연부로 내몰렸다. 이들 중 일부는 수출용 나무 작물, 특히 20세기 고무나무에 관심을 보였다. 고무나무는 일단 심기만 하면 신경 쓸 필요가 거의 없기 때문에 고무 채취는 그들의 일상적인 작업 패턴에 쉽게 통합될 수 있었다. 화전 농업은 개간과 심기 및 추수에 있어서 상당한 노동력이 요구되었다. 별다른 일이 없을 때에 고무나무의 수액을 채취해 제조한 고무를 판매해 수입을 올렸다. 네덜란드령 인도네시아에서는 소규모 고무농장주들이 비록 고무의 질은 떨어지긴 했지만, 서구인 소유의 대규모 플랜테이션에서 산출되는 수출용 고무 생산량에 버금갈 정도로 생산하였다. 1920년대처럼 수요가 증가했을 때, 고무를 비롯한 다른 수출 작물은 상당한 현금 수입이 되었다.

[5-3] 자바의 여성들이 물이 찬 논에 모내기를 하고 있다. 이러한 방식은 수확을 증가시키지만, 몇 시간 동안의 혹독한 노동을 요구한다.

환금 작물에 대한 이러한 경향은 고산지대의 농부들에게 국한된 것이 아니었다. 쌀은 19세기 후반에 미얀마, 태국, 남부 베트남에서 가장 중요한 수출 작물이었다. 생산자들은 쌀이 부족한 곳, 즉 대도시, 북부 베트남, 인도, 중국 및 수만 명의 꿀리(coolie, 중국과 인도에서 이주해 온 육체노동자–역주)가 상주하는 플랜테이션과 광산에서 판로를 발견했다.

자바와 필리핀 같은 오래된 식민지에서 식민지 세력은 처음에 주민들에게 자급용으로 재배하는 쌀 외에도 세계 시장에 내놓을 작물의 생산을 강요하였다. 1830년에서 대략 1870년까지 사탕수수, 인디고(indigo), 커피 및 기타 수출 작물에 대한 강제 경작제도가 자바에서 실시되었다. 이러한 '경작제도(Cultivation System)'의 폐지 이후(부분적으로는 원주민을 취급하는 방식에 대한 대중적 비판 때문이었고, 또한 상업적 이해가 무역과 투자의 자유화로 이행되었기 때문이었다), 개인 소유의 사탕수수 가공 공장이 촌락지역에 세워지기 시작하였다. 사탕수수는 농경지에서 벼와 모작으로 재배했고, 서구인 또는 중국인 기업이 소유한 새로운 기계 공장에서 처리되었다. 경제사학자들의 주장에 따르면, 대규모 사탕수수 재배와 가공으로 인하여 토지를 갖지 못한 사람들에게 새로운 고용 기회를 제공했지만, 그러한 제도는 촌락 주민에게는 호응을 얻지 못했다. 인도네시아 혁명이 1945년 일어났을 때, 사탕수수 가공 공장은 민족주의자들의 초토화 전략(scorched-earth strategy, 전쟁에서 후퇴할 때 주변에 이용가치가 있는 건물, 시설, 식품 등을 모두 소각하는 전술–역주)에 있어서 첫 번째 목표가 되었다.

[5-4] 사진 속의 자상한 용모의 중국인은 자바에서 잡화를 넣은 보따리를 지고 행상으로 생계를 꾸린다. 그는 호객 행위로 딸랑이를 흔든다.

필리핀에서 스페인은 농민들에게 국내와 국제 시장에 판매할 담배 재배를 강요하였다. 마닐라 시가(Cigars)는 이러한 제도의 산물이었다. 사탕수수 재배는 중부 필리핀 제도인 네그로스(Negros)와 일로일로(Iloilo) 지역으로 확대되었다. 미국의 지배하에서 필리핀 설탕은 미국 시장에 독점적으로 수출됨으로써 많은 수익을 올렸지만, 그 혜택은 확실히 농부보다는 지주와 공장주에게 더 많이 돌아갔다.

농산물 산출의 급속한 증가는 자본을 필요로 했다. 주요한 투입재는 농민 자신들의 노동력이었는데, 나무를 베고, 습지의 물을 빼고, 관개시설을 구축해야 했기 때문이었다. 어떤 경우에는 서구 자본이 원주민 농업의 고도화 또는 확대를 지원하기도 했다. 예를 들어, 자바에서는 식민지주의자 및 개인사업자의 이권이 벼와 사탕수수 경작의 적절한 공생을 가능케 한 관개시설 구축에 기여했다.

촌락 지역은 1920년대 이전까지 금융기관의 역할을 하는 것이 없었고, 그 이후에 생겼다 하더라도 제 기능을 발휘하지 못하였다. 많은 농민들은 현찰을 부유한 이웃에게 빌렸다. 주요한 금융 대부업은 마을을 순회하는 인도와 중국 이주민들의 몫이었다. 이들은 농사에 사용하거나 결혼과 장례에 쓸 소액의 경비를 빌려주었다. 남부 인도의 고리대금업 카스트에 속하는 체띠아(Chettiar)가 이주해 와 주로 하부 미얀마와 미약했지만 남부 베트남과 말레이반도의 농업 자금 조달에 도움이 되었다. 또 다른 집단은 중국 행상인들로 상품과 농업 필수용품을 마을로 가져가 외상으로 팔거나 인도인들처럼 대부업을 하기도 했다. 중국인 가게주인 또는 무역업자는 시암, 필리핀, 대부분의 인도네시아 및 남부 베트남의 촌락지역에서는 친숙한 인물들이었다. 중간 무역업자인 이들은 또한 시장에게 공급할 수출품을 수집하는 중요한 기능을 담당하였다. 중국인 업자들은 사실상 남부 베트남의 정미업을 독점하여 그 생산품을 사이공(현 호찌민시)의 차이나타운인 쩌런(Cholon)에 공급하였다.

농민들은 농업의 고도화로 이윤을 취했지만, 뒤돌아보면 이러한 이익은 불안정하고 불공평한 것이었다. 네덜란드령 인도네시아에서는 토지법으로 화인(ethnic Chinese, 華人)들의 농지 소유를 금하고 있었기 때문에 농민들은 현지인 대부업자들에게만 토지를 넘길 수 있었다. 대신에 농민들은 그들의 덜 익은 농작물을 시세보다 낮은 가격에 저당 잡히고 중국인들로부터 돈을 빌리기도 했다. 그 반면, 베트남과 필리핀에서는 많은 소작농들이 특히 1930년대 대공황(the Depression)으로 미곡가가 폭락하여 채무를 변제하지 못하자 대지주와 인도인 또는 중국인 대부업자들에게 재산을 빼앗겼다. 1937년경 하부 미얀마의 인도인 체띠야들은 농경지의 약 25퍼센트를 장악하였고, 이로 인하여 그들은 미얀마인들의 반감을 샀다. 새로운 지역을 개척할 기회가 줄어들고 이용 가능한 농지에 대한 경쟁이 치열해짐에 따라, 토지의 불평등한 배분 문제는 어느 곳에서든 더욱 민감하게 대두되었다.

문제는 순전히 대부나 채무 불이행에서만 비롯된 것은 아니었다. 인구가 밀집된 북부 베트남, 자바 및 필리핀의 일부 지역에서는 그들의 수요에 부응하는 충분한 쌀을 생산하지 못하였다.

급속한 인구 증가로 인하여 토지 소유는 더욱 작은 구획으로 나뉘어졌다. 많은 촌락 주민들이 줄어든 농지로는 생계를 꾸릴 수가 없었다. 재분배를 위한 전통적 방식에는 빈곤층에게 임금노동의 기회를 제공하거나, 대지주로부터 토지를 임대할 기회를 주거나, 공동체 소유의 토지를 사용할 수 있게 하거나, 위기 시에 지주들이 일부 구재의 손길을 펼치는 방법들이 있었다. 이러한 관습은 대지주들이 도시로 이주하여 부의 재분배에 대한 책임을 다하지 않고, 어떤 지주들은 외부인이었기 때문에 무용지물이 되었다. 제1차 세계대전과 특히 대공황을 겪으면서 촌락 지역에서는 극심한 고통에 빠졌다. 농부들은 생존하기 위하여 쌀 대용으로 카사바(cassava)나 옥수수를 먹었다. 고무와 다른 수출용 작물을 경작하던 소작농들은 세계시장이 붕괴되자 생계 작물 재배로 복귀하기도 하였다. 제2차 세계대전 발발 직전인 1930년대 말에 이르러 수출 가격이 살아나자 생산은 일시적으로 회복되었다.

광산, 플랜테이션, 이주노동

19세기 식민지 확장의 동기 중 하나는 천연자원을 구하는 데에 있었다. 서구 기업들은 산업 국가들의 원료에 대한 급증하는 수요를 충족시키기 위하여 광산과 농업 플랜테이션을 개발하였다.

많은 광물 매장지가 동남아의 토층 표면 가까이에서 발견되었고, 모든 광산에서는 단순한 도구를 사용하는 소규모의 인력들이 광물을 채취하였다. 일련의 주석 원광석 매장층은 중국에서 출발하여 미얀마와 태국을 거쳐 그 아래로 말레이반도 및 인도네시아 섬인 방까(Bangka)와 블리뚱(Belitung)에 이른다. 금, 철 및 구리 매장지는 널리 알려져 있었다. 동손 청동북, 금속 징 및 정교한 세공의 검과 끄리스(kriss)가 입증하듯이, 동남아의 금속 가공 기술은 고도로 발달되어 있었지만, 현지 광물 채굴은 다른 생업을 갖고 있는 사람들이 겸하고 있는 것이어서 거의 조잡한 수준이었다.

18세기에 들어와 현지 지배자들은 중국 노동자들을 불러와 금과 주석을 채굴하였고, 종종 원주민을 사용하기도 했다. 중국인들은 대규모 집단으로 작업을 하였고, 노동력의 조직과 훈련에 뛰어났으며, 여전히 단순하긴 했지만 그들의 우월한 기술은 매장 광물을 채취하는 데에 아주 효과적이었다. 다른 중국인 노동자들은 18세기에 리아우(Riau) 군도의 후추와 아선약(gambier) 플랜테이션에서 일하였다. 그들은 열심히 일했던 지역을 떠나 19세기에는 싱가포르로 이주하였고, 거기서 조호르(Johor)에도 들어갔다. 그 곳에서도 중국인들은 기업에 투자하고, 노동력을 들여와 통제하였으며, 판매와 수출을 관리하였지만, 그러한 추진력의 원천은 현지 지배자들에게서 나온 것처럼 보인다.

[5-5] 20세기 초 여전히 중국인은 동남아 도시에서 대부분의 숙련, 비숙련 노동을 제공하였다. 그들은 사라왁의 유럽인 소유의 금 광산(위쪽)과 싱가포르의 석탄 야적장(아래쪽)에서 일하였다. 금 광산의 목재 물레는 광산에서 물을 제거하는 중국식 펌프였다. 이 시기에 이르러 증기 기관이 물을 배출하고 광석을 들어 올리는데 필요한 에너지를 제공하였다.

[5-6] 말레이 반도의 중국인 주석 광부들의 휴식. 그들은 하루에 2교대로 일하였다.

조직과 기술 이외에도 업주들이 이주민 노동자들을 고용한 것에는 다른 이유가 있었다. 인구 '조밀지역(pockets)'이었던, 가령 자바와 북부 베트남 이외의 동남아는 19세기에 들어와서도 인구가 뜸한 지역이었다. 그 결과로 노동력은 부족하고 비용은 비쌌다. 경작할 토지가 있고 적절한 수확량이 있는 이상, 동남아인들은 광산과 플랜테이션 노동자가 겪어야 하는 비참한 조건 속에서 노동할 필요가 없었다. 1860년경부터 광산과 플랜테이션에 이제 막 손을 댄 서구의 기업들은 일시적으로 중국인들을 모집하여 사용했다.

'꿀리'라고 불린 이들 노동자들은 자유인이 아니었다. 그들의 여비와 생활비, 회사 상점에서의 물품 구입비, 담배, 술 및 아편 등에 대한 비용은 모두 이들의 부채가 되었다. 그들의 계약이 끝날 즈음, 채무를 변제할 수 없을 때엔 계속 그 일을 해야만 했다. 탈출을 시도하는 사람은 엄격한 처벌을 받았다. 첫 계약기간이 아닌 다음 기간 이후에 대부분의 꿀리들은 고향으로 돌아갔다. 소수의 운 좋은 사람들이 고향으로 임금 일부를 송금하여 새로운 삶을 꾸릴 수 있었고, 어떤 이들은 새로운 땅에 남아 소작농 또는 무역업자로 정착하였다. 그러나 극히 적은 수의 사람만이 그렇게도 많은 이주자들이 꿈꾸었던 '거지에서 부자'로의 변신을 이룰 수 있었다. 매년 결핵, 콜레라, 각기병으로 20퍼센트 혹은 그 이상이 사망하였다. 말레이반도에서는 중국인 이민자와 함께 인도인과 스리랑카 따밀 노동자들이 초기 고무 플랜테이션에서 일하였고, 어떤 이들은 행정 업무에 고용되거나 철도 건설과 유지 업무에 종사하기도 했다.

[5-7] 인도인 여성노동자가 고무나무의 껍질을 벗겨 줄을 내는 작업을 하고 있다. 수액(천연수지)은 컵으로 흘러 들어가고, 매일 수거하여 가공한다.

중국은 꿀리의 거래에 아주 분개하여 모집을 어렵게 만들었고, 때론 중국인 꿀리의 수입비용이 올라가 현지 기업들에게 감당하기 어렵게 되기도 했다. 그 결과로 동부 수마뜨라의 담배 플랜테이션은 남자를 우선 고용하고 나중에 여성들도 채용했는데, 이들은 대부분 자바의 인구 밀집지역에 있는 빈곤층 출신이었다. 1920년대에 자바의 꿀리들(많은 수가 여성)은 대부분의 플랜테이션 작업에서 중국인들을 대체하였다. 베트남의 소규모 공장, 고무 플랜테이션 및 석탄 광산에서는 인구 과밀 지역인 북부의 통킹에서 노동자를 찾았다. 많은

[5-8] 주석 준설기는 범람한 주석 채굴장이나 바다에서 가동된다. 주석은 강의 하구에서도 발견된다. 광물을 채집하여 광석을 씻고 분리하는 모든 작업을 수행하는 데 있어서 준설기는 광산 퇴적물을 처리하는 대부분의 작업을 담당했다. 이로써 중국인 꿀리들만이 할 수 있었던 작업은 사라져 버렸다.

농부들은 마을(파종기 또는 수확기)과 작업장을 오고가는 이른바 '순환 이주(circular migration)'에 의존하였다. 1930년대 중반을 관찰한 학자에 따르면, 통킹 인구의 3분의 2가 적어도 일 년 중 일부 기간은 임금노동에 종사한 것으로 추정한다.

말라야, 남부 태국, 방까 및 블리뚱의 주석 광산에 고용된 현지인들은 채광과 운반과 같은 고된 작업을 거부했다. 하지만, 일단 20세기에 들어와 대규모의 기계가 퇴적물을 제거하고 채광의 방식이 바뀌자, 말레이인과 인도네시아인들이(서구 자본가들이 중국인 중개업자들을 대체함에 따라) 중국 꿀리들을 대체하였고, 이러한 변화는 제2차 세계대전 이후에 완료되었다. 금속 채광과는 달리, 고도로 기계화된 석유 산업은 언제나 서구인들이 담당했다.

해외 노동력의 유입은 비록 적은 숫자만이 귀환하지 않고 남아 있을 지라도 어떤 지역의 종족 구성을 근본적으로 변화시켰다. 꿀리들은 중국과 인도로부터 온 이민자들의 일부에 불과했다. 다른 사람들도 모든 동남아 국가, 특히 도시 지역에 부를 찾아 건너왔다. 20세기에는 여성들과 아이들이 이주민들과 동행했다. 말레이반도의 어떤 지역에서는 말레이인이 소수종족이 되었다. 동부 수마뜨라에는 다수의 중국인과 소수의 자바인이 분포하였으며, 1930년 무렵 방까와 블리뚱의 인구 중 40퍼센트 이상이 중국인이었다. 양공(Rangoon, Yangon)은 1931년

[5-9] 상가포르의 젊은 중국인 여성이 쇼핑을 하고 있는 모습. 19세기에는 독신 남성들이 대부분의 중국인 해외 정착지를 지배했으나, 20세기에는 중국에서 건너온 여성 이주자의 수가 증가하여 중국인들이 안정되고 한층 가족 중심적인 공동체를 형성할 수 있게 되었다.

에 인도인이 다수가 되었다. 꿀리들의 관문이었던 싱가포르도 이옥고 중국인이 다수가 되었고, 오늘날에도 전체 인구의 4분의 3이 중국계이다.

1930년대 대공황 중에 광산과 플랜테이션은 위기에 봉착했다. 수천 명의 꿀리들이 해고당했다. 고향으로 돌아가지 못한 사람들은 근처의 농경지역에 정착하기도 했다. 소규모 자영업이나 서구자본 기업들에 의한 수출경기가 제2차 세계대전 발발 이전에 부분적으로 회복되었지만, 꿀리의 이주시대는 이제 막을 내렸다. 하지만, 오늘날에도 인구가 밀집된 지역의 주민들은 여전히 도시와 덜 개발된 지역으로 이주해 간다. 이러한 이주는 일부 지역의 생태계를 파괴하는 결과를 낳기도 한다. 불을 놓아 밀림을 소거(消去)하는 방식이 보편화되면서 광범위한 지역에 걸쳐 메케한 연무현상이 일어나고, 드러난 토양에는 침식현상이 가속화 되었다.

초기의 저항

식민지 지배를 공고화하는 움직임은 여러 형태로 나타났다. 필리핀 민족주의 저항을 제압한 미국은 전쟁을 통해 남부의 이슬람 소수종족인 모로족(Moro)을 통합하였다. 영국은 1886년 왕실을 몰아내고 상부 미얀마를 그들 세력에 편입시켰다. 1914년에 영국령 말라야는 싱가포르, 뻬낭, 그리고 말라까 등 해협도시들이었다. 19세기에 이 지역의 지배자들은 영국 관리들의 조언을 수용하여 경제적으로 중요한 말레이국가연합을 만들었다. 그리고 연방에 속하지 않았던 조호르와 네 개의 말레이 술탄왕국은 시암의 지배에서 벗어났다. 네덜란드인들은 롬복(Lombok), 발리(Bali) 및 아쩨(Aceh)와의 연속적인 전쟁을 치루면서 그들만의 인도네시아 지도를 완성했고, 다른 지역 지배자들을 설득하여 식민지로 편입하도록 만들었다.

[5-10] 인도네시아 용병과 그들의 유럽인 장교의 사진에서 아쩨의 식민지 전쟁의 잔학상을 보여준다. 특별한 제복과 무기를 갖춘 원주민 군인들은 이슬람 성전(holy war)으로 여기며 싸우는 반란군에 대해 어떠한 자비도 베풀지 말 것을 독려 받았다.

식민지주의 팽창에 대한 초기의 저항은 여러 양상으로 나타났다. 천년왕국 운동과 다른 종교에서 고무된 반란, 회복운동, 우발적인 폭동, 게릴라 전술 등이 그것이다. 반식민주의는 가장 최초로 필리핀에서 그 다음으로 베트남에서 분명한 정치적, 경제적 목표를 띠고 조직적인 운동의 형태로 등장하기 시작했다.

때때로 저항 운동은 완강하고 유혈적이었다. 네덜란드인들이 남부 발리와 롬복에 있는 소왕국으로 진격하였을 때, 그들의 군대는 왕실 구성원들의 자살의식(발리어로는 뿌뿌딴 puputan이라고 함)과 같은 저항에 직면했다. 그들은 정복당하는 대신 가족들과 함께 적들의 총구 앞에 서서 끄리스(kris)를 자신들의 가슴에 꽂았다. 가장 완강한 저항은 수마뜨라 북단에 위치하며 오랜 이슬람 전통을 간직한 아쩨에서 있었다. 1870년대 네덜란드인들은 자긍심이 강한 이 술탄국을 점령할 여러 가지 이유를 찾았다. 이 지역은 해적의 은신처로서 인근의 급속히 개발되고 있는 동부 수마뜨라 플랜테이션 지역의 안전을 위협하였다. 또한 풍부한 광물 자원이 매장되어있으며, 다른 세력들도 그 지역에 관심을 가진다는 소문이 나돌았다. 1874년 식민지 군대는 손쉽게 수도와 왕궁을 점령했지만, 이슬람 학자들이 침입자에 대한 전투를 개시하여, 결연한 게릴라전을 벌였고, 또한 적의 손에 죽는 자는 천국에 들어갈 것이라는 약속으로 무슬림 전통인 지하드(jihad) 혹은 쁘랑사빌(perang sabil, 인도네시아로 이슬람 성전을 일컫는 말)을 촉구했다. 네덜란드 군대는 1913년 아쩨를 평정했지만, 그 후에도 소규모 전투는 계속되었다. 아쩨 전쟁은 역사적으로 가장 긴 식민지 전쟁이었고, 가장 비참한 전쟁 중의 하나였다.

민족주의의 태동

일반적으로 식민지 정부는 전통적 엘리트들과 함께 일하길 선호했다. 협력할 의향을 보이는 사람들에게는 높은 지위와 중요한 직무로 보상하였다. (협력을 거부한 사람들은 자바의 디뽀느고로 Diponegoro 왕자처럼 반란을 주도하기도 했다.) 많은 역사학자들은 이러한 정책이 원주민 사회에서 권력의 균형에 큰 영향을 미쳤으며, 귀족들에 대한 지배자의 지위가 강화되거나(캄보디아의 경우), 사회의 다른 구성원에 대한 귀족들의 지위가 강화되었다고(인도네시아의 경우) 믿는다. 자바의 네덜란드인들은 당시의 자바 엘리트, 쁘리야이(priyayi)와 긴밀하게 협력하여, 그들에게 관료직을 부여했다. 베트남에서 기존 관리들(mandarins)과의 협력은 프랑스 식민지 지배의 근간이 되었다.

동남아의 초기 민족주의 운동은 앞선 서구식 교육을 받은 필리핀인(Filipino)들에 의해 태동되었는데, 다른 식민지에서는 한참 후에야 가능한 일이었다. 최초의 필리핀 민족주의자들 속에는 원주민 가톨릭 사제가 있었다. 사제가 되기 위해 교육을 받았지만, 서품을 받지 못함으로써 자신의 교구에서 사제가 될 수 있는 기회가 거의 없었다. 3명의 원주민 사제가 1872년 스페인에 대한 반감을 이유로 처형당했고, 의사이며 소설가이자 민족주의자였던 호세 리잘(Jose Rizal)도 1896년 형장의 이슬로 사라졌다.

[5-11] 마치 현지 엘리트인 것처럼 유럽인 식민지관리들은 공식 표상(regalia)을 나타내길 좋아했다. 이 초상화에도 중부 자바 스마랑(Semarang)의 네덜란드 지사가 그의 시중과 의례용 파라솔과 함께 포즈를 취하고 있다.

여전히 많은 지식인들이 스페인과 결별하기를 주저하였으며, 저항 운동에 참여하지 않았다. 그러나 비정통적인 종교적 의례를 통해 조직을 확장하고, 안드레스 보니파씨오(Andres Bonifacio, 1863-97)에 의해 주도된 대중운동인 까띠뿌난(Katipunan)이 필리핀 젊은 지식인들(주로 일루스뜨라도스 ilustrados 라고 부름)을 스페인 지배에 항거하도록 유도함으로써 필리핀의 반식민지 혁명이 탄생하게 되었다. 반란군(필리핀에서는 독립군이라고 부름-역주)은 1898년 6월 12일에 공화국 출범을 공포하고, 이듬해에 헌법을 기초하였다. 스페인으로부터 필리핀을 양도받은 미국인들에게는 이 운동을 종식시킬 치열한 전쟁이 기다리고 있었다.

미국 점령자들은 1900년대 초 필리핀인들에게 행정 및 정치적 역할을 부여하고, 1916년에는 장차 필리핀의 독립을 약속함으로써 상당수의 교육받은 지주 엘리트들의 협력을 이끌어내는데 성공했다. 새로운 지배자에 대한 저항을 멈추기로 한 이들의 결정은 향후 필리핀 정국에서 엘리트 지배의 길을 열었다. 다른 필리핀인들은 1902년까지 완강하게 저항했으며, 어떤 지역에서는 몇 년간 더 지속되었다.

베트남에서는 회복주의 운동인 깐부옹(Can Vuong, 왕에 대한 충성)이 엘리트 지도층과 대중의 기대를 결합하게 만들었다. 그것은 프랑스가 베트남 전역에 걸쳐 지배를 확립했던 직후인 1885년에 발족하였다. 베트남 왕위 계승자인 함응이(Ham Nghi)는 왕도인 후에를 빠져나가자, 프랑스는 그의 형을 왕위에 올렸다. 하지만, 대부분의 지식인들(전통국가의 근간인 관리들)은 추방당한 왕과 식민지 이전의 질서에 대한 충성을 선택하였다. 1888년 함응이가 체포되자 직접적인 위협은 종식되었지만, 많은 전통 관리들은 새로운 지배자와 타협하지 않았다.

사회변동: 교육, 언어, 문자 습득

20세기가 시작될 무렵 훈련된 인재들을 양성하기 위한 목적으로 많은 식민지에 서구식 학교들이 급속히 세워졌다. 동남아 원주민들은 근대식 교육을 받았어도, 스페인 지배하의 필리핀 교회에서처럼 유럽인들이 차지하고 있는 식민지 행정부 상층 직위에는 오를 수 없었다. 인종차별 의식도 식민지에 정착하는 서구인들의 수가 늘어나면서 생겨나기 시작했다.

반면, 경제적 변화는 전통적 엘리트에 속하지 않지만 교육받은 원주민들에게 다양한 길을 열어주었다. 정부 서비스가 확대되면서 더 많은 하급 관리직이 생겨났고, 서구인의 기업과 학교에서 다양한 자리가 생겨나면서 새로운 집단들이 식민지 계급사회와 직접적인 접촉을 하게 되었다. 작은 도시와 촌락 지역의 청년들이 일자리를 구하거나 공부를 하기 위하여 수도(또는 서구 국가)로 이주하여, 비슷한 경험을 가진 타지역 사람들과 만나게 되었다. 필리핀에서 생겨난 민족의식(national consciousness)의 발흥은 다른 식민지에서도 재현되었다. 노동자들도 자신의 권리를 한층 더 깨닫게 되었고, 최초의 노동조합이 결성되었다.

이러한 경향들은 근대 통신수단, 즉 인쇄기, 증기선, 전화 및 전신 등에 의해 강화된 민족의식의 등장에 공헌하였다. 자국어에 대한 문자 해득력이 증가하면서 새로운 사상이 확산되었다. 필리핀에서는 스페인어와 이어 영어가 지식인들 사이에서 공통어가 되었다. 네덜란드령 인도네시아에서는 말라까와 스리비자야의 시대부터 공통어(lingua franca)의 지위를 누린 말레이어가 식민지 행정, 도시 및 시장의 언어가 되었다. 오직 소수의 서구 교육을 받은 사람들만이 네덜란드어를 구사했다. 말레이어는 인도네시아 국어가 되었다. 19세기 말부터 말레이어로 쓰인 대중 문학과 인쇄물이 근대화, 민족주의 및 해방의 개념을 전해 주었다. 문자를 해득할 수 있는 사람이 소수라는 사실이 이러한 매체의 대중화를 막는 장애가 되지 못하였다. 글을 이해하는 사람들은 그렇지 못한 사람들을 위하여 이야기를 큰 소리로 읽거나 다시 들려주었다. 원주민 간행물은 민족주의를 전파하였지만, 공적인 검열로 인하여 반식민주의 감정의 표현은 여전히 저지당했다.

1905년 네덜란드령 인도네시아 정부는 자신들의 출판물을 발행하기에 이르렀다. 이것이 말레이어와 지역어로 서적과 저널을 발행하는 정부 출판 및 보급 회사인 발라이뿌스따까(Balai Pustaka)의 초석이 되었다. 이것이 의도하는 바는 학교와 대중에게 '적합한' 인쇄물(공식적인 설명에 따르면, '정치적으로 바람직한 영향력을 미치게 하는 좋은 읽을거리')을 공급하는 것이었다. 인도네시아의 유명한 초기 작가들 대부분은 발라이뿌스따까에서 저서를 출판하였다. 극소수가 정치적 혹은 다른 이유로 거부당했다.

베트남의 20세기 대중문학은 거의 인기 폭발 직전에 있었다. 서적과 팸플릿을 포함하여 거의 1만권이 1923년과 1944년 사이에 발행되었고, 여기에 추가하여 수백 권의 정기간행물이 출판되었다. 이러한 텍스트는 라틴 문자로 된 베트남 국어(quoc-ngu)로 쓰였다. 이전에 베트남어는 중국 한자를 변형한 문자(nom)를 사용했으며, 지식인들은 중국의 전통 한자에 대한 읽기와 쓰기도 배웠다. 베트남 국어는 식민지 세력의 문자였지만, 민족주의자와 작가들은 곧장 그것을 대중적 매체로 전환시켜, 오락뿐만 아니라 전통과 근대 및 윤리와 정치의 관계, 교육의 중요성 및 여성의 역할 등 당시의 문제를 다루었다. 베트남 국어는 국민들로 하여금 문자 해득율을 높이고 국가가 직면한 문제들을 이해시키는데 공헌하였다.

민족주의 등장에 있어서 국제적 영향

동남아가 교차로의 위치에 있다는 사실에서 보면, 이 지역의 민족주의가 고립 상태에서 발전하지 않았다는 것은 전혀 놀랄 만한 일이 아니다. 일본이 서구 국가로부터 교육, 법률 및 기술을 받아들여 1868년에 시작한 메이지유신은 아시아 국가들에게 근대화의 문제를 제기하였다. 1899년 네덜란드령 인도네시아 법률에서는 일본인에게 '유럽인'의 법적 지위가 부여되었다. 현지의 소수 중국인(이들은 '원주민(natives)'으로 분류되었지만, 그나마 몇몇 원주민 권리도 받아들여지지 않는다)은 이러한 사실에 대해 크게 분노하였고, 거대한 중국에 속해 있음에도 불구하고 불이익을 받는 소수집단이라는 자각을 갖게 되었다. 더욱 극적인 것은 1904-05년의 노일 전쟁에서 러시아를 물리치고 일본이 승리를 거두었다는 사실이었다. 서구 세력에 대한 아시아의 승리는 동남아 전역의 젊은 민족주의자들에게 잊지 못할 인상을 남겼다.

혁명과 실패를 거듭한 수년간의 개혁 이후 발생한 1911년 쑨원(Sun Yatsen, 孫文)의 중국 혁명도 동남아에 반향을 일으켰다. 그 영향을 가장 강하게 받은 곳은 가까운 베트남이었지만, 이는 해외 특히 동남아에 거주하는 중국인들의 마음을 동요시켰다. 쑨원은 외국인 점령자로 간주했던 만주 황제를 폐위하고 중국을 공화국으로 건설하려는 운동을 위해 동남아에 있는 중국인을 동원하려고 수년간 노력했다. 1898년 중국에서 싱가포르로 피신해 온 개혁가인 캉유웨이(Kang Youwei, 康有爲)는 신유교주의 개념을 전파했다. 1899년 인도네시아의 중국인들은 현지 관습을 '정화(淨化)'할 목적으로 협회를 창설했는데, 이는 중국인을 보다 철저한 유교주의자로 만들기 위함이었다. 그들은 곧장 근대식 중국어 교육을 장려하기 시작했다. 몇 년이 지나지 않아 이전보다 더욱 강한 민족의식을 지닌 중국인들이 그들의 공동체 내에 수백 개의 근대식 북경어 학교를 설립하였다. 이러한 예를 원주민들이 놓칠 수 없었다. 그들은 중국인 기구를 모방하려고 노력하는 한편, 중국인 소유의 사업들이 확장됨으로써 거세지는 경제적 도전에 대한 저항을 조직화했다.

미얀마의 민족주의자들은 인도를 관찰하여 그들의 잘 조직된 민족주의 운동을 모델로 삼았다. 1917년의 러시아혁명은 미얀마와 그 밖의 지역에 또 다른 영향을 미쳤다. 몇 년이 안 되어 공산당이 처음으로 인도네시아에서 나타났고 그 후 다른 곳에서도 등장했다.

개선된 통신수단과 증기선 여행에 힘입어 마침내 근동(Near East)과의 접촉이 더욱 더 빈번해졌다. 보다 많은 무슬림들이 메카로 순례를 떠났고, 이슬람 사상을 연구하거나 이슬람형제 기구에 들어가기 위해 많은 이들이 몇 년 동안 그곳에 머물렀다. 다른 이들은 이슬람 고등 교육기관에 입학하는 것을 택하였다. 카이로의 알아자르(Al-Azhar) 대학교는 근대 이슬람뿐만 아니라 정치학을 배우기 원하는 청년들이 선호하는 곳이었다. 이러한 영향은 스리깟 이슬람(Sarekat Islam, 182-183페이지 참조)이 창설되는데 영향을 미쳤다.

개혁운동

소규모의 개혁운동이 지식인들의 초기 민족주의 운동을 대변했다. 인도네시아에서 행정 엘리트는 세습이 아닌 교육을 통하여 성장한 사람들이 지배적인 신생 쁘리야이(priyayi)라는 하급 엘리트 집단에게 까지 확대되었다. 이러한 사람들(그 당시 식민지에서 유일한 고등 교육기관이었던 바타비아 의과대학의 학생들) 중에서 일부가 1908년 최초의 인도네시아 민족기구인 부디 우또모(Budi Utomo, '명예로운 노력(glorious endeavour)')를 결성하였다. 회원의 대부분이 자바인이었던 이 기구의 주된 목표는 원주민의 지위를 '향상(uplift)'시키는 데에 있었다.

이것은 또한 까르띠니(R.A. Kartini, 1879-1904)의 목표이기도 했다. 그녀는 낮은 서열의 귀족 출신이며 자바의 젊은 여성으로서 1911년에 출판된 네덜란드 친구들에게 보내는 편지 속에서 계몽과 특히 여성들에게 보다 많은 기회가 주어지길 희망하는 내용으로 '우리는 어리석어야 할 권리가 없다(we have no right to be stupid)'라는 말로 많은 이들에게 영감을 주었다. 식민지 세력과 더불어 개혁과 협력을 강조하는 이러한 작은 시작이 나중에 유럽의 보호를 거부하는 범인도네시아 민족주의의 씨앗 되었다.

일본의 부상과 좀 더 직접적인 것으로 1911년의 중국 혁명은 베트남의 젊은 지성인들에게는 본보기가 되었다. 젊은 지성인들은 민족주의의 이상을 보수적인 사회 철학에 접목하고, 폭력적인 소규모 폭동을 유도했던 고위관리 출신 판보이쩌우(Phan Boi Chau, 1867-1940)를 중심으로 결집하였다. 1925년의 모반에 대한 그의 재판은 대중적인 저항을 유발했다. 동시대 인물인 판쭈찐(Phan Chu Trinh, 1872-1926)은 비폭력과 사회 개혁을 선호했으며, 프랑스 지배에 협력하는 포악한 관리들을 공격하였다. 베트남 국민당(Nationalist Party of Vietnam, 중국 국민당의 명칭을 본 딴 것임)이 주도한 1930년 옌바이(Yen Bay)의 해군 폭동을 포함한 프랑스 세력에 대한 소규모 공격은 잔인한 진압을 유발하였다. 같은 해 응에안(Nghe An)과 하띤(Ha Tinh) 지방에서 발생한 완강한 농민 반란은 조직화된 '소비에트파(soviets)'의 가담으로 공산주의자들의 등장을 알렸다. 결국 베트남 민족주의자들은 분열되어 세력을 잃었다.

마르크시즘

식민지 본국의 영향으로 마르크시즘이 확산되는 결과를 낳았다. 인도네시아에 살고 있던 네덜란드 사회민주당의 대표자가 1914년에 몇몇 정치적인 관심을 지닌 자바인과 함께 인도네시아 사회민주협회(Indies Social Democratic Association)를 창설하였다. 이것이 나중에 PKI로 알려진 인도네시아공산당(Communist Party of the Indies, 1920년 창설)이 되었다. PKI는 한동안 이슬람 대중운동인 스리깟이슬람과 협력하였다. 1926년과 1927년에는 반뜬(서부 자바)과 서부 수마뜨라에서 PKI 지지자들이 잘못 계획한 폭동을 일으켜 식민지 정부의 즉각적인 보복을 부추겼다. 수백 명의 체포된 사람들 중에 많은 이들이 공포적인 분위기 속에서 서부 뉴기니 보븐디굴(Boven Digul)에 있던 격리수용소에 수감되었다. 겨우 몇 개의 지하 조직만이 제2차 세계대전까지 잔존하였다.

[5-12] (위쪽) 인도네시아공산당(PKI)은 1920년 창립한 이후 자바와 수마뜨라 일부지역에서 급속도로 지지자들을 확보했다. PKI의 바타비아 사무소의 직원들이 1925년 이 사진을 위해 포즈를 취했다.

(왼쪽) 동남아에서 가장 유명한 마르크스주의자인 호찌민의 제2차 세계대전 이전의 사진. 호의 이름은 초기의 혁명가 필명인 응우옌아이꾸옥(Nguyen Ai Quoc, 응우옌 애국자의 의미)에서 바꾼 것이다.

1920년에 베트남 관리의 아들이자 응우옌아이꾸옥(Nguyen Ai Quoc, 1890-1969)이라는 필명을 사용했던 한 베트남 청년이 반식민지주의를 표방한 프랑스 공산당에 가입하였다. 그는 제1차 세계대전 이후에 프랑스에 머물고 있었고, 제2차 세계대전이 발발하기 전까지 대부분의 시간을 추방지인 프랑스와 러시아 및 중국에서 보냈다. 중국에서 그는 호찌민(Ho Chi Minh, 胡志明)이라는 이름으로 바꾸었다. 그는 1930년에 인도차이나 공산당(Indochinese Communist Party)을 창설하여, 여러 기존 그룹을 통합하였다. 11년 후 그는 모든 민족주의자들을 베트남의 독립을 위하여 하나의 연맹, 즉 비엣민(Viet Minh, 越盟)에 결집 되도록 노력하였다. 프랑스가 민족주의자들을 투옥하고 처형했음에도 불구하고, 제2차 세계대전까지 베트남에서는 서로 경쟁하는 민족주의 기구들이 많이 남아 있었다. 그러나 비엣민이 결국 민족주의 운동을 주도하게 되었다.

시암과 말라야의 공산주의 운동은 여전히 소수의 중국인에게만 제한되어 있었다. 시암에서는 왕실, 군부 및 관료와 연결된 서구식 교육을 받은 소수의 엘리트들이 마르크시즘에 거의 영향을 받지 않았다. 그 당시 영국령 말라야로 불리는 곳에서는 식민지 세력이 말레이족 대부분을 촌락 거주민으로 유지하였다. 말레이 생활 방식은 거의 변화가 없었고, 급진적인 사상은 원주민에게서 거의 받아들여지지 않았다. 그 대신 그들 대부분은 영국과 협력하고 있는 자신의 술탄에게 충성을 맹세하였다. 소규모의 사회주의 및 공산주의 정당이 1930년대 필리핀에 존재하였지만, 공산당은 곧 불법화되었다.

그럼에도 불구하고, 제국주의에 관한 마르크스의 개념은 널리 퍼졌고, 분명히 공산주의를 표명하지 않는 많은 기구에 스며들었다. 많은 교육받은 동남아인들은 마르크시즘과 사회주의가 서구 자본의 지배를 지적하면서 자신들의 식민지 현실을 잘 해명해 주고 있다고 생각했다. 그래서 당연히 사회주의는 독립 이후 그들 정부가 표방하는 정책의 일부가 되었고, 많은 정부들이 국유화 및 경제의 전략적 부문에 대한 국가통제를 추진하였다.

종교와 민족주의

동남아의 반식민지주의를 가장 잘 뒷받침 해 주었던 요소는 아마도 종교였을 것이다. 보니파씨오가 필리핀의 토착 종교의 전통에 의존했던 것처럼(170페이지 참조), 필리핀의 젊은 가톨릭 사제였던 그레고리오 아글리빠이(Gregorio Aglipay)도 그런 방식을 추종했다. 아글리빠이는 엄격한 식민지 교회 구조에 대하여 반기를 들고, 1902년 자신의 토착 교회를 설립하였다. 한때 그는 수천 명의 추종자를 가졌으나, 미국이 반란을 진압하고 점거된 교회를 주류 가톨릭에 복귀시키면서 대중들이 그를 떠났다. 한편, 이와 동시에 미국은 세속적 정부를 구성하고, 가톨릭 교단에 대한 가장 큰 불만이었던 교회의 엄청난 토지 소유권을 박탈하였다.

종교는 또한 밀려오는 서구화에 직면하여 자긍심을 높이고, 외부인에 대항하여 원주민을 결집할 수 있는 수단이었다. 양공의 청년 미얀마인들은 식민지 상황과 기독교 선교 활동에 대응하여 1906년 청년불교협회(Young Men's Buddhist Association)를 창립하였다. 실패로 끝난 1930년의 서야쌍(Saya San) 반란은 천년왕국 사상과 근대 사상이 혼합되어 나타난 것이었다. 동시에 동남아 민족주의자들은 과학, 기술, 사회주의 및 대중교양 같은 근대 발전을 자신들의 종교적 관점으로 통합하려고 노력했다. 일례로 중국인 소수집단이 전통 학교를 근대식으로 대체한 것처럼, 전통적 이슬람학교가 근대적 과목을 포함하는 교과과정 확대를 추진한 것이다.

인도네시아 최초의 이슬람 민족기구인 스리깟이슬람(Sarekat Islam, 이슬람협회)은 화인과의 경쟁에서 무슬림 상인을 보호할 목적으로 이슬람무역협회(Islamic Trading Association)의 성격으로 1911년에 창립되었다. 1912년 이 협회는 애초의 상업적 목적을 폐기하고 '이슬람'을 '토착'과 동일한 의미로 사용하는 대중 조직으로 재편되었다. 그 지도자인 카리스마적인 연설가 꼬끄로아미나또(Haji Umar Said Cokroaminato)는 집회에서 수천 명의 청중을 모았다. 몇 년이 지나지 않아 수십만 명의 후원자들이 회원카드를 구매하고

(어떤 이들은 그 회원카드가 불운을 막는 부적이라고 믿었다), 지역 사무소가 자바와 수마뜨라에 다수 설치되었다.

조직 문제가 스리깟이슬람을 괴롭혔다. 초기의 열정이 사라진 후 회원들이 회비를 납부하지 않자 재정이 바닥났다. 네덜란드는 그 기구를 인정하였지만, 중앙 본부가 아닌 지역 사무소만 받아들였다. 이것으로 인하여 조직 관리와 일정한 정책 수행이 불가능하게 되었다. 꼬끄로아미나또는 인도네시아사회민주협회와 그것을 계승한 인도네시아공산당과 제휴하기를 원했지만, 다른 사람들은 그를 반대했고 1921년 투표를 실시하여 양 단체의 회원이 될 수 없도록 만들었다.

스리깟이슬람의 회원이 고갈되자, 다른 무슬림 조직체들이 생겨났다. 세계 이슬람의 기류가 인도네시아에 퍼져갔다. 학교 설립과 사회봉사를 추진하는 근대 이슬람협회인 무함마디야(Muhammadiyah)와 자바를 근거로 한 보수적 경향의 나흐다뚤 울라마(Nahdlatul Ulama)는 모두 공개적인 정치 활동을 피하면서 많은 추종자들을 유지할 수 있게 되었다.

세속적 민족주의

미얀마의 민족주의자들은 1921년에 지지 기반을 확보하기 위하여 포괄적 기구인 미얀마협회평의회(General Council of Burmese Associations)를 발족하였다. 여기에는 버마족(Burman)뿐만 아니라 미얀마의 다양한 종족들을 수용하고 있는 불교집단들도 포함되었다. 1930년대에 양공대학교 학생들이 도버마어씨어용(Dobama Asiayone, 우리버마협회)을 조직하였다. 그들은 이전에 서구인들에게 사용했던 명칭인 떠낑(thakin, 주인)을 이름 앞에 붙여 사용하도록 독려했다. 이러한 떠낑의 지도자로 우아웅산(U Aung San,

[5-13] 미얀마 민족주의 떠낑 운동의 지도자인 우 아웅산의 모습. 그는 미얀마공화국의 초대 수상으로 취임할 예정이었으나, 독립 직전 그를 비롯한 각료들 다수가 정적의 공모에 의해 암살당하였다.

'우'는 미얀마 기혼 남성에게 붙이는 말로 영어의 Mr.에 해당함-역주)이 있었고, 그는 특정한 버마족 또는 불교도를 강조하기보다는 세속적인 방법으로 미얀마를 이끌려고 노력하였다. 그래서 그는 '미얀마는 우리나라, 미얀마 문학은 우리 문학, 미얀마어는 우리 언어'라는 표어를 내세웠다.

인도네시아의 세속적 민족주의자들은 1928년에 그와 유사한 '하나의 땅, 한 민족, 한 언어, 인도네시아'라는 표어를 채택했었다. 이것으로 말레이어가 인도네시아어가 되었고, 네덜란드령 인디스(Indies)는 인도네시아라는 새로운 이름을 얻게 되었다. 그 민족주의자들은 대개가 무슬림이었지만, 특별히 이슬람 정당을 선호한 것은 아니었다. 그들 대개가 마르크시즘을 옹호하였다. 그들은 1927년에 인도네시아 민족주의자협회(Perserikatan Nasional Indonesia, Indonesian Nationalist Association, PNI)를 설립하는 데에 기여했다. 그 지도자는 수까르노(Sukarno)로 타고난 연설가였으며, 한때 스리깟이슬람의 꼬끄로아미나또와 친분을 유지하였고, 독립 인도네시아의 초대 대통령이 되었다. 네덜란드 본토의 인도네시아 학생들도 현지 학생협회를 통해 민족주의 의식이 주입되었다. 네덜란드에서 공부한 세속적 민족주의자들 중에는 이후에 부통령이었던 모함멧 핫따(Mohammed Hatta)와 독립 인도네시아의 수상이었던 수딴 샤리르(Sutan Syarir)도 있었다.

작은 규모로 소수 지식인 엘리트층에서 파생된 민족주의자 집단은 인도네시아 전역에 존재하였다. 1930년대에 이르러 이들 집단은 대체로 두 부류로 나뉘어졌는데, 식민지 정부가 전국 및 지방 차원에서 설립한 크든 작든 간에 대표성이 없는 정치평의회(특히 복스라앗(Volksraad, 국민평의회)을 의미함)에 참여한 '협력(cooperating)' 그룹과 참여를 거부한 '비협력(non-cooperating)' 그룹이었다. 네덜란드인들은 비협력 민족주의자들을 탄압하여, 수까르노, 핫따 및 샤리르 같은 지도자를 체포하여 결국 추방시켰다. 1930년대 말 모든 형태의 인도네시아 민족주의는 분열되어 나약한 상태에 놓였고, 지도력도 상실했다.

미국이 전쟁 전에 독립을 위한 절차를 밟고 있었던 필리핀과 아마도 현지인들이 식민지 행정부의 장관직을 수행했던 미얀마를 제외한

[5-14] 자바에서 일련의 하인들이 베란다에서 저녁식사 중인 그들의 네덜란드 주인을 시중들고 있다. 이 사진에서 서구의 식민지 지배의 모습을 쉽게 엿볼 수 있다. 식민지 지배는 일본의 점령과 이은 독립으로 종식되었다.

나머지 동남아 식민지들은 1940년 시점에서 독립은 먼 얘기처럼 여겨졌다. 한편 그 해 일본은 프랑스령 인도차이나를 점령하고, 처음에는 프랑스 관리들을 현직에 그대로 두었다. 1941년 12월에 일본은 진주만 공격을 감행하고, 시암을 통해 미얀마와 말라야 및 싱가포르로 진격하였다. 인도네시아인들은 이런 아시아 정복자가 들어온 것을 환영하였다. 1942년 3월 네덜란드령 인도네시아는 침입자에게 공식적으로 항복을 선언하였고, 5월경에는 필리핀의 마지막 미군 기지가 함락되면서 모든 동남아는 일본에 넘어갔다.

제6장

폭력과 변혁: 점령, 독립, 냉전

태평양 전쟁의 시작부터 1945년까지 이어진 일본의 짧은 점령기간은 동남아의 미래를 바라보는 시각을 바꾸어 놓았다. 식민시대의 끝이 보이기 시작하였으며, 새로운 시대의 모습이 드러나기 시작했다. 동남아 민족주의자들은 자신들의 식민통치자들이 일본군에 의해 갖은 수모를 겪는 것을 보면서 새로운 자신감을 획득했다. 그러나 이들은 자신감과 더불어 폭력, 분열, 빈곤, 그리고 혼란 등을 유업으로 이어받음으로써 동남아 국가들은 다가올 수십 년 간 고난의 시기를 경험했다.

새롭게 독립한 대부분의 동남아 국가들은 제한된 민주주의 정부형태를 선택하였으며, 카리스마적인 지도자들은 종종 민주적 형식을 무시하기도 했다. 부패가 사회에 깊숙이 뿌리내렸고, 천연자원 수출에 지나치게 의존된 경제는 1950년대 국제 원자재 가격폭락으로 어려움을 겪었다. 많은 국가에서 군부의 정치화를 경험하였고, 종종 군부 혹은 권위주의 통치로 이어지기도 했다. 냉전이 국제관계를 지배하면서 인도차이나반도에서의 전쟁은 장기간 지속되었다.

일본의 점령

일본은 1930년대 동남아 지역에 소규모 무역과 플랜테이션 농업 그리고 벌목사업 등에 투자하면서 정치적 영향력을 키웠다. 일본의 영향력이 증가되면서 많은 동남아 민족주의자들은 일본이 자신들의 목표를 달성하는 데 도움이 될 것으로 기대했다. 한편 일본은 동남아의 많은 젊은 지도자들을 영입하여 훈련도 시키고 일본을 방문할 기회도 제공했다. 일본은 1940년에 중국을 통하여 인도차이나 북부 변경까지 진출했다. 유럽전선에서 독일이 프랑스에게 승리하면서 일본에게는 프랑스령 인도차이나를 획득할 기회가 주어졌다. 프랑스 남부와 식민지를 관할하고 있던 프랑스 비시(Vichy)정부는 일본이 인도차이나를 군사적 목적으로 이용하는 것에 동의했다. 그 대신에 식민지 총독에서부터 경찰에 이르기까지 프랑스 식민정부의 관료들은 그대로 유지하도록 했다.

미국과 영국 그리고 인도네시아의 네덜란드 식민정부는 일본에게 미칠 전략적인 타격을 고려하여 무역봉쇄를 단행했다. 일본은 결국 동남아의 모든 자원을 자신이 직접 통제하기 위한 목적으로 미국에 대한 선제공격을 감행했다. 1941년 12월에 하와이의 진주만을 폭격함으로써 일본은 영국, 미국 그리고 네덜란드 식민정부와 전쟁에 돌입했다.

[6-1] 1941년에 보르네오에 있는 한 왕국의 술탄이 일본군과 인사를 나누고 있다. 말레이와 보르네오의 귀족들은 종종 일본과 친밀한 관계를 유지한 것으로 알려지기도 했지만, 실제로는 많은 충돌을 경험했다. 일례로 일본군은 인도네시아령 서부 보르네오 깔리만딴에서 그 지역 술탄과 다른 여러 지도자들을 대량 학살하기도 했다.

인도차이나로부터 일본은 신속히 남쪽과 서쪽 방향으로 진군해 나갔다. 이와 동시에 일본은 육군과 공군의 위력을 앞세워 태국에게 최후통첩을 보내 연합국에 전쟁을 선포하고 일본군의 역내 통과를 허락해 줄 것을 요구했다. 연합국이 태국의 보호 요청을 들어줄 수 없고, 또한 일본에 대해 특별히 반감이 없던 태국 군사정부는 일본에게 협력하는 수밖에 없었다. 일본은 태국의 독립을 보장해 줄 것을 약속했다. 일본은 태국이 영국과 프랑스에게 빼앗겼던 변경지역의 영토를 되찾도록 도와주었으며, 동남아의 다른 지역에서 겪고 있었던 비극적인 사건들로부터 보호해 주었다. 그럼에도 불구하고 태국의 많은 저명인사들은 이와 같은 협력정책에 반대했다. 워싱턴에 주재하고 있던 태국 대사는 미국에 대한 전쟁선포문을 전달하지 않고 일본이 패망한 후에 빠져나갈 구멍으로 남겨두었다. 또 다른 사람들은 밀림에서 '자유 타이(Free Thai)' 운동을 조직하여 1944년에는 방콕정부에 침투시키기도 했다.

1942년 일본의 진군은 그 누구도 멈추거나 지연시킬 수 없었다. 일본군 부대는 미얀마를 침략하여 30명의 젊은 미얀마인을 데려다가 군사훈련을 시키기도 했다. 아웅산(Aung San)과 네윈(Ne Win)도 포함되어 있었으며, 이들이 이끌던 미얀마 독립군은 일본을 도와 영국에 대항하여 싸웠다.

또 다른 부대는 말라야를 통해 남쪽으로 이동했으며, 종종 현지인의 환영을 받기도 했다. 영국은 이에 대한 준비를 갖추지 못했고, 또한 많은 군인들이 유럽 전선으로 전환 배치되어 있던 상황이었다. 일본은 싱가포르를 포위하고 공습을 감행하면서 항복을 강요했다. 이곳에 있던 영국의 해군기지는 연합국 방위의 주축으로서 바다로부터의 공격에 대해 철저한 방어능력을 가지고 있었다. 그러나 육지로부터 공격해 오는 일본군에게 속수무책으로 점령당했다. 네덜란드 식민정부는 1942년 5월 8일 일본군이 공습과 더불어 상륙하자 곧 항복했다. 자바를 침략하기 전에 일본은 자바인 예언가 조요보요(Joyoboyo)가 예언한 이야기를 인쇄하여 살포했다. 그의 예언에 따르면 자바는 300년 동안 백인에 의해 지배당할 것이고, 이후 황색인이 백인들은 쫓아내고 옥수수가 여무는 기간 동안 머물 것이라는 내용이었다. 그리고 자바는 자유를 되찾을 것이니 조요보요를 기억하라는 것이었다. 옥수수가 여무는 기간은 90일 밖에 되지 않지만 일본은 3년이 넘도록 자바에 머물렀다.

이어서 일본은 필리핀과 보르네오 섬으로 진출했다. 1942년 5월 필리핀에 있던 마지막 기지들이 점령당했으며, 일부 필리핀 군인들은 저항군을 조직하여 싸움을 지속했다.

[6-2] 일본군이 1942년 필리핀 고리히도(Corregidor)섬에 있던 미군기지를 점령하고 성조기를 내리고 있다. 이 모습은 일본이 동남아 전역을 점령했음을 상징적으로 나타낸다.

일본은 점령한 동아시아 지역에 소위 '대동아공영권(Greater East Asia Co-Prosperity Sphere)'을 만들고자 했다. 이는 곧 이 지역들이 일본의 전쟁수행을 위한 각종 물자와 인력을 조달함을 의미했다. 점령지에서 일본은 경제적 자급자족 정책을 강요하였으며, 일부 지역에서는 농경지에 쌀 대신 산업작물을 심도록 함으로써 심각한 식량부족 현상을 낳기도 했다. 일본의 대동아공영권에 대한 환상은 1943년 말 연합국의 잠수함들이 동남아와 일본 사이를 오가며 물자를 운반하는 장거리 해상항로를 장악하면서부터 깨지기 시작했다.

점령지 통치자로서의 일본인들은 현지인들로부터 환영의 대상이면서 동시에 혐오의 대상이기도 했다. 일본은 점령지 국민들에게 아시아인은 백인보다 훨씬 우월하며, 새로운 아시아인의 단결은 많은 이익을 가져올 것이라고 선전했다. 많은 동남아인들이 그동안 서구인들에 의해 독점되었던 다양한 직위와 책임을 이 기간 동안 담당하게 되었다. 다른 한편 새로운 지배자로 등장한 일본인의 위압적이고 무례한 행태는 동남아인들의 혐오감을 불러 일으켰다. 일본인의 통제에 반대하는 사람들은 감옥에 가두어 고문하고 또한 처형당했다. 일본은 과거의 식민통치자들보다 오히려 더 강압적으로 동남아인들을 통치했다.

동원

일본은 전쟁의 목표를 달성하기 위한 방안으로 다양한 대중조직을 설립했다. 과거 식민지하에서 강조했던 평화와 질서 그리고 대중들의 비정치화를 척결하기 위해 정치적 동원을 조장하기도 했다.

젊은이들은 강제로 노동부대에 입대시켰다. 연합국의 전쟁포로들은 미얀마와 태국 사이의 '죽음의 철로(railway of death)'를 건설하는데 동원되어 많은 희생을 낳았다. 그러나 이보다도 더 많은 현지인들이 로무샤(romusha, 노무자)란 이름으로 동원되었다. 인도네시아에서 약 30만 명의 인력이 동원되었으며, 이들 중 절반이 목숨을 잃었다.

인도네시아에서 일본은 수마트라로 추방되어 있던 수까르노(Sukarno)를 자카르타로 불러들였다. 일본은 수까르노와 핫따(Mohammed Hatta) 그리고 야권인사들로 하여금 반연합군 선전을 주도하고, 국민들에게 노동력과 물자의 동원을 촉구함으로써 전쟁수행을 지원토록 했다. 한편으로는 전쟁 이전에 일본의 찬미자였던 수까르노는 일본이 통제하는 라디오를 통해 인도네시아의 독립정신을 불러일으키려는 시도를 하기도 했다. 여성과 소년 그리고 청년 등을 비롯하여 다양한 조직들이 생겨났다. 일본은 초기에 이슬람 지도자들에게 호의적이었으나 다양한 이유로 인해 이러한 정책을 바꾸었다. 특히 한 저명한 이슬람 선생이 '무슬림은 황제들에게 절하지 않는다'고 하면서 공공연히 도쿄에 있는 일본 천황에게 절하는 것을 거부한 사건은 이러한 정책변화의 결정적인 계기가 되었다.

[6-3] 주로 소수종족으로 구성된 미얀마 게릴라들은 일본 점령군을 괴롭히며 그들의 활동을 저지시켰다. 영국은 인도로부터 이들과 접촉하며 1945년 미얀마를 탈환할 때에 이들을 이용하기도 했다.

일본은 인도차이나에서 유럽인들을 일시적으로 이용한 것과는 달리 인도네시아에서는 원주민 관료 엘리트들에게 그들의 권한을 유지하도록 했다. 일본의 점령을 지

지했던 젊은 민족주의자들은 이후 자신들이 따돌림을 받는다는 사실을 발견했다. 이러한 사실은 미얀마의 민족주의자 아웅산(Aung San)이 일본과 결별하고 영국이 1945년 미얀마를 탈환할 때 도움을 제공하는 이유가 되기도 했다. 인도네시아의 일부지역에서는 주민들이 인력과 물자를 동원하는 지역 엘리트들과의 관계가 소원해졌고, 인도네시아 혁명 기간에 이들 엘리트들은 잔인한 보복의 대상이 되기도 했다.

일본 훈련 군부

일터나 학교를 떠난 젊은이들은 기꺼이 일본이 설립한 군대나 준군사 조직에 가입했다. 일부는 단지 끼니를 채우기 위한 방편으로 입대하기도 했다. 규율은 엄격했고 훈련은 가혹했으며 육체적 단련은 철저히 이루어졌다. 정치적 교육은 반서구와 반민주주의에 초점이 맞추어 졌다. 많은 이들이 충성심과 동지애 그리고 희생정신을 연마했다.

이와 같은 유형의 가장 오래된 조직은 미얀마독립군(Burma Independence Army)이며 일본의 점령과 함께 시작되었다. 미얀마독립군은 지속적으로 청년들을 받아들였고 이름도 미얀마국민군(Burma National Army)으로 변경했다. 그러나 일본과의 협력관계는 오래가지 못했다. 아웅산은 영국과 협력관계를 맺으면서 미얀마의 독립을 약속받고 영국이 양곤(Rangoon)을 탈환할 때 도움을 제공했다. 미얀마국민군과 함께 전쟁 기간 내내 영국을 도왔던 소수민족 게릴라 단체들은 1948년 미얀마가 독립되면서 미얀마군에 편입되었다.

비록 일본이 1945년 3월까지 베트남을 직접 통치하지는 않았지만 이미 그 이전부터 베트남 사람들은 준군사 조직을 결성했다. 이들 중에는 호아하오(Hoa Hao)나 까오다이(Cao Dai)와 같은 종파가 중심이 된 조직들도 있었다. 준군사 조직은 보통 무장을 하지 않았지만 일본이 항복하자 그들의 무기를 탈취할 위치에 있었다.

일본은 1944년에 자바에서 '조국의 수호자'를 의미하는 뻬따(Peta, Pembela Tanah Air)라는 조직을 결성하였으며, 다른 지역에서는 이와 유사한 조직들을 만들었다. 뻬따는 인도네시아의 국민군은 아니었지만 지구별 조직을 가지고 있었다. 그러나 각 단위들이 서로 접촉하는 일은 거의 없었다. 뻬따는 거의 무기를 소유하지 않았고 소령 이하의 장교는 인도네시아 사람들이었다. 뻬따의 한 부대는 1944년에 반란을 일으키기도 했다. 일본은 이 조직들을 신뢰하지 않았으며, 이들을 서로 분열된 상태로 유지함은 물론 히즈불라(Hizbullah)나 사비릴라(Sabilillah)와 같은 이슬람 과격단체들과 경쟁을 부추기기도 했다. 인도네시아 혁명이 발발했을 때 뻬따는 인도네시아 국군의 중추가 되었지만, 다른 군사 조직들을 통합하는 문제에 있어서 심각한 어려움을 겪었다.

일본은 이처럼 다양한 군사 혹은 준군사 조직들을 연합국의 공격으로부터 점령지를 방어하는데 사용할 계획이었다. 그러나 전쟁이 지속되면서 이러한 상황은 발생하지 않았다. 이는 연합국의 주요 공격목표는 동남아시아(필리핀을 제외하고)가 아니라 일본 본토를 향하고 있었기 때문이다.

저항

모든 동남아 사람들이 일본을 환영한 것은 아니었다. 필리핀인들에게 일본의 독립 약속은 큰 의미가 없는 것이었다. 일본이 아니어도 필리핀의 독립은 이미 조만간 이루어지기로 되어 있었다(미국은 타이딩-맥더피법을 통해 필리핀을 10년의 유예기간을 거쳐 1945

년에 독립시키기로 했다-역주). 비록 마닐라의 많은 엘리트들은 일본에 협력했지만 무장한 저항단체도 광범위하게 조직되었다. 이들 중 일부는 미군의 지원을 받기도 했다. 도시에서 일본에 협력하는 사람들과 농촌에서 저항하는 사람들 사이의 잔악한 보복행위는 국가를 분열시켰다. 1944년 말 연합국이 일본으로부터 필리핀을 탈환하기 시작하면서 필리핀은 치열한 전쟁터가 되었다. 연합국 전진부대가 집집마다 다니면서 일본군을 수색하여 색출함으로써 마닐라는 거의 초토화 되었다.

태국 북부에서는 자유타이(Free Thai)운동이 연합국의 관심을 끌었다. 미얀마에서는 저항이 주로 산악지대의 소수민족들을 중심으로 이루어졌으며, 이들은 인도에 있는 영국군과 교신하고 있었다. 말라야에서 역시 저항은 소수민족을 중심으로 이루어졌으며, 산악부족보다는 중국인들이 주를 이루었다. 대부분의 말레이인들은 전통적인 경제체제를 유지하는 마을에서 생활하고 있었으므로 전쟁의 피해를 크게 경험하지 못했다. 반면 대부분 도시나 농장 혹은 광산에 거주했던 중국인들은 생활에 필요한 기본적인 물품들을 구하는 데에도 많은 어려움을 겪었다. 정치적으로 의식 있는 중국인들은 일본이 중국을 침략한 1930년대부터 일본군에 대한 저항운동에 참여했다. 일본군은 많은 중국인 지도자들을 잔인하게 살해하는 보복을 시행하기도 했다. 탄압과 궁핍에 몰려 많은 젊은 중국인들이 밀림으로 들어갔으며, 그 곳에서 중국인이 다수를 이루었던 말레이공산당(Malayan Communist Party)에 가입하여 저항활동을 수행했으며 말레이국민저항군(Malayan Peoples' Anti-Japanese Army)을 조직하기도 했다. 영국은 이와 같이 정글에서 활동하던 저항단체에게 물자와 정보를 제공해 주기도 했다. 이 과정에서 많은 무기들이 축적되었으며, 이는 1948년 말레이 비상사

[6-4] 베트민(Viet Minh)의 지도자 호치민(왼쪽에서 두 번째) 보응엔갑(Vo Nguyen Giap) 그리고 팜반동(Pham Van Dong)이 프랑스에 의한 식민통치의 재개에 저항하기 위한 계획을 짜고 있다.

태 시에 다시 등장하기도 했다(227페이지 참조).

1940년대 혼란기에 인도차이나에서는 베트민(Viet Minh)으로 불리던 베트남독립연맹(Vietnam Independence League)이 주도적 세력으로 등장했다. 호치민(Ho Chi Minh)이 이끄는 인도차이나공산당(Indochinese Communist Party)의 지도력 하에 반식민지 반일본 세력들을 결집시켰으며, 이들은 특히 베트남 북부 중국과의 국경지대에서 활동했다. 1944년 통킨(Tonkin) 지역을 휩쓴 심각한 기근으로 인한 사회적 혼란은 많은 사람들이 공산당에 가입하는 계기가 되기도 했다.

경제와 사회의 몰락

교역에 의존하는 지역에 사는 사람들은 일본의 자립경제 정책과 경제적 통제에 가로막혀 불법적인 거래를 통해 겨우 생계를 이어갈 수밖에 없었다. 행상을 하는 소규모 상인들이 부족한 물자들을 밀수로 공급했다. 또한 바다를 건너는 거래에는 주로 목선(木船)을 이용하였는데 이는 연합국의 잠수함과 일본군의 통제를 피하기 위해서였다.

점령군이 전쟁물자를 수급하기 위해 엄청난 양의 화폐를 발행함으로써 인플레이션이 심각했으며 암시장(black market)이 성행했다. 자바에서는 가난한 사람들이 굵은 삼베나 고무나무 껍질로 옷을 만들어 입기도 했다. 베트남에서는 옷감 부족으로 인해 많은 사람들이 유별나게 추웠던 1944-45 겨울을 겨우 짚단에만 의지하여 견뎌야 했다.

점령군은 자신들을 위해 많은 물자를 축적했다. 한편 일부 점령군에 부역하는 사람들이나 사업가들 혹은 밀수업자들은 많은 재산을 모으기도 했다. 그러나 대다수 동남아 사람들에게 전쟁은 심각한 궁핍을 의미하는 것이었다. 각종 병들이 창궐했으며 어린아이들은 영양결핍에 걸려 발육부진을 겪기도 했다. 부대에 감금되어 있던 전쟁포로들과 민간인들은 질병과 굶주림에 시달려야 했다.

1937년 중국의 난징전투 이후 일본 군인들이 더욱 난폭해지고 민간인을 강간하는 사건이 발생하자 일본 군부는 군인들에게 제도적으로 성적 서비스를 제공하기로 결정한다. 수천 명의 위안부(comfort women)가 성적 서비스를 위해 강제로 동원되었다. 오직 최근에야 위안부들이 침묵을 깨고 그들이 경험했던 학대와 굴욕에 관해 폭로했다.

일본 점령의 종식

인도네시아 독립

> 일본인들은 다르게 행동한다. 그들은 모든 일을 신속하게 처리한다. 그들은 이곳에 오직 2년 동안 머물었는데, 우리는 벌써 '미래의 독립'을 부여받았다

인도네시아의 작가 이드러스(Idrus)에 의해 쓰여진 이 짧은 풍자글

은 한 여성단체의 지도자가 회원들에게 일본군을 환영하기 위한 연회에 기부할 것을 종용하는 말로 쓰여졌다. 점령기간 동안 독립에 대한 전망은 전쟁 전보다도 훨씬 가까이 와 있는 듯 했다. 일본군은 점령지 국민들의 지지를 얻어내기 위해 기꺼이 독립을 약속했다. 그러나 현실을 다른 방향으로 전개되었다. 1943년 일본은 필리핀과 미얀마에 독립을 부여했다. 그러나 일본은 모든 문제에 있어서 최종 결정권을 그대로 유지했다. 반면 인도네시아에서는 독립을 암시하는 말조차도 조심스러워 했다. 이는 인도네시아가 가지고 있던 많은 천연자원 때문이었다. 결국 1944년 9월 도쿄의 일본정부는 이드러스가 풍자한 말처럼 '미래의 독립'을 약속했다. 1945년 초 인도네시아의 독립을 준비하기 위한 조사위원회가 자바에서 조직되었다. 이 위원회는 수까르노가 주도하였으며 공산주의자를 제외한 다양한 정치적 성향의 인사들을 포함했다.

1945년 초 일본군의 패배가 눈앞에 가시화 되자 일본은 수까르노와 하타를 사이공에 있던 일본군 사령부로 불러 일본이 최종적으로 인도네시아의 독립에 동의한다는 사실을 전달했다. 일본군이 항복한 후 이틀이 지나 인도네시아의 민족주의 지도자들은 아래와 같은 선언문을 발표했다.

> "우리 인도네시아 국민은 인도네시아의 독립을 선언하는 바이다. 권력의 이양에 관련된 다양한 문제들은 적절하게 그리고 가능한 빠른 시일 안에 수행될 것이다."
>
> 1945년 8월 17일, 자카르타
> 인도네시아 국민의 이름으로
> 수까르노-핫따

베트남

1945년 3월 일본은 프랑스 관료들을 감금하고, 인도차이나의 전통적 군주였던 안남의 바오다이(Bao Dai) 황제, 캄보디아의 노르돔 시아누크(Norodom Sihanouk) 왕, 그리고 라오스 누앙프아방(Luang Prabang)의 시사방 봉(Sisavang Vong) 왕을 내세워 독립국가를 수립도록 했다. 바오다이는 자신을 베트남의 황제로 칭하였으며, 분열되어 있던 베트남의 세 지역에 대한 권위를 천명했다. 그러나 현실적으로 통킨은 기근과 도적 그리고 베트민의 활동으로 인해 거의 무정부 상태나 다름없었다. 황제의 권위가 코친차이나(Cochin China)까지 미쳤는지는 알려져 있지 않다.

8월 19일에 베트민은 많은 군중들의 환호를 받으며 하노이에 집결했다. 1945년 9월 2일 대중 집회에서 호치민은 "베트남은 자유와 독립의 기쁨을 누릴 권리가 있다…"고 천명하면서 베트남민주공화국(Democratic Republic of Vietnam)을 선포한다.

새로 수립된 베트남민주공화국은 바오다이를 설득하여 권좌에서 물러나도록 했으며, 신속히 베트남 북부 지역에 국가권위가 확립했다. 베트남 남부에서는 종교 종파, 소련의 트로키 추종자, 범죄조직, 민족주의자, 그리고 왕당파와 같은 다양한 그룹들이 베트민과 경쟁하였으며, 이러한 경쟁은 종종 폭력으로 얼룩지기도 했다.

일본은 항복의 조건으로 식민세력이 복귀할 때까지 모든 지역에서 질서를 유지할 권리를 가졌다. 미국은 이미 필리핀을 점령했으며, 영국은 미안마에서 일본을 몰아냈다. 그러나 일본은 여전히 영국령 말라야와 프랑스령 인도차이나 그리고 네덜란드령 인도네시아를 통제하고 있었다. 영국은 말라야를 점령할 충분한 부대를 가지고 있었지만, 친일파 척결을 두고 일어난 말레이인과 중국인 사이의 전례 없는 민족분규가 마무리될 때까지 점령을 미루고 있었다.

영국은 네덜란드가 증원 부대를 들여오기까지 대부분의 인도네시아를 점령하고 있었다. 북위 16도선 남부지역의 인도차이나도 영국의 통제 하에 놓였다. 북부지역은 프랑스에 의해 권위가 수립될 때까지 중국 국민당 군대가 질서를 유지하도록 했다. 이들은 북부 베트남을 약탈했지만, 한편으로는 베트민이 정치적 기반을 잡을 수 있도록 허용했다. 영국은 인도차이나 남부에 프랑스의 통치가 회복되는 것을 도왔으며, 인도네시아에서도 곧 철수 했다.

[6-5] 1950년 메콩델타 지역에서 프랑스군이 베트민 포로들을 호송하고 있다. 프랑스군은 도시지역과 주요 통신망을 장악했지만 농촌지역 특히 북부의 대부분의 지역은 베트민의 통제 하에 있었다.

인도차이나 전쟁

인도차이나 전쟁은 제2차 세계대전 후 동남아에서 발생한 사건들 중에 가장 중요한 위치를 차지한다. 이 전쟁은 인도차이나뿐만 아니라 식민통치로부터 벗어나려는 동남아 지역 전반에 미국의 입지를 크게 확대시켰다. 1945년 9월 베트남민주공화국의 선포는 베트민이 베트남 전역을 통제하는 것을 의미하지는 않았다. 대신에 프랑스는 영국의 도움으로 북위 16도선 남부지역을 점령했다. 프랑스, 중국 국민당 그리고 베트민 간의 몇 달에 걸친 협상 끝에 프랑스 관료가 1946년 2월 북부지역에 들어올 수 있었다. 베트민은 프랑스와 독립 절차에 관해 논의 했지만 양자 간에는 타협의 어떠한 여지는 없었다. 전후 프랑스는 정치적으로 지극히 분열된 상태였으며 식민지의 중요성을 지나치게 강조하고 있었기 때문에 합의에 도달할 수 없었다.

수개월 간의 긴장상태가 지속된 후 프랑스는 1946년 하노이의 항구 하이퐁(Haiphong)을 폭격함으로써 제1차 인도차이나 전쟁을 시작했다. 베트민은 하노이로부터 후퇴했지만 인구 백만 가량의 소위 '해방구'를 점유하고 있었으며, 특히 산악지역에 사는 사람들과 협력관계를 유지했다. 그곳에서 베트민은 혁명정책들을 실행했다. 다른 지역에서는 프랑스에 의해 복원된 바오다이 황제의 정부와 나란히 베트민도 정부구조를 수립했다. 비록 프랑스군이 베트남의 주요 도시들을 점령했지만 베트민은 농촌지역과 북부지역에서 상당한 영향력을 유지했다. 남부지역의 바오다이 정부는 프랑스에 전적으로 의존하고 있었다. 게다가 많은 지역이 호아하오나 카오다이와 같은

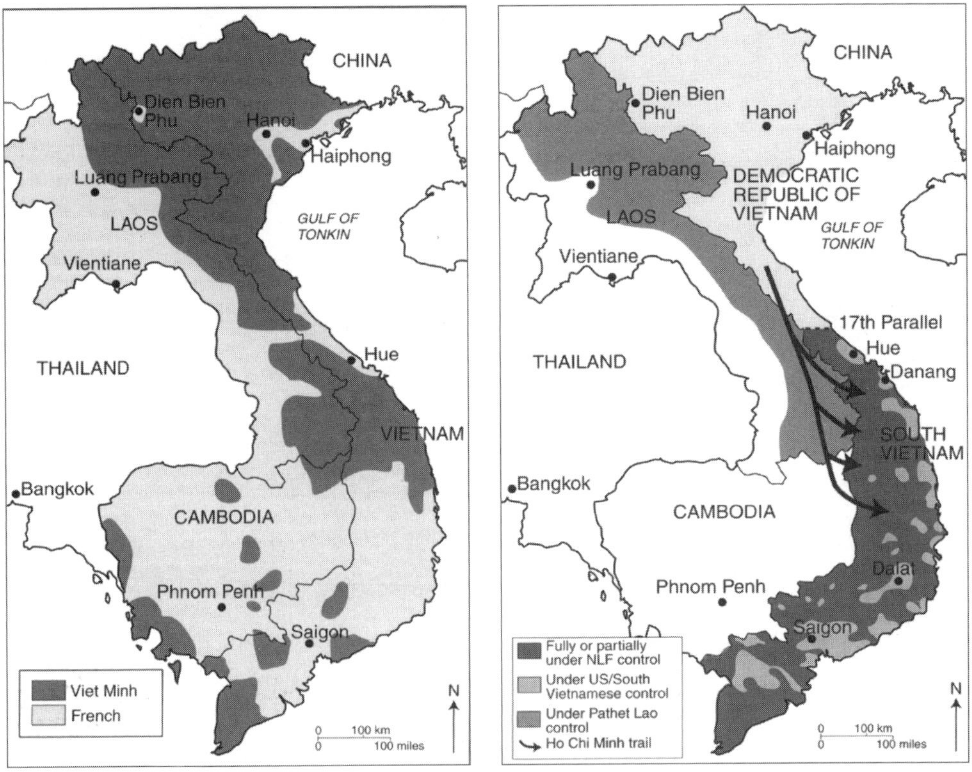

[6-6] (왼쪽) 1954년 인도차이나 지도이며 프랑스와 베트민이 통치하는 지역을 대략적으로 나타내고 있다. (오른쪽) 1965년 인도차이나 지도이며 미군과 더불어 남부베트남 군대가 베트남 남부지역에서 통제하고 있는 고립된 여러 지역을 나타내고 있다. 여타 지역들은 전적으로 혹은 부분적으로 베트남민주공화국과 라오스공산당(Pathet Lao, 빠텟 라오)의 지원을 받는 민족해방전선(National Liberation Front)의 통제하에 놓여있다.

종교분파와 그들의 군대에 의해 통치되었으며, 범죄 집단이나 군벌(warlord)뿐만 아니라 베트민이 통제하는 지역도 있었다.

50만 명이나 되는 군대를 투입한 이 식민지 전쟁은 프랑스에게 심각한 어려움을 초래했다. 베트민에 의해 디엔비엔푸(Dien Bien Phu)에 진주하고 있던 주력부대가 괴멸 당하는 사건은 프랑스로 하여금 철수를 결심하게 했다. 양측은 1954년 제네바에서 열린 국제회의를 통해 종전협정에 동의했다. 양측 군대는 북위 17도선을 기준으로 북부에는 베트민-베트남민주공화국의 군대가 점령하고, 남부는 프랑스와 바오다이의 베트남(Vietnam State)이 점령하는 내용이었다. 경계선에는 비무장 지대가 설치되었다. 국가 전체의 운명은 2년 후에 있을 베트남 총선에서 결정하기로 했다. 제네바 협정의 다른 조항에는 캄보디아와 라오스 일부 지역에 진주하고 있는 모든 공산당 조직을 철수하도록 규정했다.

[6-7] (왼쪽) 한 노점상이 1954년 프랑스군이 철수한 베트남 북부지역에서 공산당 깃발과 배지 그리고 호치민, 소련의 말렌코프 그리고 중국의 마오쩌뚱의 사진을 판매하고 있다. (오른쪽) 북위 17도선 남부의 베트남공화국 대통령 응오딘디엠(Ngo Dinh Diem)이 자신의 정책을 대중연설로 전하고 있다. 디엠은 그의 통치기간 동안 많은 지지자들을 잃었으며, 결국에는 미국의 지지도 잃게 된다.

냉전이 강화되면서 1949년 중국이 공산화되고 1950년 한국전쟁이 발발하자 미국정부는 인도차이나의 운명이 중국과 소련 세력의 팽창을 봉쇄하는데 중요하다는 시각을 갖게 되었다. 베트민-베트남민주공화국의 승리는 캄보디아와 라오스의 중립을 위협하게 될 것이고, 이는 곧 동남아 전역을 공산주의의 위협에 노출시켜 모든 국가들이 도미노처럼 공산화됨으로써 미국의 안보를 위협하게 될 것이라는 생각이었다. 이러한 시각에 따라 미국은 직접 군대를 투입하기 전에 막대한 양의 무기를 프랑스에게 제공했다. 미국은 제네바 협정에 만족하지 않았으며, 특히 대중선거에서 호치민의 승리가 명백한 가운데 전국적인 총선거를 실시한다는 것에 불만이었다.

미국은 모호한 특성을 가진 응오딘디엠을 지원하기로 결정했다. 응오딘디엠은 전형적인 관료이면서 가톨릭이었지만 민족주의자이자 열렬한 반공주의자였다. 그는 또한 1954년 바오다이 정부의 국무총리이기도 했다. 비밀리에 활동한 미국의 고문단과 함께 디엠은 베트남 남부지역에 대한 통제권을 강화했다. 그는 권력을 다투는 종교종

[6-8] 1960년대 말에는 공산주의 민족해방전선이 베트남 남부의 일부 지역을 통제하고 있었으며 자체적인 행정조직까지 유지하고 있었다. 한 교사가 꽝찌(Quang Tri) 지역의 한 마을에서 학생들과 수업을 진행하고 있다.

파나 범죄단체들을 색출하여 붕괴시켜 나갔다. 베트민의 분대는 잠적하거나 북쪽으로 이동했다. 디엠은 자신의 권력이 강화되자 1955년 바오다이를 축출하고 북위 17도선 남부지역에 베트남 공화국을 선포한다. 그는 수도를 사이공으로 정하고 자신이 대통령 자리에 올랐다. 같은 해 미국의 지원 하에 디엠은 북부지역에 있는 베트남민주공화국과의 총선 논의를 거부함으로써 제네바 협정에서 동의한 총선 관련 조항을 무효화시켰다.

북부지역의 베트남민주공화국은 디엔비엔푸에서의 총력전을 통해 전력이 지극히 약화되어 있었을 뿐만 아니라, 농업의 집단화와 같은 공산주의 정책을 추진하면서 일부 지역에서 저항이 발생하기도 했다. 베트남민주공화국은 숨을 고를 시간이 필요했다. 따라서 비록 통일을 최우선 목표로 설정하고 있었지만, 당분간 총선과 통일에 관한 어떠한 행동도 취하지 않았다.

일부 베트민 기간요원들은 남부에 머물러 있었으며, 그들은 곧 디엠에 반대하는 다른 세력들을 결집시킬 수 있었다. 이들 중에는 디엠의 강압적인 통치방식에 희생당한 종교종파의 회원들과 다른 단체의 회원들이 포함되어 있었다. 1960년 12월 새로운 남부베트남민족해방전선(National Liberation Front for South Vietnam, NLF)이 조직되었다. 이들은 선전활동을 통해 베트남공화국을 '미국에 의한 디엠의 나라'(My Diem-US-Diem)로 칭하면서 미국의 꼭두각시이면서 외국 통치의 협력자로 낙인찍었다. 북부의 베트남민주공화국은 저항을 더욱 확산시키기 위해 남부출신 인사를 포함한 다른 기간요원들을 침투시키기도 했다.

남부에서 반디엠 시위와 관료에 대한 테러행위가 급속히 확산되었다. 미국은 그때까지 디엠에 대해 확고한 지지를 표명하고 있었다. 그러나 디엠은 미국으로부터 지원은 받으면서 조언은 거절했다. 그는 오히려 가톨릭계 특히 자기 인척들의 조언에 크게 의존했다. 1961년이 되자 농촌지역에서의 폭동은 심각한 상태가 되었다.

의미 있는 농지개혁을 실시하라는 미국의 권고를 거절하고 디엠은 농촌사람들을 3천 개의 전략마을로 이주시켰다. 이 전략마을은 반군의 공격에 저항하기 위해 요새화된 곳이었다. 이러한 이주정책이 과거 말라야 비상사태 당시 효과를 발휘한 바 있지만(227페이지 참조), 이 전략마을은 단지 이주민들을 고립시키기만 하고 어떠한 안전도 제공하지 않는 것이었다. 디엠은 농촌지역에 대한 통제력을 급속히 상실했다. 그의 정부는 민족해방전선의 세력 확산을 저지할 수 없었다. 디엠과 미국은 민족해방전선을 베트남 공산주의자라는 말의 약어로 베트콩(Viet Cong)으로 불렀다.

디엠에 반대하는 세력이 도시지역에서도 나타나기 시작했다. 디엠은 그의 정권에 저항하여 시위하는 불교도들을 무력으로 진입했다. 미국은 디엠에 대한 지지를 철회하고 반대파가 1963년 11월 1일 쿠데타를 일으키는 것을 도왔다. 이 쿠데타로 인해 디엠과 그의 동생이자 정치적 조언자였던 응오딘누(Ngo Dinh Nhu)는 목숨을 잃었다. 사이공의 정치적 상황은 붕괴 일로를 걸었다. 1965년 6월 응우옌반티우(Nguyen Van Thieu) 장군이 통치권을 잡기까지 거듭되는 지도자 교체가 이루어졌다.

미국은 점진적으로 더욱 깊숙이 베트남 문제에 관여하게 되었고, 16,000여명의 군사고문단과 엄청난 규모의 재정적 지원을 제공했다. 그럼에도 불구하고 1965년 초에 이미 민족해방전선과 북부 하노이에 있는 공산정권은 그들이 남부에서의 전쟁이 곧 그들의 승리로 마무리 될 것이라는 것을 감지했고, 미국 또한 상황을 동일하게 판단했다. 베트남을 곧 상실할 것이라는 현실에 직면한 미국은 국내 정치상황이 이것을 용납하지 않을 것이라는 판단을 하게 되었

[6-9] 한 베트남 만화가의 '베트남 수렁'에 대한 묘사. 이 만화는 베트남 북부에서 격침된 전투기들이 땅에 박혀 있는 모습과 물에 빠져 죽어가는 미군의 모습을 통해 '미국 침략자들의 무덤'을 묘사하고 있다.

다. 이러한 판단에 따라 존슨(Lyndon Johnson) 대통령은 같은 해 2월 북위 17도선 위의 비무장 지대와 남부의 민족해방전선 통제 지역에 대한 폭격을 결정했다. 이 폭격이 민족해방전선의 기세를 누그러뜨리는 데 실패하자 존슨 대통령은 공식적으로 지상군을 파병

할 것을 약속하고 의회로부터 전쟁선포가 아닌 베트남에 대해 군대를 사용할 수 있는 결의안을 획득했다. 이 결의안은 8월에 통킹만에서 미국과 베트남민주공화국의 선박이 서로 충돌하는 사건이 발생한 이후 채택된 것이었다. 1965년 말이 되자 베트남 전쟁은 이제 미국의 전쟁이 되었다. 디엠은 1950년대에 이미 프랑스 고문관들을 무시했고, 이제는 미군과 무기가 대거 유입되자 남부 베트남 군대도 따돌림의 대상이 되었다.

미국은 이전에 프랑스가 수행하던 전쟁보다 더욱 격렬하게 식민지 전쟁에 관여하게 되었다. 물자나 무기에서 열세였던 미군의 상대는 대부분 자신들이 통제하는 지형과 사기만을 유지할 뿐이었다. 공중 폭격을 통해 게릴라의 근거지를 일소하려는 시도는 수십만 명의 피난민을 도시로 몰려들게 했다. 또한 의도적인 고엽(枯葉)작전은 광대한 밀림을 초토화시켰다. 증가하는 미군 사상자 수는 미국 국내의 반전여론을 더욱 격렬하게 만들었다. 비록 전쟁은 북부의 베트남민주공화국을 타격하는 것이었지만, 미국은 중국과 소련을 직접 전쟁에 끌어들이는 것을 지극히 경계하고 있었다. 실제로 중국과 소련은 베트남민주공화국에게 점진적으로 무기와 군사고문단을 지원하고 있었다.

1968년 2월 베트남의 신년 축제인 뗏(Tet) 기간에 민족해방전선 군대는 과거 황국 수도였던 후에(Hue)를 점령하여 거의 한 달 동안 머물렀으며, 사이공에 있던 미국 대사관 구내를 일시적으로 침범하기도 했다. 군사적 관점에서 뗏 공격의 효과는 민족해방전선에게 40,000명의 인명을 앗아간 뼈아픈 사건이었다. 그러나 도시지역을 공격하여 점령함으로써 민족해방전선은 본국에 있는 미국인들에게 전쟁이 그들의 지도자들이 주장하는 방향으로 진행되지 않고 있으며, 전쟁의 승리는 요원하다는 것을 알리는 계기가 되었다. 국민들의

[6-10] 수백 명의 베트남 가족들이 1968년 후에(Hue)에서 전개된 뗏(Tet) 공격을 피해 피난하고 있는 모습이다. 이 공격으로 민족해방전선은 도시를 장악하고 미군과 남부의 베트남군에 의해 재탈환될 때까지 약 한 달 동안 이곳에 머물렀다.

반전여론은 미국정부로 하여금 폭격을 줄이고, 베트남민주공화국과 민족해방전선 그리고 베트남공화국의 대표들과 함께 1968년 5월 파리에서 평화협상을 시작하도록 만들었다.

뗏 공격이 있은 후 존슨은 미국 대통령으로서 재임을 위한 선거에 출마하지 않을 것을 선언했다. 그의 후임자로 닉슨(Richard Nixon)이 1969년 대통령에 취임했지만, 평화협상은 별 진전이 없이 전투처럼 오랫동안 지지부진했다. 뗏 공격 이후 민족해방전선은 더욱 더 북부에서 보내오는 인력과 물자에 의존하게 되었다. 북부에서 물자와 인력을 보급하는 길은 라오스를 통과하는 길로서 호치민 보급로(Ho Chi Minh Trail)로 일반적으로 불렸다. 민족해방전선도 중립을 지켜야 하는 캄보디아의 영토 안에 자신들의 근거지를 두고 있었으며, 당시에는 이러한 사실을 부인했다. 베트남민주공화국은 소련으로부터의 원조에 전적으로 의존할 수밖에 없었다. 이는 당시 소련이 최첨단 장비를 동원하여 공중폭격을 감행하는 미군에 대항하기 위한 근대적 무기의 유일한 공급처였기 때문이었다.

[6-11] 미군 헬기가 남부 베트남 농촌지역에서 수색과 전투 임무를 수행하는 보병들을 운송하고 있다. 이와 같은 첨단 장비의 동원으로도 제2차 베트남 전쟁에서 전세를 역전시킬 수 없었다.

닉슨 대통령의 전략은 전쟁을 '베트남의 전쟁'으로 만드는 것이었다. 이는 미군의 지상군을 철수하고 대신에 베트남공화국 군대 인원을 증가시켜 충분한 전쟁 물자를 지원한다는 것이었다. 평화협상이 진행되는 와중에도 폭격은 계속되었다. 1972년 봄 민족해방전선은 120,000명의 강력한 베트남민주공화국 군대의 지원으로 대규모 기습공격을 감행했다. 기습공격이 초기에는 성공하는 듯 보였으나 미 공군의 대대적인 공습을 맞이하게 되면서 남부와 북부 모두에서 엄청난 수의 희생자를 낳았다. 전사자가 이전 뗏 공격에서 희생되었던 수의 두 배나 되었다. 닉슨은 하노이 항구에 대한 폭격도 지시했는데, 이는 이전의 지휘관들이 혹시 의도하지 않게 소련이나 중국의 선박에게 피해를 입힐까 염려하여 폭격제한 구역으로 간주한 지역이었다. 닉슨은 소련과 화해무드를 조성하고 공산화된 중국과도 대화의 물고를 트는 등 활발한 외교활동을 통해 베트남민주공화국의 후원자인 두 국가를 부분적으로 중립화 시켰다.

양측의 협상대표인 키신저(Henry Kissinger)와 레득토(Le Duc Dho)는 1972년에야 비로소 평화협정문을 만들었다. 이 협정문에 따르면 미군은 철수하고, 티우(Thieu) 대통령이 이끄는 사이공 정부와 남부의 중립적 인사들 그리고 민족해방전선이 연합하여 남부 베트남을 통치한다는 것이었다. 그러나 티우 대통령이 협정문을 거절하자 평화협상은 결렬되었다. 비록 베트남민주공화국이 이 문제에 대해 어떠한 역할도 하지 않았음에도 불구하고 닉슨은 12월에 다시 북부 베트남에 대한 공습을 재개했다. 하노이 정부는 협정문에 동의할 의사를 표현하고 1973년 1월 27일에 협정문에 조인했다. 미국은 만약 하노이 정부가 협정을 깨트릴 경우 다시 군대를 파견할 것을 약속함으로써 티우 대통령을 설득했다. 이렇게 하여 미국이 수행했던 가장 긴 전쟁은 막을 내렸다. 이 전쟁에서 59,000명의 미군이 사망했고 수백만 명의 베트남 국민들이 사망 혹은 부상당했다.

미국이 공언했던 군대의 재투입은 다시 일어나지 않았다. 미국은 베트남으로부터 효과적으로 지상군을 철수했다. 비록 북부 베트남의 공격을 저지할 수 있을 정도의 충분한 무기를 남부 베트남군에 공급했지만, 미국은 다시 전쟁에 직접 개입하지는 않았다. 1975년 1월 북부 베트남이 남부에 대해 대대적인 공격을 감행했을 때 닉슨은 이미 대통령 임기가 끝난 상태였다. 미 의회는 인도차이나에서 더 이상의 군사개입에 반대한다는 법안을 통과시켰고, 남부 베트남의 저지선은 급속히 붕괴되었다. 1975년 4월 30일 사이공이 공산당에 의해 점령되었다. 마지막까지 남아 있던 미국 관리가 필사적으로 매달리는 남부 베트남 인사들의 운명을 뒤로하고 자신들의 헬기에 오르는 모습이 전세계 신문들에 실렸다.

사이공은 호치민 시로 이름이 바뀌었고, 티우 대통령은 이미 출국한 상태였으며 남아있던 정부 관료들은 체포되었다. 인민해방전선과 북부 베트남정부가 신속히 권력을 장악하면서 연립정부에 대한 논의는 잊혀졌다. 점진적인 절차를 통해 재통일이 이루어질 것이라는 약속에도 불구하고 1976년 5월에 이미 재통일은 기정사실화 되었다. 북부와 남부는 결국 통일된 베트남사회주의공화국(Socialist Republic of Vietnam)을 수립하게 되었다.

캄보디아와 라오스

베트남에서의 전쟁은 불가피하게 인도차이나의 다른 지역으로도 번져나갔다. 라오스는 가장 먼저 공격의 대상이 되었다. 이는 부분적으로 베트민이 양국 사이의 긴 국경지대인 산악지역에 살고 있는 사람들의 지지를 얻기 위해 노력했기 때문이기도 했다. 1954년 베트민을 지지하던 공산주의 조직 빠텟라오(Pathet Lao)가 북부지역의 대부분을 차지하면서 라오스의 분열은 이미 시작되었다. 1954년 제네바협정을 통해 빠텟라오는 부분적으로 철수하는 듯 했으나 곧 다시 점령했다.

1962년까지 라오스는 친공산군과 반공산군 사이의 전쟁터가 되었다. 반공산군은 비밀리에 미국의 지원을 받았다. 같은 해 미국과 소련은 라오스가 국제적 갈등을 더욱 확장시키지 않도록 평화를 정착시키기로 결정했다. 이에 따라 라오스는 양분되었다. 베트남에서의 전쟁이 치열하게 전개되자 라오스가 남부 베트남에서 활동하는 반군들에게 물자를 공급하는 '호치민 보급로'로 이용되면서 다시금 분쟁에 끼어들게 되었다. 미군은 흐몽(Hmong) 부족 사람들을 친북부 베트남군에 대항하는 자신들의 대리인으로 내세워 보급로로 추정되는 지역을 폭격토록 하였다. 1971년에는 남부 베트남군이 공산주의자들의 근거지를 색출하기 위해 라오스 역내에 침범하기도 했다. 이들의 즉각적인 패배는 미국으로 하여금 전쟁의 베트남

[6-12] (왼쪽) 프놈펜에서 일어난 미군의 캄보디아 폭격에 반대하는 시위대의 모습. 수년이 지난 후 북부 베트남은 자신들이 베트남 영토 내에 기지를 건설했던 사실을 인정했다. 당시에는 북부 베트남과 시아누크(아래쪽)는 이 사실을 극구 부인했다.

[6-13] 한 불교 승려가 빠텟라오가 통제하는 라오스의 한 지역에서 중무장한 군인들을 가르치고 있다. 빠텟라오의 정치부대인 네오라오학삿(Neo Lao Haksat)은 전쟁 중에도 문맹을 없애기 위한 정책을 지속적으로 실시했다.

[6-14] 많은 필리핀 사람들이 일본군에 대항하여 미군과 함께 게릴라전을 수행했다. 1945년 초 일본군에게 조력한 엘리트들에 대한 처리문제는 불화를 야기하기도 했다. 사진은 일본군에 대항하여 전쟁을 치루고 있는 미군 장교가 일본을 위해 스파이 활동을 한 중국계 필리핀인을 문책하고 있는 장면이다.

화(210페이지 참조)가 어떠한 해결책도 될 수 없음을 보여주는 사건이 되었다.

라오스는 이후 수상에 오르는 까이손폼비한(Kaysone Phomvihane)이 이끌던 빠텟라오가 1975년에 전국을 장악했다. 군주국이었던 라오스는 라오인민민주공화국(Lao People's Democratic Republic)으로 변경되었다.

캄보디아 역시 제네바 협정에서 독립을 보장받게 되는 1975년 전쟁에 휘말렸다. 비록 시아누크왕은 (1955년 이후 그는 왕위에서 내려와 왕자로 불리었다) 제네바 협정이 명시한 바와 같이 베트민 추종세력들이 이미 캄보디아의 영토에서 철수했다고 주장했지만, 사실은 다수가 남아 있거나 아니면 다시 복귀했다. 1970년 3월 시아누크는 친미성향의 무능한 장군인 론놀(Lon Nol)에 의해 직위에서 물러나 베이징으로 망명했다. 미국은 1969년에 이미 공산주의자들의 근거지가 있다고 의심되는 지역을 비밀리에 폭격했다. 이는 캄보디아가 중립을 지킨다는 약속을 명백히 어긴 것으로 간주했기 때문이었다. 같은 해 5월 미군과 남부 베트남군은 인접한 캄보디아 영토를 침범하여 캄보디아의 주권과 중립적 입장을 무시했다. 이 국경 침범은 미국내 반전여론을 새롭게 불붙였으며, 이는 곧 미의회가 법안을 통해 닉슨으로 하여금 지상군을 철수하도록 하는 계기가 되었다. 그러나 1973년에 닉슨은 캄보디아 영토에 집중적인 폭격을 감행했다. 이러한 폭격의 참화는 국민들을 반군에게로 이끌었으며, 이 반군은 다름 아닌 시아누크가 붉은 크메르라고 부른 크메르루즈(Khmer Rouge)였다.

사회불안은 증가했으며, 론놀의 군대는 부패한 장교와 제대로 보수를 받지 못하는 병사들로 이루어져 무능하기 그지없었다. 크메루즈는 영향력이 점증하여 1975년 수많은 전쟁 피난민들과 도시의 모리배들에 둘러싸여 프놈펜에 진출했다. 국제정세 분석가들은 나중에야 이들이 진정한 의미의 베트남민주공화국의 동맹이 아니었음을 깨닫게 되었다.

독립국가의 등장

필리핀

미국 정부는 전쟁으로 인한 분열과 참화가 필리핀의 독립계획을 미루게 해서는 안 된다고 생각했다. 미국의 독립기념일인 1946년 7월 4일 마닐라에서 권력이양을 실시했다. 여러 가지 해결하지 못한 문제들은 이제 새롭게 독립한 필리핀공화국의 몫이 되었다.

이와 같은 문제들 중에는 일본군에 협력한 엘리트에 대한 처리 문제가 있었다. 전쟁 전 필리핀에 진주해 있던 맥아더(Douglas MacArthur) 장군은 자신의 개인적 친구였던 로하스(Manuel Roxas)가 친일과는 무관하다고 주장하면서 이 문제를 간단히 정리했다(로하스는 일본 점령기에 수립된 꼭두각시 정부의 대통령이었다-역주). 이로 인해 친일파에 대한 조사조차도 제대로 이루어지지 않았으며, 로하스는 독립국가의 초대 대통령으로 당선될 수 있었다. 권력은 안정하게 대지주들과 밀접하게 연관이 있는 전통적인 엘리트들의 손에 넘어갔다.

1948년에는 중부 루손(Luzon)지역에서 수많은 소작농들의 지지를 등에 업은 공산주의자들을 중심으로 과거 게릴라 그룹인 훅발라합(Hukbalahap)이 부패한 정치와 농촌 대지주들의 전횡에 대항하여 봉기했다. 당시 국방장관이었던 막사이사이(Ramon Magsaysay)는 개혁정책을 통해 반란을 진압하는 데 성공했으며 1953년에는 대통령에 당선되었다. 높은 대중적 인기를 누렸던 막사이사이는 스테인버

[6-15] 막사이사이가 1953년 대통령 선거에서 승리한 후 기뻐하는 모습이다. 그는 부패하고 인기가 없었던 전임 대통령을 상대로 압도적 표차로 승리했지만, 불행하게도 자신의 임기가 끝나기도 전에 비행기 사고로 사망한다.

그(Daivid Steignberg)가 언급한 것처럼 빈농들의 고통을 진정으로 이해한 유일한 필리핀 정치인이었다. 그는 자신의 임기가 끝나기도 전인 1956년 비행기 추락 사고로 사망했다.

미국은 지속적으로 필리핀 경제를 지배했다. 무역에 있어서 미국인들에게 우호적인 조건을 부여한 협정들은 미국인이 필리핀에서 사업을 하는 데에서나 필요한 토지를 취득하는 데 있어서 어떠한 제한도 받지 않도록 했다. 방위조약에 따라 미국은 치외법권이 부여된 거대한 규모의 군사기지를 필리핀에 유지했다. 이 군사기지들은 태평양 지역, 특히 인도차이나에서 미국의 냉전정책을 뒷받침하는 주축이 되었다.

많은 필리핀 국민들은 미국이 지속적으로 필리핀에서 지배적인 위치를 점하고 있는 것에 대해 불만스러워 했다. 그럼에도 불구하고 이는 필리핀이 자국의 안보에 대한 책임과 비용을 미국에 떠맡기고 있음을 의미했다. 또한 필리핀 군부를 비정치적인 집단으로 유지하는 데 일조한 측면이 있다. 필리핀의 민족주의는 현실적으로 일부 교육받고 정치적으로 활동적인 엘리트들에 의해 추구되었으며 이후 수십 년 동안 더욱 강화되었다.

미얀마

아웅산 장군은 일본과 영국에 협력함으로써 미얀마 독립의 기초

를 놓았지만(194페이지 참조), 비극적인 사건에 휩싸였다. 1947년 7월에 무장한 사람들이 독립 이전에 열린 국무회의에 난입하여 총격을 가해 아웅산과 전쟁 전 민족주의자 단체, 그리고 소수민족의 대표들이 연합한 반파시스트자유연맹(Anti-Facist People's Freedom League)의 지도자 등 6명을 살해했다. 아무런 준비를 갖추고 있지 않았을 뿐만 아니라 국무회의 위원도 아니였던 타킨우누(Thakin U

[6-16] 955년 양곤에서 아웅산의 동상을 개막하는 의식이 거행되고 있다. 우누 수상은 참석한 군중들에게 떠나간 민족주의 리더의 못다 한 과업에 모두들 매진해 줄 것을 촉구했다.

Nu)가 최초의 수상이 되었다.

독립은 1948년 1월 4일 점성가들이 길조로 여기는 시간에 평화롭게 찾아왔지만, 반파시스트자유연맹은 결국 분열되었다. 공산주의자들은 곧 무장 투쟁을 시작했다. 대부분이 기독교도이며 수도와 멀지 않은 이라와디 델타에 살고 있는 꺼잉(Karen)족과 산악지대에 사는 다른 소수민족들도 바마족-불교도가 이끄는 정부에 대항하여 반기를 들었다. 중국 공산당 군대에게 밀려난 국민당 군인들이 미얀마의 북부 국경을 넘어 들어와서 중앙정부의 통제가 미치지 못하는 지역에 정주했다. 그 지역은 나중에 국제 마약 밀매의 주요한 통로가 되었다. 1948년 말까지 양곤은 거의 고립되어 있었다. 안전은 아주 천천히 불완전한 상태로 회복되었다.

[6-17] 네윈 장군의 독재 하에서 미얀마 산업의 국유화는 1969년 무렵 만덜레(Mandalay)에 소재한 이 소규모의 양조회사에도 미쳤다. 최근 들어 미얀마는 몇몇 외국인 투자를 유치하였지만, 여전히 사회주의는 슬로건으로 남아있다.

외교관계에서 미얀마는 영연방에 가입하는 것을 거절하고 철저하게 중립을 추구했다. 국내적으로 주요한 사업들은 국유화 되었다. 1953년 토지 국유화법에 따라 비경작 지주들로부터 토지를 몰

수했다. 이로 인해 주로 인도인 대부업자들이 소유하고 있던 농촌의 토지들을 미얀마 농부들에게 불하되었으며, 많은 인도인들이 미얀마를 떠났다. 민간인 정치에 실망을 느낀 군부는 1962년 독재정권을 수립한다.

인도네시아

1945-49년에 이루어진 인도네시아 혁명은 군사적 저항과 외교적 협상 모두를 포함한 것이었다. 이 협상에 유엔이 개입하면서 혁명은 국제적 문제가 되었다.

1945년 인도네시아의 독립에 대한 일본의 입장은 나뉘어 있었다. 뻬따(Peta) 조직원들이 앞 다투어 무기를 입수했으며, 이 과정에서 일부 일본군은 자진해서 무기를 넘겨주고 일부는 무기고에 대한 습격에 강력히 저항하기도 했다. 인도네시아 공화국은 뻬따 조직과 이슬람 의용군 그리고 정치적으로 연결된 청년 그룹을 중심으로 인도네시아 국민군을 창설했다. 이들 모두 국가 정치지도자들보다 자신이 소속된 조직에 더 충성을 표명했다. 군대 내부의 분열은 수년 간 공화국의 골칫거리가 되었다.

1945년 9월 일본군을 무장해제 하기 위해 상륙한 영국은 혁명과 마주하게 되었다. 11월 동자바 항구인 수라바야에서의 강렬한 저항은 영국으로 하여금 수까르노와 하타가 이끄는 정부와 협력하지 않고는 자신들의 임무를 수행할 수 없음을 깨닫게 했다. 포로수용소나 민간 수용 시설에서 풀려났거나 외국으로부터 다시금 몰래 들어온 네덜란드인들은 전혀 친숙하지 않은 환경을 발견했다.

복구된 식민지 행정부는 인도네시아의 자원을 이용하여 전쟁으로 황폐화된 네덜란드의 경제를 재건할 수 있기를 원했다. 이들은 조속히 국제시장에서 높은 가격으로 거래되는 천연자원을 얻을 수 있는 인도네시아의 모든 섬들에 대해 통제권을 수립했다. 초기 전투와 1947년 경찰의 대검거(Police Actions), 그리고 수까르노와 하타를 체포한 1948년 대검거를 통해 네덜란드는 대부분의 주요도시에 질서를 수립했다. 그러나 농촌으로부터의 지속적인 공격은 네덜란드인들의 교신망을 위협했다.

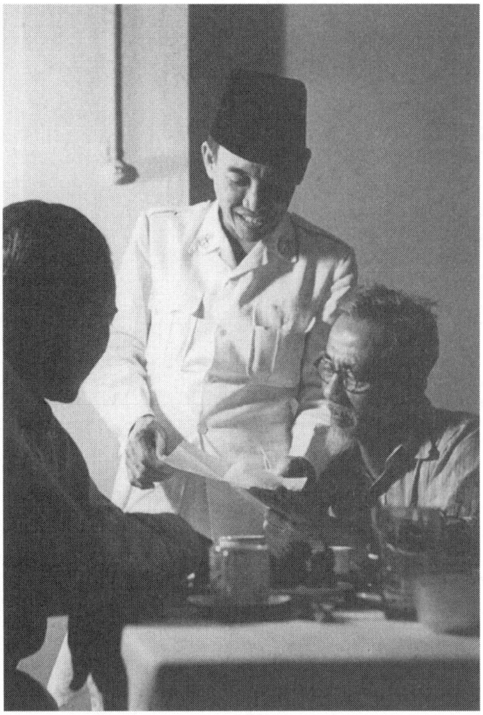

[6-18] 네덜란드는 1948년 인도네시아 공화국의 지도자를 체포함으로써 그들의 저항이 끝나기를 기대했다. 사진은 대통령 수까르노와 외무부 장관 살림(Haji Agus Salim)이 1949년 4월 방카(Bangka)에 있는 한 구치소에서 대화하는 모습이다. 사실 수까르노는 몇 개월 후에 풀려났고, 게릴라 전쟁과 국제외교는 네덜란드를 협상장으로 이끌었다.

인도네시아 공화국은 내부적으로 분열되었다. 1948년에 네덜란드와 협상하는 공식적인 정책에 실망한 서부 자바의 한 이슬람 그룹이 이탈하여 다룰이슬람(Darul Islam)을 설립했다. '이슬람의 집'이라는 의미의 이 그룹은 처음에는 네덜란드와 전투를 벌였으며, 이후에는 1962년까지 인도네시아 공화국과 싸웠다. 1948년 9월 복원된 공산당(PKI)의 군사조직과 추종자들이 중부와 동부 자바 인근인 므디은(Mediun)에서 반란을 일으켰다. 메디은 반란군은 신속히 괴멸 되었으며 추종자들은 죽거나 수감되었다. 군부는 이슬람 추종자들과 급진 공산주의자들에 대한 불신을 여전히 간직하고 있었다.

므디은 사건 이후 네덜란드에 대한 지지를 철회한 미국의 태도변화와 평화를 위한 유엔의 노력이 네덜란드로 하여금 진정성을 가지고 협상에 임하도록 만들었다. 1949년 12월 한 원탁회의에서 네덜란드 왕실이 지속적인 역할을 보유하면서 새로운 인도네시아 국가에게 주권을 이양한다는 합의가 이루어졌다. 다수의 비공화국 '국가'를 포함하는 이 연방국가는 1946-48년 네덜란드의 보호 하에 수립되었으

[6-19] 1949년 12월 27일 공식적으로 주권이 네덜란드로부터 인도네시아로 이양되었다. 헤이그에서 있었던 의식에 모하메드 하타(중앙에 안경 쓴 사람)는 인도네시아 대표단을 이끌었고, 줄리아나(Juliana) 여왕과 드리스(M. Drees) 수상이 네덜란드를 대표했다.

[6-20] 서부 뉴기니에 대한 처리문제는 1949년에 해결되지 않았다. 사진에 보이는 벽면 낙서에는 '네덜란드는 떠나라', '서부 이리안을 찾아라', '네덜란드를 몰아내자'고 쓰여 있다. 인도네시아의 통치에 반대하는 독립운동이 있기는 했지만, 1962년 네덜란드는 서부 이리안을 인도네시아에 양도할 것에 동의했다.

며, 연방의회에서 이들의 대표수가 공화국의 대표수를 초월했다. 인도네시아어로 서부 이리안(Irian)이라고 불리며, 분명히 과거 네덜란드령 인도네시아에 속했던 지역인 서부 뉴기니(New Guinea)는 추가 협상이 있을 때까지 네덜란드가 통제한다는 것에 동의했다.

그 허약한 연방체제는 1950년 8월 단일 공화국으로 바뀌었다. 1956년까지 네덜란드는 서부 뉴기니를 양도할 협상에 임할 의향을 보이지 않았다. 이듬해 인도네시아는 인도네시아 공화국 내에 있는 모든 네덜란드인의 재산을 몰수 했다. 이는 많은 수가 유라시아인

(Eurasians)인 네덜란드 시민들이 대거 인도네시아를 떠나도록 만들었다.

[6-21] 인도네시아의 가장 큰 두 정당의 지도자들, (왼쪽) 나들라뚤울라마의 다란(K.H. Dahlan)과 마슈미의 전 수상인 낫시르(M. Natsir)가 1957년 내각 위기를 논의하고 있다. 낫시르는 나중에 지역 폭동을 지원한 것으로 기소를 당하여 재판 없이 투옥되었으며, 마슈미는 해산되었다.

정치적 분열은 이 새로운 공화국을 괴롭혔다. 인도네시아인들의 절대 다수가 이슬람을 신봉하고 있는 이상, 정치에서 이슬람의 역할을 인정할 수밖에 없지만 이를 어떻게 규정하느냐가 문제였다. 세속적 민족주의자들은 '이슬람 국가'로 규정하는 것에는 반대했다. 아직도 기억되는 1945년 7월 연설에서 수까르노는 모든 종교를 포괄하는 이념인 5대 원칙, 즉 빤짜실라(Pancasila)를 제시한 바 있다. 이는 민족주의, 민주주의, 사회주의, 인본주의, 그리고 신앙을 의미한다. 빤짜실라는 1945년 인도네시아 헌법에 명기되었다. 그러나 이슬람의 역할에 대한 문제는 차후로 미루어 두었다.

다른 분열들은 인도네시아의 극단적인 지리적 인종적 다양성에서 기인했다. 1950년대에 내각은 불안정한 연립정부로 구성하고 있었으며 외교와 국내 정책에 대한 의견이 분열되어 있었다. 많은 사람들이 1955년 초대 총선을 통해 정당의 분열문제가 해결될 것을 기대했다. 그러나 선거 규칙들과 비례대표 제도는 더욱 많은 정당들을 탄생시켰다. 오직 4개의 정당만이 선거에서 전체 중 5% 이상을 득표한 것으로 나타났다. 이들 중 둘은 이슬람 학자들의 연합인 나들라뚤울라마(Nahdlatul Ulama, NU)과 인도네시아 무슬림 평의회인 마슈미(Masyumi) 로서 이슬람을 기반으로 하고 있다. 세속적인 성향을 나타낸 다른 두 정당은 한 때 수까르노가 이끌었던 인도네시아 국민당(Nationalist Party of Indonesia, PNI)과 공산주의 정당(PKI)이었다. 1948년 반란에 실패한 이후 총투표의 16%를 득표함으로써 화려하게 복귀한 공산주의 정당은 많은 이들을 놀라게 했다. 그리고 이슬람계와 세속계 정당들이 의석을 거의 균등하게 양분하고 있는 의회는 인도네시아를 '이슬람 국가'로 할 것인가에 대한 결론을 도출할 수 없게 만들었다.

1955년 선거는 자바를 대표하는 정당들과 외부 섬들을 대표하는 정당들 사이에 큰 분열을 드러냈다. PNI, PKI 그리고 NU는 대부분 자바, 특히 동부와 중부 자바에서 득표했다. 마슈미는 보다 철저한 이슬람인 외부 섬들과 서부 자바를 대표하고 있었다. 수입쌀에 의존하여 높은 인구밀도를 유지하고 있는 자바와 주로 천연자원을 수출하는 외부 섬들 간에는 경제적 이해관계가 갈라져 있었다. 지속적으로 자바에 유리한 경제정책을 펼치고 있다는 생각과 마슈미 출신 장관을 내각에서 쫓아낸 것은 지역갈등을 증가시켰다.

수출을 통한 수익이 감소하고 자본재 공장들은 악화되었으며, 경제는 주기적인 인플레이션에 빠져들었다. 소위 '특별예산재원'(extra-budgetary financing)에 의존하는 지역 부대 장교들은 수출로 얻은 수익을 자신들의 용처로 전용했다. 상황이 악화되자 PKI의 인기는 특히 자바의 농촌지역에서 급속히 상승했다. PKI는 이곳에서 많은 대중조직들을 설립했고 군부 지도자들을 불안하게 만들었다. 일부 지역에서는 중앙정부에 대항하여 발란을 일으키기도 했으며, 미국은 1950년대 말에 일시적으로 반란문제에 개입하기도 했다.

수까르노 대통령은 이러한 위기를 혁명적 열정의 상실로 이해했다. 명목적인 역할에서 벗어나 수까르노는 민족주의자, 종교인 그리고 공산주의자들의 힘까지도 포괄하는 정부를 제안했다. 그는 의회를 개혁하고, 지역의 반란에 관여했다는 이유로 마슈미를 해산했다.

1958년에서 1965년까지 인도네시아의 권력은 수까르노, 반공산주의 군부 그리고 PKI에 의해 행사되었다. 이처럼 불안정한 세 축의 권력관계에서 수까르노는 점진적으로 PKI에 의존하는 성향을 나타냈다. 유엔과 미국의 압력에 따라 네덜란드는 1962년 유엔과 인도네시아의 권위 아래 서부 뉴기니를 이양하는 절차를 시작했다. 한편 인도네시아의 전통적인 비동맹 외교정책은 중화인민공화국과 북부 베트남, 그리고 북한에게 우호적이었으며, 말레이시아와는 저강도 전쟁을 진행하는 한편 유엔으로부터 탈퇴하고 미국과는 거의 관계가 단절되었다. 경제적 추락은 지속되었으며 PKI의 정치적 우위가 더욱 명백해졌다. PKI 지도자들은 1964년에 군부가 무역을 독점하는 것에 대항하여 노동자와 농민도 무장을 해야 한다고 촉구하기도 했다.

1965년 9월 30일 밤에 몇몇 군대 장군들이 납치되어 살해되었다. 이튿날 수까르노의 관저 경비대 소속인 운뜽(Untung)이 이끌던 '9월 30일 운동'(Thurtieth of September Movement)은 자신들이 정부에 반대하는 사람들에 의해 계획된 쿠데타를 예방했다고 선언하고 일부 군부와 정치인들을 중심으로 혁명위원회를 구성했다. 전략군 사령관이었던 수하르또(Suharto) 장군은 역(逆) 쿠데타를 일으키고 사건의 책임을 PKI에게로 돌렸다. PKI는 스스로를 제대로 방어하지 못했으며, 군부는 PKI의 지도자들을 추적하여 체포하거나 살해했다. PKI에 대한 처단은 농촌까지 이어져 정당원들과 추종자들을 포함해 약 500,000명에 달하는 사람들이 처형되었다. 한편 학생들은 PKI와 수까르노에 반대하는 데모를 일으켰으며, 수까르노의 하야를 요구했다. 1966년 3월 11일 수까르노는 질서를 회복하기 위하여 권력을 수하르또 장군에게 이양했다. 1년 후에 수하

[6-22] 1967년에 수하르또 장군이 이후 부통령이 되는 외무부 장관 아담말릭(Adam Malik)과 포즈를 취하고 있다. 수하르또는 처음에 임시대통령으로 권좌에 올랐다가 이후 대통령이 되었다. 그는 1998년 5월 강제로 권좌에서 물러날 때까지 30년을 넘게 집권했다.

르또는 임시대통령이 되었다.

말라야와 영국식민지

영국은 말라야의 독립에 우려를 나타냈다. 그 이유는 제2차 대전 이후 민족 간의 관계가 악화되었으며, 이는 광산과 플랜테이션에 투자하고 있는 영국의 이익을 위협할 수 있기 때문이었다. 게다가 중국과 인도로부터 온 이민자들이 싱가포르를 포함한 말레이반도에서 말레이인보다 수적으로 많았고, 이들은 또한 정치적으로 잘 조직되어 있어서 말레이인들을 자신들의 지배하에 두고 있었다. 싱가포르를 제외한 말레이반도를 말라얀 연방으로 통합한다는 계획이 1946년에 드러났다. 술탄들은 모든 권위를 영국 왕실에게 이양하고, 현지화한 이민자들을 포함한 모든 시민들은 평등한 권리를 갖는다는 것이었다. 그러나 말레이인들은 이 제안으로 인해 갑자기 정치화되었

으며 이 계획을 성공적으로 무산시켰다. 후속 제안에서는 말레이인에게 특정 분야, 특히 농경지 취득이나 공직자 임명에서 특별한 권리를 부여한다는 내용이 포함되었다. '땅의 아들'을 의미하는 부미뿌뜨라(Bumiputera)로서 말레이인은 식민지 전통에 따라 보호받고 있었다. 술탄에 대한 권리 또한 보장했다. 차후 독립을 위하여 이민자들에 대한 시민권 부여를 제한하였다.

[6-23] 1957년 쿠알라룸푸르에서 영국으로부터 평화적인 독립 이양을 경축하면서, 독특한 식민지 무어풍(Moorish)으로 건축된 정부건물 앞을 군대 행렬이 지나가고 있다.

한편 1948년 중국인 게릴라 부대는 다시 밀림으로 들어가 영국의 군사시설에 대한 전쟁을 벌였고, 경제를 마비시키기 위하여 다양한 테러 공격을 감행하였다. 스스로를 말라야민족해방군(Malayan Races' Liberation Army)으로 칭하는 이들은 모든 말라얀들이 식민주의와 자본주의에 대항하여 결집할 것을 촉구했다. 사실 이들의 리더십은 말라얀 공산당으로부터 유래한 것이며, 대부분 중국인들로 구성되었다. 영국은 비상사태를 선포하고 반군들을 고립시키는 정책을 추진했다. 게릴라들에게 물자를 공급하는 농촌마을의 주민들을 강제로 감시할 수 있도록 만들어 놓은 새로운 마을로 이주시켰다. 동시에 평화적으로 협조하는 이들에게는 독립을 부여할 것이라는 정치적 양보를 제안했다. 비상사태는 1950년대 초에 이미 그 효력을 상실했고 1960년에 공식적으로 해제되었다.

1957년에 말레이반도는 말라야연방으로 독립했다. 정치적 권력은 독립하기 몇 년 전에 만들어진 다민족 정당연합의 수중에 넘어갔다. 이 연합에는 통합말레이민족기구(United Malays' National Organization, UMNO)의 보수적 말레이인들, 말라야중국인협회(Malayan Chinese Assoication, MCA)의 영어를 구사하는 지도자를 가진 보수적 중국인들, 그리고 말라야인도인회의(Malayan Indian Congress, MIC)의 인도인 대표자들이 포함되었다. 중국인과 인도인에게는 출생과 귀화를 통해 시민권을 획득할 수 있도록 했다. 그러나 당시 다수를 차지하던 말레이인들에 대한 특별한 권리는 그대로 유지했다. 유럽인과 소수민족의 경제적 이권과 안전이 보장되었다.

영국의 주요 해군기지가 있고 말라야의 수출무역을 위한 항만이 있던 싱가포르는 식민지로 남겨졌다. 이곳 인구의 압도적 다수를 차지하던 중국인들은 좌파의 영향을 강하게 받고 있었으며, 점점 더 통치가 어려운 상태로 나아갔다. 1960년대 초 영국은 싱가포르의 탈식민지화라는 해결책을 통해 이 지역에서 영국과 말라야 그리고 다른 이들의 이익을 보호하는 방식을 추구했다. 영국은 또한 보르네오에 있는 식민지들도 탈식민지화 하기를 희망했다. 보르네오의 영국 식민지는 북보르네오 즉 사바(Sabah)와 부르크(Brooke) 가족으로부터 이양 받은 사라왁(Sarawak), 그리고 영국의 보호령 브루나이(Brunei) 술탄국이 있었다.

1961년 독립 이래 말라야의 수상으로서 국가를 이끌었던 뚠꾸압둘라만(Tunku Abdul Rahman)은 싱가포르, 사바, 사라왁, 그리고 브루나이를 말라야 연방과 통합하는 말레이시아 계획을 제안했다. 중국인이 압도적인 싱가포르를 포함하는 것에 대한 말라야의 반대는 보르네오에 있는 지역을 함께 포함함으로써 누그러졌다. 보르네오 지역에는 말라야 연방의 중국인 비율인 37%(인도인은 약 11 %)보다 낮은 약 20–25%의 중국인 비율을 가지고 있었다. 비록 뚠꾸 수상은 이 구상이 말레이인을 다수로 만들 것이라고 생각했지만, 실제적으로 사라왁과 사바에는 비교적 적은 말레이인이 살고 있었다. 그곳의 대부분 주민들은 보르네오 원주민들이며 말레이인들과 이익이 충돌하는 부분도 있었다. 싱가포르의 리꽌유(Lee Kuan Yew) 수상은 연방 참여에 대한 국민투표를 통해 대중적 지지를 얻음으로써 뚠꾸의 계획에 동의했다. 그러나 브루나이는 1962년 12월 통치자에게 도전하는 반란을 경험한 후 말레이시아 계획에서 이탈하여 영국의 보호령으로 복귀했다. 브루나이는 1984년 엄청난 원유를 보유한 술탄국인 브루나이 다루살람(Brunei Darussalam)으로 독립했다. 1963년 9월 16일 말라야는 싱가포르, 사라왁, 그리고 사바와 연합하여 말레이시아 연방을 형성했다. 교육이나 이민통제와 같은 일부 권한은 새로이 연합한 국가들에게 여전히 남겨졌다. 인도네시아는 즉시 말레이시아에 대항하여 군사적 행동을 취했는데, 이는 말레이시아 연방을 지역에서 자국의 이익을 위협하는 신제국주의적 위협으로 간주했기 때문이다. 평화는 1966년 수까르노 정권이 붕괴된 후에나 찾아왔다. 영국은 말레이시아를 대신하여 보르네오 정글에 있는 소규모 게릴라들을 효과적으로 진압했다.

[6-24] 브루나이에서 1962년 12월 단기간의 반란이 발생했으며, 이 사건을 계기로 술탄은 말레이시아연방에 참여하는 계획을 철회했다. 사진은 초라한 반군들이 코끼리풀(elephant grass) 사이로 길을 만들고 있는 모습이다.

경제적 이해관계의 충돌과 정치적 스타일의 차이를 극복하지 못하고 말레이시아는 다시 나뉘어졌다. 싱가포르가 1965년 8월에 독립했다. 리콴유는 나중에 말레이 정치인들이 이 작은 도시국가가 '기어서 되돌아 올 것'을 기대했을 것이라고 말했다. 1971년 국가경제에 중요한 역할을 담당하던 영국 해군기지가 철수한 후 싱가포르는 많은 외국인 투자를 유치하였으며, 생산과 일인당 국민소득에서 급속한 성장을 낳기 시작했다.

태국

군부 출신인 피분송크람(Phibunsongkhram)은 1938년 말부터 수상으로 시암(Siam)을 통치했다. 그는 1939년에 국명을 태국(Thailand)으로 바꾸고 태국의 국경 너머 주변국에 있는 타이족(Thai)을 포괄하는 지도자임을 천명했다. 친일적이었던 피분은 1944년에 잠시 동안 연합국을 지지하는 민간인들에게 권력을 빼앗겼다. 전후 민간인 정부에 대한 희망은 외국에서 귀국한 젊은 국왕 아난다 마히돌(Ananda Mahidol, 재위기간 1935-1946)이 1946년 왕궁에서 의문의 총탄을 맞고 살해당함으로써 실패로 돌아갔다. 1947년 11월 피분을 지지하는 군부 쿠데타 그룹이 권력을 장악했다. 피분은 1948년 다시 수상이 되었고, 여러 차례의 쿠데타 시도에도 불구하고 1957년까지 권력을 유지했다. 정치적 자유는 억압당했으며, 외교정책은 친미반공을 기초로 했다. 새로운 국왕 푸미폰(Bhumibol Adulyadej)이 태국에 돌아왔을 때, 피분은 국왕의 역할을 상징적인 것으로 제한했다.

태국은 절대군주제가 끝난 1932년부터 최근까지 권위주의적 군부 통치에 시달려야 했다. 이 기간 동안 결집된 세력으로서 군부는 민간 정치인과 관료들 위에서 권력을 행사했다. 의무병 제도를 통해 지속적으로 인력이 충원되는 군부는 하나밖에 없는 사관학교 졸업생들에 의해 이끌어졌다. 태국에서 군부의 강력한 이미지는 거듭되는 쿠데타와 쿠데타 시도로 상징되며, 관료는 주로 지속성을 유지하는 역할을 담당했다.

1950년대 초 피분은 한 명의 경찰출신 장군과 다른 한 명인 방콕 제1군 사령관 사릿(Sarit Thanarat)에게 차츰 권력을 빼앗겼다. 1955년부터 1957까지 제한된 민주주의 시도와 부정선거를 통해 자신의 권력을 보호하려던 시도 이후 피분은 1957년 사릿에게 권력을 이양한다. 사릿은 보수적이고 강압적인 독재체제와 경제발전을 결합하는 제도적 기반을 수립했다. 그는 태국인들의 특성을 잘 이해하고 있었다. 그는 태국인의 전통적 가치를 소중히 여겼고, 미국과는 밀접한 동맹관계를 유지했다. 그는 푸미폰 국왕으로 하여금 전례 없는 공적 역할을 수행하도록 했으며, 국왕과 국가 그리고 불교에 대한 충성심을 널리 선전했다.

사릿이 1963년 사망한 후 그의 동료였던 타놈(Thanom Kittikachorn) 장군(104페이지 참조)과 브라빠스(Phrapas Charusathian)가 권력을 승계했다. 당시 라오스의 공산주의 활동과 캄보디아와의 충돌로 인해 태국은 인도차이나 문제에 관여하게 되었다. 태국은 미국에게 군사기지를 제공함으로써 라오스와 베트남에 대한 공습이 그 공군기지로부터 이루어지도록 했다. 농촌 지역에서는 반정부 반란 위협이 비등했는데, 특히 문화적으로나 지리적으로

[6-25] 1976년 방콕에서 있었던 학생들에 대한 학살사건은 태국에서 민주주의적 실험에 대한 종말을 알리는 것이었다. 군인과 자경단원, 그리고 여타 불순분자들이 캠퍼스에 난입하여 시위하는 학생들에게 총격을 가했고, 이후 강압적인 우파 정권이 들어섰다. 많은 청년들이 밀림으로 도망했으며, 이들은 1980년대 태국 정치가 보다 자유화되었을 때 돌아왔다.

라오스와 밀접해 있는 북동부 지역에서 특히 심했다.

1973년 미국이 베트남에서 철수하였고, 국왕이 지지하는 일련의 학생 시위로 민간정부가 들어섰다. 1975년 선거는 정치적 활동과 시위, 그리고 파업이 극도로 치닫는 계기가 되었다. 이 민주적인 실험은 짧은 기간 동안 유지되었다. 1975년 4월 공산주의자들이 라오스에서 군주제를 철폐하고 권력을 장악하는 것을 목격한 엘리트들은 위기감을 느꼈으며, 1976년 반민주주의 세력이 재결집했다. 과거 군부독재자였던 타놈이 망명지에서 돌아오는 것에 반대하는 시위를 벌이던 학생들을 우파 자경단원과 경찰, 그리고 불순분자들이 공격했다. 억압적인 민간정부가 사태를 진정시켰으며, 1977년에는 군사정권이 들어섰다. 많은 청년들이 밀림으로 피신하여 공산게릴라 조직에 가담했다. 그러나 몇 년 이내에 대부분은 방콕으로 몰래 돌아왔다. 1980년대 태국은 점진적으로 민주주의를 회복하기 시작했다.

제7장

발전과 민주주의: 현대 동남아시아

경제 성장과 개방 및 정치적 민주주의에 대한 요구는 지난 수십 년간에 걸친 동남아 역사에 있어서 지배적인 주제가 되었다. 1997-98년에는 심각한 경제 위기와 환경 변화를 통하여 이전의 고도 성장률과 내부 안정에 대한 의혹이 제기되었다. 한편 1967년 창립된 지역공동체인 동남아국가연합(ASEAN)은 출범 당시 5개국에서 모든 동남아 국가(2002년 독립한 동띠모르(띠모르레스떼)는 비회원국임-역주)를 망라하게 되었지만, 새로운 회원국을 규합하는 과정에서 과거의 조화로운 협력 체제에 변화가 예상된다.

성장의 가속화

싱가포르

1965년 말레이시아로부터 분리됨으로써 싱가포르는 전통적으로 보장받던 수익과 일자리 그리고 인구의 도시 집중화와 같은 다양한 문제들에 직면할 것이 예상되었다. 1963년 이래 지속되고 있던 인도네시아의 무역제재 조치는 도서부에서 들여온 고무와 기타 원자재를 가공하여 재수출함으로써 얻는 싱가포르의 수익을 절감시켰다. 전통적으로 가장 큰 고객이었던 말레이시아는 여전히 싱가포르 항구를 통해 수출의 대부분이 이루어졌다. 그러나 원자재 가격의 하락과 수출항을 말레이시아로 옮길 것이라는 소문은 싱가포르의 지도자들로 하여금 새로운 경제적 방안을 모색할 필요가 있음을 일깨웠다.

리콴유(Lee Kuan Yew) 전수상과 같은 싱가포르인들은 싱가포르가 직면하고 있는 불리한 현실, 즉 중계무역 활동에 대한 높은 의존도, 배후지 및 천연자원의 부재, 식수 공급의 불안정 등에 주목한다. 하지만, 싱가포르는 동남아에서 지리적으로 중심이 되는 세계적으로도 보기 드문 훌륭한 천연항구이다. 게다가 영국의 식민지배와 중국인의 진출로 인해 비록 영어와 중국어 사용자로 사회가 분리되어 있긴 하지만, 비교적 교육을 잘 받은 인구가 거주하며, 타 지역에 비하여 상당한 수준의 기간 시설을 갖추고 있었다.

정치적으로 이 도시국가는 리콴유가 주도하는 국민행동당(PAP, People's Action Party)이 확고하게 장악하고 있다. 특히 중국식 교육을 받은 공동체로부터 배출된 좌파 성향의 세력들은 이미 정치적 영향력을 상실했고, 그 지도자들 중 많은 수가 투옥되었다. PAP는 명목상으로는 사회주의 노선을 표명하고 있지만 실제로는 보수적 성향이 강하다. 그 지도자들은 대부분 중국인이나 인도인 혈통으로서 영국식 교육을 받은 사람들이다. PAP는 소수를 이루고 있는 말레이인들을 규합하는 데는 성공하지 못했다. 이는 이들이 대부분 통합말레이민족기구(UMNO, United Malays' National Organization)에 애착을 가지고 있었기 때문이었다.

[7-1] 싱가포르의 전수상 리콴유가 1960년대 초에 연설하고 있는 모습이다. 캠브리지에서 교육받은 리콴유는 아시아의 유교적 가치와 중국어에 대한 공공교육을 강조했다.

의회의 의석을 대부분 차지하고 있는 PAP는 발전의 문제에 있어서는 기술관료적 접근을 선택했다. 대부분의 도시민들이 슬럼가에서 거주하는 상황에서 주택문제는 가장 심각한 문제로 떠올랐다. 정부주도 하에 근로자들이 의무적으로 부담해야 하는 사회보험으로부터 일부 재정 지원을 받은 공공주택 사업이 급속히 진척되었다. 오늘날 약 85%의 인구가 공공주택에 거주하고 있으며, 많은 사람들이 이 주택에 대한 소유권을 획득했다. 강력한 산하제한 정책은 인구 증가율을 감소시켰고, 다양한 개발 사업은 새로운 일자리를 창출했다.

새로운 산업용지와 호의적인 조건들은 외국 투자자들을 불러 들였다. 한 때 저임금을 기반으로 한 산업들이 대부분의 투자를 차지했지만, 싱가포르는 점진적으로 고급인력을 기초로 하는 산업들을 유치하고 있다. 과거에 심각한 사회적 문제를 야기했던 노동운동은 1960년대 국가정책에 의해 사라졌다. 정부 위원회가 불경기 때 임금이 경쟁력을 상실할 정도로 상승하는 것을 막고, 호경기 때 일정액의 임금 인상을 할 수 있도록 조율하는 역할을 담당했다. 정치적 안정과 현대화된 항구와 같은 훌륭한 기관시설, 그리고 향상된 통신시설 등은 투자자들에게 새로운 투자 동기를 제공했다. 점점 더 많은 투자자들이 과거 식민지배자였던 영국에서보다 오히려 다른 서구 국가들과 일본 등에서 찾아오고 있다. 투자자들은 동남아의 다른 어느 국가에서보다도 부패하지 않은 관료들을 상대하게 될 것이라는 확신을 가지게 되었다.

PAP가 주도하는 경제발전은 주로 국제적인 관심을 모으는 대규모 투자나 주택과 통신 등 국영사업에 크게 의존했다. 싱가포르는 동남아의 금융 중심지가 되었으며, 1970년대부터는 고급스러운 호텔과 쇼핑센터를 짓고, 국적 항공사를 설립하고, 관광객과 지역 주민들이 즐길 수 있는 위락시설을 건설함으로써 관광분야가 싱가포르 경제성장의 새로운 동력이 되었다. 서비스 산업은 싱가포르인들에게 일자리를 제공하는 중요한 산업이 되었다.

정치는 경제만큼이나 주의 깊게 조절되었다. 비록 야당이 미약하여 집권 가능성이 전혀 없을 지라도 정부는 PAP를 지지하지 않는 지역에 대해 사회적 서비스를 줄이겠다고 협박함으로써 야당을 억누르고 있다. 1950년대와 1960년대 초에 급진주의의 온상이었던 중국어 교육기관은 영어를 교육언어로 사용하는 국가교육체계로 편입시

[7-2] 고층빌딩들이 싱가포르의 차이나타운을 잠식하고 있다. 도심 개발은 한 때 전형적인 아시아 도시의 경관들이 사라지는 것을 의미하며, 본 사진을 찍은 1983년 이래 그 속도는 더욱 가속화되었다. 오늘날 대부분의 싱가포르인들은 고층의 공공주택에 거주한다.

켰다. 중국어를 사용하는 사립대학이었던 난양대학교(Nanyang University) 조차도 국립싱가포르대학교(National University of Singapore)에 통합시켰다.

싱가포르는 동남아에서 최초의 소위 '호랑이 경제'로서 경제발전의 모델을 제시했다. 고척동 수상이 천명한 바와 같이 어느 정도의 정치적 구속과 '서구식 자유민주주의'에 대한 부정은 다른 국가들에 의해 채택되기도 했다. 그러나 1980년대에 이르러 일부 사회적 균열이 드러났다. 낮은 출산율은 이 도시 공화국을 노령화시켰으며, 작은 공공주택에 살고 있는 젊은 가족들은 노년층을 돌보는 일을 소홀히 하는 추세를 나타냈다. PAP는 이러한 문제가 영어와 근대화의 지나친 강조로 문화적 공백이 생겼기 때문으로 판단했다. 이에 정부는 전통적 아시아 문화, 특히 중국 문화의 중요성을 재평가하기 시작했다. 만다린(북경어)은 화인(華人)들의 제2의 필수언어가 되었으며, 유교는 문화적 부흥의 핵심어가 되었다. 이와 같은 흐름은 교육의 현장에서 뿐만 아니라 사회전반으로 확산되었다. 한 때는 시대에 뒤떨어지고 사회적 분열을 조장하는 것으로 간주하던 가문이나 출신지를 중심으로 한 전통적 화인들의 조직들이 새롭게 조명되기 시작했다. 지도자들은 일반적인 아시아적 가치를 주장하지만, 중국적인 가치가 중요시되고 있으며, 이는 한 때 문화정치의 핵심어였던 싱가포르의 정체성을 오히려 앞지르고 있다. 그렇지만 이 작은 도시공화국은 인구나 영토에서 압도적으로 우세한 이슬람 국가인 말레이시아와 인도네시아에 둘러싸여 있으며, 1997-98년에 경험한 바와 같이 이들 주변국의 정치적 혹은 경제적 영향으로부터 자유로울 수 없다. 싱가포르는 성장과 번영의 길에서 일시적으로 위기를 맞기는 했지만 곧 회복의 길을 발견해 나갔다.

권위주의 체제와 경제발전

군부는 1940년대 이래 태국에서 권력기반을 다지기 시작하였으며, 제2차 세계대전 이후에는 다수의 군사정부가 동남아의 다른 국가들에서도 나타났다. 미얀마에서는 군사정권이 선거로 선출된 정치인들로부터 1958년부터 1960년까지 일시적으로 권력을 이양받았다가 1962년부터는 무기한으로 권력을 장악했다. 인도네시아 군부는 1957년에 정치적 역할을 강화하였고 1965년에는 수하르또와 함께 권력을 장악했다. 필리핀 군부도 1970년대 이후 점진적으로 정치화 되었다. 한편 경제발전은 새로운 중산층과 지식인 그룹을 탄생시켰고, 이들 중 일부는 독재적이며 대부분 부패한 군사정권에 대한 거부감을 표명하기도 했다.

필리핀

필리핀은 1969년 마르코스(Ferdinand Marcos)가 대통령에 재선된 이후 권위주의 정부로 전락했다. 수도 마닐라의 사회적 불안과 농촌지역에서 번지던 이슬람과 공산주의자들에 의한 반란, 그리고 대통령의 3선을 금하고 있는 필리핀의 헌법에 직면한 마르코스는 계엄령을 선포함으로써 권력을 연장시켰다.

[7-3] 교황 요한 폴 2세(John Paul II)는 1981년 아시아에서 유일하게 가톨릭 국가인 필리핀을 방문했다. 필리핀 대통령이자 독재자인 마르코스가 환영사를 낭독하고 있고, 영부인 이멜다 여사는 교황을 응시하고 있다. 오른편에는 마르코스 독재정권에 반대하는 추기경 신(Jaime Sin)이 무표정하게 행사를 지켜보고 있다.

비록 그는 필리핀의 경제발전을 성취하겠다는 명분을 내세웠지만 실제로 마르코스 독재정권 하에서 필리핀 경제는 오히려 하락세를 나타냈다. 높은 원유 수입가와 필리핀 수출품의 가격하락 등이 부분적으로 경제적 어려움의 원인이 되었다. 그러나 이러한 문제들은 마르코스의 인척과 측근 자본가들에 대한 특혜 그리고 새롭게 부상하는 화인 자본가들에 대한 편애와 기존 경제계 가문들에 대한 탄압 등으로 인해 더욱 악화되었다. 해외에 진출한 필리핀 근로자들이 보내오는 송금액으로 겨우 생계를 유지하고 있던 빈곤층이 더욱 확산되는 것을 막지 못함으로써 필리핀 경제는 더욱 어려움을 겪었다. 마르코스의 정적 아키노(Benigno Aquino)가 1983년에 암살되었고, 이 사건에 마르코스가 깊이 관련된 것으로 알려지자 마르코스는 정치적으로 궁지에 몰리게 되었다. 건강이 악화된 마르코스는 점점 더 군부에 의존하여 날로 붕괴일로에 있는 자신의 정권을 지탱했다.

아키노의 미망인 코리 여사는 마르코스 정권에 저항하는 사람들의 중심으로 부상했다. 그녀와 그녀의 지지자들이 1985년에 실시된 선거에서 승리한 것으로 추정되지만, 부정과 부패로 얼룩진 선거과정은 마르코스를 승리자로 선언했다. 성난 아키노의 지지자들과 가톨릭 교계, 그리고 군부의 일부 세력이 공개적인 저항을 조직하여 마닐라의 중심 도로인 에드사(EDSA, Epifanio de los Santos Avenue)에서 이들을 진압하려는 탱크와 맞섰다. 심한 병을 앓고 있던 마르코스가 하와이로 망명하라는 미국의 압력에 굴복함으로써 '국민의 힘'(People Power)은 승리의 순간을 맞이했다.

아키노(Corazon Aquino)는 1985년 2월 25일에 대통령에 취임했다. 독재를 몰아낸 에드사에서의 환호가 잠잠해지면서 그녀의 정권은 많은 국민들에게 실망을 안겨 주었다. 과거 마르코스 정권 때의 과두 엘리트들이 빈곤층과 소작인들의 이권에 반하여 다시금 부상했다. 아키노 대통령은 군부 장교들에 의한 여러 차례의 쿠데타 시도를 저지하기 위해 다른 군인에게 의존할 수밖에 없었다. 그 대표적인 인물이 바로 라모스(Fidel Ramos) 장군이었으며, 그는 1992년에 그녀의 후계자가 되었다.

인권을 유린하는 행태는 군대를 중심으로 지속되었지만, 공산주의

[7-4] 젊은 시위자들의 메시지는 자명했다(왼쪽). 마르코스에 대한 저항은 좌파 그룹에서부터 여타 그룹, 특히 대부분의 가톨릭교회와 엘리트들 사이로 번졌다. 마르코스의 신복에게 암살당한 베닝고 아키노(Benigno Aquino)의 미망인 코라손 아키노(Corazon Cojuangco Auqino)(아래)는 마르코스에 대항하는 민주적 저항의 상징이 되었으며, 결국 그녀를 지지하는 군중들의 비폭력 저항이 있은 후 1986년에 대통령이 되었다.

[7-5] 철길에서 놀고 있는 필리핀 아이들은 좀처럼 해결되지 않는 필리핀 사회의 빈곤문제를 대변하고 있다. 민주주의의 회복은 이들에게 별다른 해택을 주지 못했다.

와 남부의 무슬림 반란 문제는 다소 진전을 보였다. 필리핀 사회의 민족주의적 요소는 1991년 미군기지를 철수시키는 일로 이어졌다. 오랫동안 지속되었던 미군기지 연장에 관한 협상 과정은 미군의 주둔에 대한 필리핀 국민들의 거부감과 자연재해, 그리고 냉전의 종식이라는 문제 등에 의해 영향을 받았다. 피나투보(Pinatubo) 화산의 폭발과 화산재는 한때 태평양에서 미국 군사력의 중심축이었던 클라크 공군기지를 무용지물로 만들었고, 또한 새로운 국제정세는 이 기지를 더 이상 필요치 않게 했다. 과거 군사기지였던 일부 지역에는 현재 산업지대가 건설되어 있다.

라모스는 그의 전임자보다 냉정한 지도자였으며, 필리핀 경제는 비로소 회복되기 시작했다. 1998년에 그는 헌법에서 규정하고 있는 단임제 대통령의 임기를 마치고 권력을 이양했다. 라모스 재임 시 부통령으로 있었던 에스트라다(Joseph Estrada)가 대통령에 당선되었다 (에스트라다는 2001년에 무능하고 부패한 지도자로 낙인찍혀 EDSA II로 알려진 대중시위로 권좌에서 물러났다-역주). '국민의 힘'으로 헌법적 민주주의를 회복시켰고, 평화적 정권교체를 통해 이를 유지했다. 필리핀은 1997-98년의 아시아 재정위기에 주변국들보다 덜 영향을 받았다. 그러나 경제성장의 지체, 엘리트의 정치적 독점문제, 산발적인 반군들의 활동, 빈곤, 인구증가, 그리고 환경파괴 등의 문제는 여전히 해결책을 기다리고 있다.

인도네시아

1965-66년에 걸친 쿠데타와 폭력사태 이후 수하르또 대통령은 군부에게 정치와 치안, 그리고 행정에 관한 막대한 권한을 부여했다. 위로는 내각으로부터 아래로는 마을에 이르기까지 군인들이 민간 행정부의 자리를 차지했다. 수하르또에 의해 1959년 복원된 1945년 헌법은 의회의 권한을 축소하고 대통령에게 강력한 권한을 부여했다. 여러 해 동안 정부는 다양한 방법으로 야당을 탄압했다. 야당 지도자의 선출에 관여하기도 하고, 그들의 정강정책에서 이슬람적 요소를 빼고 대신 판짜실라(Pancasila)에 대한 충성을 표현하도록 강요하였으며, 그들이 획득한 득표수를 조작하기도 했다. 선거에 참여할 수 있는 정당은 오직 세 개뿐이었으며, 이들은 정부가 후원하는 골카르(Golkar, Golongan Karya), 이슬람 정당, 그리고 비이슬람 정당 등이었다. 골카르는 군부와 관료의 지원으로 1971년부터 1997년까지 치러진 선거에서 3분의 2정도를 지속적으로 득표했다.

이 권위주의 정권의 정통성은 혁명시기의 유산이자 전통인 1945년 헌법, 판짜실라, 그리고 군부가 수행하는 국방과 치안유지라는 이중적 기능에 기반하고 있었다. 가장 중요한 정통성의 근거는 기술관료들과 국가기획원이 이룩한 경제발전이었다. 농업수로의 정비와 신품종 도입 그리고 화학비료와 재초제 등 덕분에 쌀 생산은 특별한 경우를 제외하고 자급자족 수준에 도달했다. 1970년대 기술관료들이 누렸던 혜택은 높은 원유가격이었다. 이는 인도네시아를 주요 원유 수출국으로 만들었으며 예기치 않게 높은 수익을 가져왔다. 이 수익의 일부는 국가가 운영하는 원유회사의 부패한 행정 때문에 손실을 입기도 했다. 1980년대 원유가격이 하락하자 정부는 목재나 광물과 같은 다른 원자재나 값싼 노동력을 이용해 생산한 공업제품의 수출을 권장했다. 1990년대에는 대부분의 국제 원자재 가격이 낮게 유지되었으며, 또한 저임금으로 유인하는 산업투자에 대한 국제적인 경쟁도 급속히 증가했다. 특히 1980년대 중반부터 외국인 투자자들에게 문호를 개방하기 시작한 중국과 베트남이 경쟁을 더욱 치열하게 만들었다.

1965년 이후를 지칭하는 신질서(New Order) 하에서 자까르따는 싱가포르와 마찬가지로 높이 솟은 사무실과 호텔, 그리고 쇼핑센터와 교통체증으로 대변되는 근대적 도시가 되었다. 자까르따에는 국가산업과 부가 집중되었으며, 내지로부터의 인구유입으로 인해 그 규모가 급속히 팽창했다 (싱가포르는 다행히도 내지가 존재하지 않았고, 이민도 제한했다). 자바의 중심적 농업생산은 국가발전 기획자들로부터 우선적인 관심을 받았지만, 수출작물을 재배하는 농부들을 포함한 여타의 농부들은 제대로 대우받지 못했다. 정책결정자들에게 외지의 섬들은 원자재를 얻거나 자바(Java)나 발리(Bali), 혹은 마두라(Madura)와 같은 인구 과밀지역으로부터 인구를 이주시키는 장소로 간주되었다.

1998년 3월 당시 이미 30년간 대통령에 재임한 수하르또는 또 다른 임기를 시작하였으며, 자신의 측근 하비비(B.J. Habibie)를 부통령에 임명했다. 1998년 대부분의 쌀 경작이 흉작을 맞았다. 이는 부분적으로 1997년 전 세계적으로 일어났던 이상기온과 태평양에 주기적으로 나타나는 해류 온난화 현상인 엘리뇨(El Niňo)의 영향 때문이었다. 한편 수마트라와 보르네오 섬의 칼리만탄 지역의 밀림에서 일어난 화재로 인해 연기가 주변국들을 뒤덮었다. 밀림 화재의 원인은 부분적으로 기후와 화전농들에게도 있었지만, 대농장주들이 대규모로 토지정리 작업을 수행하면서 불을 놓아 밀림을 제거하는 방법을 사용하면서 걷잡을 수 없는 상황이 되었다.

수하르또는 주로 소수민족에 속하는 화인들이었던 자신의 인척들과 측근 사업가들에게 각종 독점권과 특혜를 오랫동안 제공했다. 모든 문제의 근원이 대통령으로부터 비롯되었다는 것을 알게 된 수천 명의 학생들과 시위대가 1998년 5월 수하르또의 하야와 처벌을 요구했다. 자본의 해외 유출이 본격화되고 국가파산의 위협이 증가하자 인도네시아 화폐인 루삐아(rupiah)의 가치는 사상 최저치를 기록했다. 인도네시아는 1997-98년 아시아를 휩쓴 재정위기에 가장 큰 타격을 입은 국가가 되었다. 치솟는 인플레이션과 생필품의 결핍은 화인들을 희생양으로 삼는 사건들로 나타났으며, 이들의 재산에 대한 약탈로 이어졌다. 1998년 5월 자까르따의 차이나타운에 대한 잔인한 습격에서 시위대와 아마도 일부 군부와 연관된 불순분자들은 방화와 약탈 그리고 겁탈을 일삼았다. 수하르또의 하야와 부통령 하비비의 권력이양이 이루어지기까지 약 1,200명의 희생자가 발생했다.

하비비는 개혁과 함께 공개적인 선거를 약속했다. 그러나 학생들은 수하르또 가족들에 대한 처벌을 요구하며 시위를 계속했다. 그들은 또한 지도자들에게 정치적 민주주의를 보다 신속하게 추진할 것

[7-6] 자까르뜨타의 화려한 상업 중심가와 고층빌딩 그리고 도시의 교통체증은 1997-98년 경제위기 이전 부에 대한 환상을 낳았다. 금융제도에 있어서의 왜곡, 부의 불평등한 분배, 부패, 그리고 정치적 불확실성과 같은 뿌리 깊은 문제들은 금융위기로부터의 회복을 더디게 만든 원인이 되었다.

[7-7] 인도네시아의 집권당 골까르가 수월하게 승리한 1997년 의회선거는 일부 젊은이들로부터 강력한 저항을 불러 일으켰다. 사진은 1997년 5월 시위대가 중무장한 경찰과 맞서고 있는 장면이다. 자까르따에서의 폭력사태와 학생들이 중심이 된 지속적인 시위는 1998년 5월 수하르또가 권좌에서 물러나는 계기가 되었다.

과 인권유린에 대한 책임자를 처벌할 것을 요구했다. 이슬람과 비이슬람 세력 간의 갈등이 불거졌으며, 민족분쟁이 다시금 재현되기 시작했다. 일부 민족분쟁의 원인은 종교적 동기를 내포하고 있었다. 1955년 이래 최초의 인도네시아 자유선거가 1999년에 실시되었지만, 학생들과 여타 민주주의 개혁주의자들이 원하는 민주주의가 실제로 실현될 수 있을 지는 아직 불확실하다.

말레이시아

말레이시아는 1969년 말레이인과 중국인 사이에 일어난 폭동 이후 일시적으로 의회민주주의가 중단되기도 했으나 1972년부터 정규적인 선거가 다시 실시되었다. 선거구를 재조정하는 방식과 같은 다양한 선거제도 조정을 통해 말레이인의 집권 정당인 UMNO가 의회에서 지배적 다수를 차지할 수 있도록 하였고, 이를 통해 말레이인의 정치적 우위를 확고히 했다. 1970년부터 1990년까지 정부가 실시한 신경제 정책(NEP, New Economic Policy)은 외국인과 중국인보다 말레이인들에게 보다 많은 경제적 통제력을 부여하기 위한 것이었으며, 특히 농촌의 말레이인들이 빈곤에서 벋어날 수 있도록 고안된 것이었다.

NEP의 핵심은 말레이인들이 소유하는 자본비율을 높이는 것이었다. 특별히 정부는 지분이 있는 다수의 재단을 설립했으며, 이는 말레이인에 의한 말레이인을 위해 설립된 것이었으므로 자연적으로 말레이인들의 자본비율이 높아졌다. 일부의 경우 이러한 재단들이 단순히 기존 회사에서 비말레이인들이 가지고 있던 지분을 매입하는 등 말레이인의 기업가정신 함양과는 무관한 행태를 보이기도 했다. 새로운 말레이 기업가 계층이 정치적 권력에 의존하여 성장했다. 이는 말레이인의 경제적 지배를 높이기 위한 방편으로 비효율적이고 불법을 일삼는 말레인들의 수중에 기업이 들어가는 위험을 감수해야 하는 것이었다.

1990년대의 말레이시아는 더 이상 광산과 플랜테이션 경제가 아니었으며 다양한 영역의 산업과 수출품 생산에 기초한 경제가 되었다. 말레이인의 전통적인 분야였던 공공부문과 농업부문 이외에도 교육과 산업분야에서 말레이인들에게 많은 기회가 부여되었다. 1981년 이후 말레이시아의 수상이었던 마하티르(Dr. Mahathir Mohammed)는 이와 같은 변화를 주도했으며, 또한 이러한 변화의 수혜자이기도 했다. 말레이인들의 이익을 옹호하고 친아시아적 가치와 반서구문화의 열렬한 대변인이었던 마하티르는 말레이시아 정부를 보다 권위주의적인 방향으로 이끌었다. 그러나 집권 18년 동안 정권에 대한 끊임없는 도전에 직면해야 했다. 1980년대 말까지 말레이시아의 평균 경제성장률이 8%를 유지했으며 이는 동남아의 새로운 '작은 호랑이' 경제로 떠오르게 했다. 마하티르는 고층빌딩, 국민차 혹은 아시아의 실리콘 벨리로 계획된 멀티미디어 단지(MSC, Multimedia Super Corridor)와 같은 지극히 가시적인 개발 사업들

[7-8] 세계에서 가장 높았던 쿠알라룸푸르의 페트로나스 건물이다. 공기업인 석유회사가 소유한 이 고층건물은 근대화와 발전에 대하여 서구의 국가들과 경쟁하는 말레이시아의 결단을 상징적으로 보여준다.

을 선호했다. 1997-98년 경제위기는 이와 같이 고비용이 요구되는 사업들에 대한 의구심을 낳게 했다. 마하티르는 임박한 금융위기를 잠재우기 위하여 환율통제와 이자율 인하정책을 실시하였고, 1999년에 경제위기는 잦아들었다. 이후 일부 환율통제는 완화되었지만 국제사회에서 요구하는 금융과 재정에 있어서의 개혁은 시행되지 않았다.

경제위기에 대한 이와 같은 정책들은 마하티르와 그의 오랜 정치적 동지이자 후계자로 주목받던 부수상 안와르(Anwar Ibrahim)와의 관계를 불편하게 만들었다. 이는 안와르가 마하티르의 고비용 개발 사업들을 연기시킬 것을 주장했기 때문이었다. 두 사람 간의 불화가 심화되면서 안와르는 부총리에서 물러났으며, 동시에 부패 혐의와 말레이시아 이슬람법에서 심각한 범죄로 취급되는 동성애 혐의로 처벌되었다. 안와르를 지지하는 개혁적인 인사들은 새로운 정당을 설립했다. 이들은 보다 보수적인 통합말레이시아이슬람정당(PAS, Partai Islam Se-Malaysia)과의 연합에 있어서도 많은 어려움에 직면할 것이 예상된다.

태국

1970년대에 민주화 시위는 영구적인 변화를 가져오는 데는 실패했지만 전혀 무익한 것은 아니었다. 1980년에는 군 장성 출신 쁘렘

(Prem Tinsulanonda)이 수상이 되었다. 국왕의 신임이 두터웠던 쁘렘은 온건하고 부패하지 않았으며 의회의 광범위한 그룹들로부터 지지를 받았다. 1981년 군부의 젊은 장교들이 쿠데타를 일으켰을 때 푸미폰 국왕은 쁘렘에 대한 지지를 표명했다. 푸미폰 국왕은 더 이상 상징적인 인물이 아닌 유력한 정치행위자로서 1983년에 쁘렘에 대한 자신의 지지를 확고히 했다. 쁘렘은 1988년 선거에서 선출된 후임자가 자신을 대신할 때까지 수상의 직위를 수행했다. 태국인들은 그의 정부를 쁘레모끄라시(Prem-ocracy)라고 불렀다.

비교적 사회에 잘 통합된 화인들과 일본의 투자 자본을 적절히 활용함으로써 1980년대 중반부터 시작된 태국의 경제성장은 군부독재하에서의 성장률을 능가했다. 일인당 국민소득이 지속적으로 8%대의 성장을 보이면서 태국은 소위 '호랑이 경제'의 반열에 올랐다. 경제구조가 변화되어 1970년에 국민소득의 30%를 산출하던 농업이 1990년대에는 12%로 떨어졌다.

쁘렘의 뒤를 이은 지도자는 부패하였고 또한 대중적인 지지를 얻지 못했다. 이에 따라 1991년 군부쿠데타가 발발하여 새로운 민간 임시정부가 들어섰고 국민들은 이를 환영했다. 금권정치는 선거와 공공정책을 왜곡시켰다. 태국 선거에서 제도상의 불합리로 인해 전체의 약 3분의 2에 해당하는 농촌지역 유권자들의 표심이 종종 방콕 유권자들의 표심에 의해 무시되는 경향을 나타냈다. 농촌지역에서는 매표행위가 성행했으며, 이는 지역적 이해와 별 상관이 없는 부유한 기업인들이 방콕에 있는 정치인들과 함께 농촌지역의 표를 매수한 것이었다.

군부의 장성으로서 한 때 스스로가 수상이 되지 않을 것이라고 약속했던 수찐다(Suchinda)가 1992년 선거 이후 수상 직에 오를 것을 결심했다. 이에 저항하는 국민들의 시위가 1992년 5월 방콕에서 일어났고, 수찐다는 이를 무력으로 진압했다. 그러나 군부의 판단에 의해 정권은 선거로 선출된 민간인 수상, 추언(Chuan Leekpai)에게 넘어갔다.

추언이 측근들에 의한 부패혐의에 연루되어 물러나게 되면서 새로운 선거가 실시되었다. 재계(財界)와 연관된 정치인들에 의해 태국 정치가 지배되면서 금권정치 현상이 두드러졌다. 정부는 1997년 금융위기에 제대로 대처하지 못함으로써 사태를 더욱 악화시켰다. 국민들의 불평과 시위는 현직 수상을 사임토록 만들었다. 뒤를 이어 들어선 연립내각은 유능하면서도 개인적으로 부패하지 않았던 전 수장 추언이 이끌었으며, 그는 태국의 경제회복을 주도했다.

이와 같은 과정 속에서 태국의 중산층은 정치적 주도세력으로 성장했다. 태국 사회는 2차 대전 이래 되돌릴 수 없는 변화를 성취해 왔지만, 다양한 문제들이 여전해 내재해 있다. 무엇보다도 지역적 불균형이 가장 큰 문제이며, 방콕이 태국 전체 국부의 절반을 생산하는 상황이 이를 대변한다. 나태한 관료들은 시민들을 단순히 보호가 필요한 수동적 대상으로 취급했다. 지방의 인구가 지속적으로 방콕에 유입되면서 도시는 마구잡이로 팽창하였고 다양한 문제들을 양산했다. 약 250,000명의 아동이 성(性)산업에 종사하고 있는 것으로 추산되기도 했다. 1997년 새로운 헌법이 채택되었음에도 불구하고 민주주의는 여

[7-9] 태국의 수상 추언(Chuan Leekpai)이 승리의 미소를 보이고 있다. 추언은 1994년 연립정부를 이끄는 수상에 올랐지만 스캔들에 연루되어 사임했다. 태국 국민들은 방콕에서 시작되어 동남아와 동아시아 전체를 휩쓴 1997년 경제위기 상황에서 그에게 다시금 정부를 맡겼다.

전히 금권정치에 의한 부정부패를 벗어나지 못했다.

그러나 태국의 정치에서 추언의 복귀보다도 더 중요한 사실은 군부의 행태적 변화였다. 이전에는 정치적 불안정 속에서 스스로 정치의 전면에 나섰던 군부가 이제는 자신들의 군영을 지킨다는 것이었다. 태국 민주주의가 올바른 괘도에 올라선 것인지는 알 수 없으나, 쿠데타가 만연하던 시대는 지나간 듯 보였다.

미얀마

1962년 군부(땃마도 Tatmadaw)는 네윈(U Ne Win) 장군의 지도력 하에 권력을 장악했다. 네윈은 한 때 아웅산(Aung San)의 동지 30명 중 한 명이었다(191페이지 참조). 정치지도자들과 저명한 언론인들이 체포되어 투옥되었다. 군부독재의 이념적 배경으로 제시된 '사회주의를 향한 미얀마의 길'은 장기적인 계획을 의미하는 것이었으며, 또한 군부의 적극적인 관여를 의미하는 것이었다. 미얀마는 식민지 이전의 '은둔 왕국' 상태로 회귀하였으며, 외부인이나 언론인 그리고 해외에 거주하고 있는 미얀마인들조차도 입국이 허용되지 않았다. 이와 같은 의도적 고립정책은 세계경제와의 단절을 가져왔다. 사적소유로 되어 있던 산업은 국유화 되거나 철저한 통제를 받게 되었으며, 정부는 주요 필수품에 대한 배분을 책임졌다. 소매와 수출입 그리고 생산과 연관된 기회들이 더 이상 인도인과 중국인들에게 남겨지지 않았다. 고통스러운 저성장과 무역량의 감소는 빈곤을 확산시켰으며, 대부분의 거래는 암시장으로 흘러 들어갔다.

농지를 소작인에게 임대하는 것은 1965년에 금지되었다. 이후 국가는 농지의 용도를 결정하고 지역단위로 생산량을 결정하였으며, 미얀마의 가장 중요한 곡식인 쌀은 통제된 가격에 수매했다. 1960년대와 1970년대에 쌀 생산량이 저조하자 미얀마의 수출 규모가 감소

[7-10] 1962년 네윈 장군의 지도력 하에 권력을 장악한 군부가 양곤에 진입하고 있다. 이때부터 시작된 군부 통치는 오늘날까지 이어지고 있다.

하였으며, 다른 분야도 심각한 결핍을 경험했다. 국경지대의 소수민족 반란군은 가장 수익성이 높은 원자재 생산지역의 일부를 자신들의 영향권 하에 두었다. 점차 대중적인 인기를 상실한 네윈은 1974년에 정부에서 물러날 것을 선언했다. 새로운 헌법에 의해 문서상으로 의회와 권력분립 제도가 수립되었지만, 실제적으로는 네윈이 여전히 배후에서 권력을 행사했다.

1980년대에 정부는 농업생산성 향상을 위하여 투자하기 시작했다. 또한 동시에 석유나 원자재 혹은 관광과 호텔 사업에 제한적으로나마 외국인들의 투자를 허용했다. 주로 싱가포르와 말레이시아의 투자자들이 관심을 가지고 반응했다. 비록 서부 아라칸(Arakan) 주에서 수천 명의 무슬림들이 방글라데시로 넘어가 난민으로 남아 있고, 다른 소수민족들이 태국과의 국경지대에 피난해 있긴 하지만, 소수민족들과의 일련의 평화협정은 갈등의 끝을 보여주는 듯 했다. 또 다른 반군인 미얀마 공산당은 1960년대 후반 중국의 문화혁명 기간 동안 그 지도자들이 대부분 제거되었다.

언론이 통제된 상황 하에서 국민들은 불만을 표출할 수 없었으며, 1988년 3월 12일 학생들이 이끄는 일련의 평화적 시위는 많은 사람들의 지지를 얻었다. 군사독재의 종식을 요구하는 학생들 이외에도 많은 불교 승려들이 군부에 의해 1980년부터 실시되고 있는 불교 교단(sangha)에 대한 중앙통제를 철회할 것을 촉구하는 시위를 벌였다. 정부와 이에 협조적인 일부 승려들이 승적을 관리하고 승려들의 대중적 활동을 제한하며 교단 내부의 문제에 간섭했다.

시위를 진압하기 위한 시도가 있은 후 7월에 네윈은 또다시 권력에서 물러났다. 시위대에 대한 군부와 경찰의 잔혹한 진압에도 불구하고 시위는 1988년 8월까지 지속되었다. 시위대에 대한 위협의 한 방

[7-11] 미얀마 정부에 대항하여 싸우는 소수민족들 중 꺼잉(Karen)족의 세력이 가장 강력하다. 사진은 아직 소년의 모습을 벗어나지 못한 어린 군인이 꺼잉족이 관할하고 있는 지역의 반군기지에서 무기를 검열 받고 있다.

[7-12] 1988년에 미얀마에서는 학생들과 승려 그리고 많은 국민들이 군부의 통치에 반대하여 시위를 벌였다. 3월에 시작하여 9월까지 이어진 이 시위는 네윈 장군의 '사임'을 낳았지만, 결국에는 군부의 강압적인 진압에 의해 진정되었다.

편으로 8월에 수천 명의 범죄자들을 고의로 감옥에서 탈출시키거나 방면시켰다. 대신에 수천 명의 정부 반대파와 야당 지지자들이 체포되어 감옥에 수감되었다. 결국 9월에 군부가 강압적으로 사태를 진정시켰다.

군부는 1988년 9월에 국가법질서회복위원회(SLORC, State Law and Order Restoration Council)를 잠정 군사정권으로 하여 권력을 승계했다. 소마웅(Saw Maung) 장군은 SLORC의 최고 지도자였으며, 킨늉(Khin Nyunt) 여단장은 여전히 막후 권력자로 인정받고 있던 네윈과 연결된 핵심적 인물이었다. 많은 젊은 청년들이 국경지역으로 숨어 들어가거나 태국으로 넘어 갔다. 이들 중 일부는 소수민족 반란군과 연계하려고 시도하기도 했지만, 밀림 생활이나 태국정부의 태도가 모두 호의적이지 않음으로 인해 그들의 목적이 성취되기 어려웠다. 군대가 소수민족 반란군에 대해 새롭고 잔인한 방법으로 공격해 오자 일부는 휴전에 동의하였고, 많은 학생들은 특별 사면을 제공한다는 제안에 따라 미얀마로 돌아왔다.

시위를 강압적으로 진정시킨 지 오래지 않아서 SLORC는 예상치 않게 군부가 이끌던 유일한 합법적 정당인 미얀마사회주의정당(Burma Socialist Programme Party)을 없애고, 의회의 해산과 더불어 다수당 제도를 도입할 것을 선언했다. '국민의회'로 칭한 이 의회의 소집을 위한 선거를 1990년에 실시하기로 약속했다.

1988년에 어머니의 임종을 지키기 위해 출국했던 아웅산의 딸인 아웅산 수찌(Aung San Suu Kyi) 여사의 귀국은 대중들의 많은 관심을 끌었다. 정치적 정당 활동이 합법화 되자 그녀는 다른 사람들과 함께 민주주의민족동맹(NLD, National League for Democracy)을 조직했다. 많은 다른 정당들도 생겨났으며, 군부는 미얀마사회주의 정당을 재건하여 국민통합당(National Unity Party)으로 재탄생시킴으로써 정치의 전면에 다시금 등장했다.

선거에서 수찌 여사가 대표로 있던 NLD가 전체 선거구의 82%를 석권했다. 그러나 이들에게 의정활동이 허락되지는 않았으며, NLD의 지도자들은 투옥되었고 수찌 여사는 가택에 연금되었다. 1988년 시위대에 대한 강압적 진압이 있은 후 미국과 일본 그리고 유럽의 국가들은 미얀마에 대한 모든 원조를 끊고 무역거래를 단절시켰다. 이와 같은 외부적 압력에 굴복하여 SLORC는 민주주의를 수용한다는 것을 보여주기 위해 선거를 이용했던 것이다.

SLORC는 의회가 열리기 이전에 새로운 헌법을 제정하기 위한 국민대표자회의가 개최되어야 한다고 선언했다. 1995년에 NLD의 대표자 86명이 국민대표자회의에서 쫓겨나기 이전에도 정당들은 이 기구에서 소수자에 불과했었다. 비록 외국으로부터의 많은 탄원으로 인해 수찌 여사의 가택연금 상태는 개선되었지만 다른 민주적 지도자들은 감옥에서 쇠약해지고 일부는 죽음을 맞이하기도 했으며, 군부는 여전히 반민주적인 정권을 이어갔다. SLORC는 국가평화발전위원회(SPDC, State Peace and Development Council)로 이름을 바꾸었지만, 군부의 지배적 행태에는 별 변화가 없었으며 네윈의 강력한 영향력도 여전했다. 또한 국가의 명칭도 '미얀마'의 미얀마어식 발음인 미얀마로 개명했으며, 수도 양곤(Yangon)의 철자도 랭군(Rangoon)으로 변경했다.

[7-13] 미얀마의 국가적 영웅 아웅산의 딸 아웅산 수찌(Aung San Suu Kyi) 여사는 미얀마 민주적 야권의 상징적 인물이 되었다. 그녀가 이끌던 민주주의민족동맹(NLD)은 1990년 선거에서 압도적인 승리를 거두었지만 의회는 개회되지 않았고, 그 후 그녀는 가택연금 상태에 들어갔다.

한편 군부 지도자들은 정치적 행태의 변화 없이 외국 자본을 유치하기 위해 노력했다. 그러나 서구 국가들은 정치적인 변화가 없는 한 투자를 금지시켰고, 세계은행도 1988년 이래 미얀마에 대한 차관을 거절했다. 1997년 아세안(ASEAN)은 소위 '건설적 관여'라는 명분을 내세워 미얀마를 회원국으로 받아들임으로써 난국을 타개하려고 했다. 이 결정은 아세안과 서구 국가들 간의 관계를 불편하게 만들기도 했다. 서구의 국가들은 미얀마의 내부 정치에 어떠한 가시적 효과를 가져 오지는 못했지만 여전히 미얀마의 군사정권을 국제적으로 고립시키기를 원했다.

베트남

1960년대와 1970년대에 대부분의 동남아 국가들에게 상당한 영향을 미쳤던 경제자유화가 결국 1980년대에 베트남에 밀려왔다. 1975년 직후의 몇 해는 전쟁과 파괴의 상흔으로 인해 지극히 어려운 시기였다. 한편 남부 베트남의 자본주의적 산업과 농업에 대한 공산주의의 도입은 경제 자체를 붕괴시켰다. 친미 정권에 협력했던 것으로 지목된 사람들은 체포되었으며, 수십만 명의 사람들이 베트남을 떠나 난민이 되었다. 1978년 말에 베트남은 캄보디아를 침략하여 크메르 루즈의 공포정치를 종속시켰지만, 이 일은 중국으로 하여금 북부 국경지대에서 전쟁을 일으키게 만들었다. 중국은 베트남군을 분산시킴으로써 크메르루즈를 돕고자 했던 것으로 보였다. 중국과의 불화와 함께 북부에서 소규모 개인 기업들에 대한 강력한 규제 때문에 약 700,000명에 달하는 중국인들이 1978년과 1982년 사이에 베트남을 떠났다. 그 중 약 200,000명은 북부지역에 살던 중국인들이었다. 베트남은 거의 전적으로 소련으로부터의 원조와 수입에 의존했으며, 수천 명의 베트남 노동자들이 동유럽 국가들에 파견되었다. 1988년에는 북부의 일부 지역에서는 기근이 심각했는데, 이는 관료들의 서투른 조치로 인해 더욱 악화된 것이었다.

경제적 어려움이 점증하자 1986년 제6차 베트남노동당대회에서 농업을 강조하고 경제의 다른 분야에 일부 자유를 부여하는 소위 도이모이(doi moi) 정책을 결정했다. 베트남은 수출 지향적 생산을 실험하고, 관광객과 외국 방문객들을 유치하는 일에 적극적으로 나섰다. 그러나 외국인 투자는 오직 제한된 범위 내에서만 환영받았다.

급속한 시장의 성장은 사회적 불평등을 야기했다. 가난은 여전히 지속되었으며, 특히 농촌지역과 소수민족들이 대다수인 산악지역의

[7-14] 초라한 배급에 의존하던 시기를 지나 베트남 사람들은 1990년대에 보다 풍족한 식사를 할 수 있게 되었다. 수확한 곡식을 실어 나르는 황소의 모습은 식량난의 종식을 상징적으로 보여준다.

[7-15] 경제자유화를 의미하는 도이모이 정책은 일부 외국 투자자들에게 베트남에 투자할 수 있는 기회를 열어 주었다. 사진은 호치민 시에 있는 한 공장에서 직원들이 자동차를 조립하고 있는 모습이다.

사람들에게 심각했다. 도이모이 정책 하에서 사회주의 경제의 일부 개방은 베트남노동당의 정치적 권력이 약화되는 것을 의미하지는 않았다. 소련과는 달리 베트남의 경제 개방은 정치적 자유화를 수반하지 않았다. 반대로 국가 지도자들은 맑스-레닌주의에 입각하여 당이 정부와 경제를 통제한다는 것을 거듭 강조했다. 1940년대 이래 호치민과 함께 싸웠던 연로한 지도자들이 국가와 당의 요직에서 물러나고 새로운 세대가 그 자리에 들어섰다. 중국과의 관계는 개선되었으며, 북부에서는 활발한 국경무역이 이루어지고 있다. 1995년 베트남의 아세안(ASEAN) 가입에 이어 미국과의 외교적 교류의 시작은 베트남이 조심스럽게 국제사회에 나서고 있음을 보여주는 중요한 순간으로 간주된다.

캄보디아와 라오스

캄프치아공산당으로 알려진 크메르루즈는 1975년 4월부터 1978년 12월까지 캄보디아에 사회주의 혁명을 실시했다. 이 혁명은 사회의 모든 제도와 조직에게 영향을 끼쳤으며 최소한 50만 명(일부에서는 훨씬 많은 수로 추정하기도 함)의 캄보디아 사람들을 죽음으로 몰아갔다. 프랑스 파리에서 공부하면서 마르크시즘과 마오이즘을 깊숙이 받아들였던 뽈뽓(Pol Pot, 1928-98. 본명은 Saloth Sar이며 뽈뽓이라는 익명으로 불렸다)의 지도하에 크메르루즈는 캄보디아를 외부세계와 단절시키고 급진적인 사회개조 사업을 실시했다. 캄보디아를 민주캄푸치아로 국명을 바꾸고 왕실을 철폐하였으며, 학교와 수도원의 문을 닫고, 도시의 인구들은 모두 농촌으로 이주시켜 거대한 집단농장에서 노동하도록 했다. 가족들은 해체되었으며 지식인들은 집단적으로 학살 되었다. 끔찍한 감금과 고문 그리고 죽음의 유물들이 프놈펜에 있는 뚜올슬렝(Tuol Sleng) 감옥에 아직도 남아 있다.

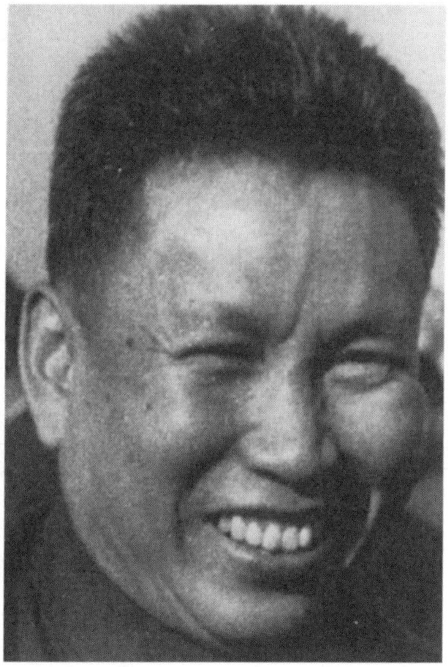

[7-16] 사진은 전대미문의 캄보디아 공포정치에 책임이 있는 크메르루즈의 지도자인 뽈뽓(Pol Pot)이다. 그는 권력에서 쫓겨난 후에도 투쟁을 계속하다가 1998년 캄보디아의 밀림에서 자신의 뜻을 굽히지 않은 채 사망했다.

국경분쟁과 점증하는 크메르루즈의 외국인 혐오증, 그리고 베트남에 우호적인 크메르 공산주의자들에 대한 숙청 등에 자극받은 베트남은 1978년 12월 캄보디아를 침략하여 신속히 국가 전체를 통제했다. 베트남은 훈센(Hun Sen)을 캄푸치아인민공화국의 수상으로 임명하였으며, 크메르 국민들에게 공포와 혼란으로부터 평화와 회복의 시간을 약속했다. 대부분의 외국인들이나 해외로 도피한 베트남 사람들에게 이 사건은 캄보디아가 베트남의 식민지가 된 것을 의미했다. 서구의 국가들과 유엔은 캄푸치아인민공화국을 외교적으로 인정하지 않았고, 크메르루즈의 대표가 유엔에서 캄보디아를 대변했다. 새로운 정권은 크메르루즈의 활동을 완전히 일소하지 못했으며, 크

[7-17] 이 소름끼치는 추도비는 1975년부터 1978년 사이에 캄보디아에서 크메르루즈의 테러로 희생된 수십만 명, 혹은 수백만 명을 기리는 것이다.

메르루즈는 태국과의 국경지대에 있는 농촌 지역에 여전히 근거지를 유지했다. 한편 베트남 침범 후 북경과 북한을 떠돌던 과거 국가통치자 시하눅(Sihanouk) 왕자를 중심으로 친왕실 세력이 결집했다. 세 개의 무장그룹이 이 황폐화된 작은 나라에서 권력을 놓고 서로 경쟁하게 되었다.

결국 유엔의 중재로 세 경쟁 그룹은 1991년 파리에 모여 평화를 가져오기 위한 협상을 진행했다. 1993년에 선거를 실시하여 연립정부를 구성하였으며, 캄보디아국민당(Cambodian People's Party)의 훈센과 친왕실 세력인 푼신펙(Funcinpec) 파벌을 대표하여 시하눅의 아들인 라나릿(Ranariddh) 왕자가 공동수상 직위에 올랐다. 크메르루즈는 선거에서 철저히 패배하자 선거결과에 승복하지 않고 간헐적인 투쟁을 지속했다. 1997년에는 두 공동수상의 지지자들 간에 분쟁이 발생하였고, 그해 6월 훈센은 쿠데타를 일으켜 라나릿으로 하여금 망명을 떠나게 했다. 협상을 통해 준비된 1998년 선거는 한 명의 수상을 선출하기 위한 것이었다. 훈센은 자신의 승리를 확실히 하기 위하여 반대파들에 대한 협박과 암살을 단행하였고, 라나릿은 선거일에 임박해서야 캠페인을 위해 귀국했다. 비록 여러 사람들이 선거결과에 대해 의문을 표명했지만 훈센은 이를 통해 유일한 수상이 되었다. 밀림에서의 오랜 투쟁 과정에서 뽈뽓 자신은 말라리아와 다른 질병을 얻었고 선거가 실시되기 얼마 전에 사망했다.

훈센의 쿠데타는 아세안 회원국들로 하여금 캄보디아의 아세안 가입을 1999년까지 미루도록 하였다. 한편 라오인민공화국(Lao People's Democratic Republic)은 1997년에 미얀마와 함께 아세안의 정회원이 되었다. 비록 라오스에서 라오인민혁명당(Lao People's Revolutionary Party)라고 부르는 공산당이 정치적 권한을 독점하고 있지만, 이 작은 나라는 이미 국제적인 개방의 물결을 타고 있었다. 국제적인 원조와 투자가 이어졌을 뿐만 아니라 많은 관광객들이 라오스를 방문했다. 1990년부터 1996년까지 라오스를 방문한 외국인들은 14,000명에서 403,000명으로 급증하였으며, 이들 중 태국인의 수가 서구인들의 수를 월등히 초과했다.

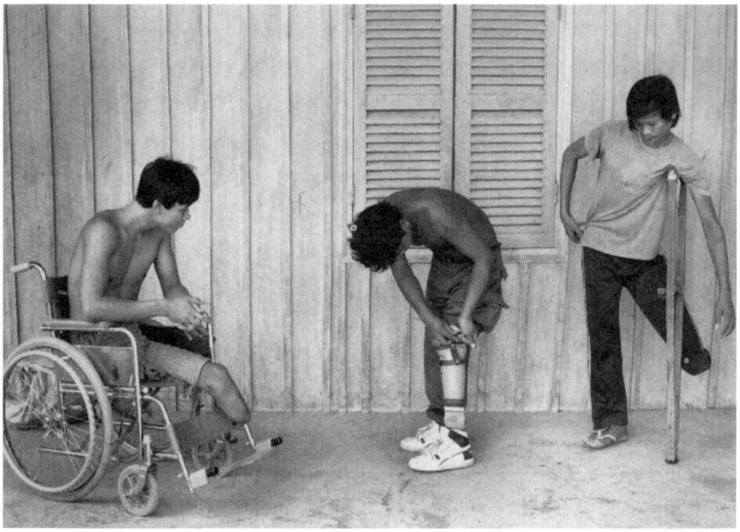

[7-18] 캄보디아인들은 테러와 전쟁의 상흔을 간직한 채 살아가고 있다. 크메르루즈와 다른 파벌 간의 싸움으로 인해 국토의 많은 부분에 수많은 지뢰가 매설되었다. 사진 속의 젊은이들은 지뢰의 폭발로 다리들을 잃었다. 비록 이들에게 인공다리를 제공하는 자선단체들이 존재하지만 많은 희생자들은 너무나 가난하여 하루하루의 생계를 잇기가 어려운 상태이며, 이는 그들의 신체적 성장을 저해하기도 했다.

아세안(동남아시아국가연합)

인도네시아, 말레이시아, 필리핀, 싱가포르, 태국 등 5개국이 1967년에 아세안(ASEAN, Association of Southeast Asian Nations)을 창설했다. 아세안의 창설 의도는 특별히 1963-66년 인도네시아에 의한 말레이시아와 싱가포르에 대한 적대행위가 지속되자(224페이지 참조) 잦은 협의를 통해 지역의 긴장을 완화시키고자 함이었다. 그러나 이 느슨한 연합체는 곧 그 역할을 확대하였고 새로운 회원들도 받아들였다. 1975-78년 인도차이나로부터 수십만 명의 난민이 태국, 말레이시아, 그리고 인도네시아로 유입되었을 때, 아세안은 서구의 국가들에게 압력을 가해 일시적으로 수용하고 있는 난민들을 받아들이도록 했다. 아세안은 일본과 미국 그리고 중국과 유럽연합 같은 무역과 정치 상대국들과의 협상에서 공동의 이익을 대변하면서 회원국 간에는 보다 자유로운 무역과 여행을 가능케 하는 방향으로 나아갔다.

브루나이는 1984년 독립과 함께 아세안의 6번째 회원국이 되었다. 1990년대에 아세안은 실질적으로 지역을 대표하기 위하여 회원국을 확대하기로 결정하고 베트남에 이어 미얀마와 라오스, 그리고 마지막으로 캄보디아를 회원국으로 받아들였다.

비록 협력과 협의의 전통을 이어가면서도 아세안은 1997-98년 경제위기 시에는 침묵으로 일관함으로써 경제적 어려움을 극복하는 데는 효과적이지 못한 모습을 보였다. 1998년 아세안 회의에서는 1980년대와 1990년대 민주화된 일부 회원국들이 다른 국가의 내정에 간섭하지 않는다는 아세안의 불문율을 깨고 아세안 회원국들의 인권문제를 공개적으로 논의하기 시작하면서 새로운 국면의 시작을 알렸다. 게다가 창립 5개국과는 달리 새로운 회원국들은 '호랑이 경제'는 고사하고, 세계의 최빈국에 속하는 국가들이었다. 아세안은 새로운 회원들의 영입을 통해 보다 많은 동남아 국가들을 대변하지만 회원국들의 평균 일인당 소득은 크게 감소했다. 아세안의 확장은 결국 이전에 상호 존중하면서 결단력이 부족했던 기구의 내부적 긴장을 고조시킬 수도 있을 것이다.

환경

동남아는 환경보전에 관한 많은 도전에 직면하고 있다. 특히 도시교통 체증으로 인한 공해, 제대로 처리되지 않은 인간과 산업 폐기물, 깨끗한 물의 수급, 에너지 보전, 농업과 산업에 사용되는 위험스러운 화학물질, 그리고 그 무엇보다도 중요한 열대밀림의 보전 등의 문제들이다. 지금까지 정부들은 이러한 문제들에 대해 제한적인 대책만을 보여주고 있으며, 이러한 문제들은 지속해서 증가하고 있다. 동남아의 자연적 풍요로움과 풍족한 식물은 수 세기 동안 끊임없이 사람들의 필요를 충족시켜 왔다. 그러나 인구의 증가는 자원을 고갈시키고 생태계를 위협하며 사람들의 태도 또한 점진적으로 변화시켰다.

지난 수십 년 간 이 지역의 밀림에 대한 파괴는 엄청난 규모였으며, 회복이 불가능한 상태이다. 1930년대에 태국 국토의 3/4 가량이 밀림지대였지만, 1985년에는 그것이 1/3로 감소했다. SLORC는 현금수익을 올리기 위하여 태국의 투자자들에게 미얀마의 밀림을 개발하도록 허가했다. 유사한 사례가 캄보디아에서도 발견되며, 크메르루즈는 훈센과의 투쟁을 지속하면서 필요한 무기와 물자를 구입하기 위해 천연자원을 거래했다.

자바의 밀림은 식민지 시절에 이미 사라졌다. 거대한 티크나무들은 네덜란드 동인도회사(VOC)의 선박을 건조하거나 부유한 도시민들의 집을 짓기 위해 벌목되었다. 한편 농부들은 자신들의 필요를 위

[7-19] 어린 소년들이 도시 폐기물들 사이로 배를 저어 가고 있다. 동남아의 대도시들은 엄청난 쓰레기와 산업 폐기물들을 배출하고 있으며, 아주 극소량만이 적절한 방식으로 처리되고 있다.

하여 나무를 자르고, 또한 농지로 사용하기 위하여 밀림을 개간했다. 수마트라와 칼리만탄에 있는 밀림의 훼손은 1966년 이래 수하르또에 의해 추진된 개발사업 때문이기도 했다. 결코 대체될 수 없는 엄청난 크기의 나무들이 단순한 합판을 만들기 위하여 벌목되었으며, 새로운 식목사업은 필요한 양만큼 이루어지지 않았다. 대신에 밀림개발은 정책적으로 혹은 자진해서 사람들이 정착할 수 있는 길을 열었고, 이들은 곧 농사를 짓기 시작하면서 밀림의 회복은 불가능하게 되었다. 그 결과 한 때는 깨끗한 물이 흐르던 강물이 흙탕물이 되었고, 홍수도 빈번하게 일어날 뿐만 아니라 밀림의 화재로 인한 스모그 현상이 거듭해서 나타났다. 1997년에 널리 알려진 자극성 스모그 현상도 처음 일어난 일이 아니었다.

더구나 최근 경험하고 있는 극단적인 건기와 같은 기후변화가 밀림의 파괴로 인한 것이라는 시각도 있다. 기후와 생태적인 영향뿐만 아니라 밀림의 파괴는 밀림에서 살면서 밀림으로부터 삶에 필요한 것들을 얻으며 살아가고 있는 소수민족의 삶을 직접적으로 위협하고 있다. 이는 또한 희귀한 식물이나 동물과 같은 소중한 자원들을 파괴한다.

싱가포르는 도시에 유입되는 차량의 숫자를 제한하고, 자동차의 가격을 일반 시민이 감당하기 어려울 정도로 높게 유지함으로써 교통난과 공해문제에 대처하고 있다. 또한 현대적인 지하철 등 공공교통 체계 또한 제공하고 있다. 싱가포르는 제한된 인구 때문에 산하제한이나 에너지 소비 혹은 수자원 이용과 같은 문제들에 대한 정책들을 별다른 이해관계의 충돌 없이 효과적으로 실시할 수 있었다. 이와 같은 싱가포르의 정책은 일본의 농업과 임업 정책에서 모방한 것으로 다른 동남아 국가들에서도 동일한 효과를 발휘할 것으로 보이지는 않는다.

동남아 바다 또한 외국인의 산업적 조업과 파괴적인 방법을 동원한 지역민의 과도한 조업은 해양자원의 고갈을 낳고 있다. 해양오염 문제로 인해 일부지역에서는 어획량이 급속히 감소했거나 잡은 물고기를 식용으로 사용할 수 없는 경우도 발생했다.

동남아의 일부 중산층들은 그들의 관심을 단순히 텔레비전이나 가라오케 혹은 핸드폰에 국한하지 않는다. 인도네시아, 태국, 그리고

[7-20] 말레이시아 사람들이 1997년에 발생한 심각한 스모그 현상을 피하기 위해 마스크를 착용하고 있다. 당시 동남아의 많은 지역이 회색의 매캐한 연기로 뒤덮였다. 건기에 불을 놓아 밀림을 청소하는 방식으로 보르네오섬의 인도네시아와 말레이시아 지역에서 걷잡을 수 없을 정도의 큰 불로 번진 것이 원인이었다.

필리핀과 같은 국가들의 중산층은 보다 민주적이고 책임성 있는 정부를 요구하고 있으며, 다른 국가들은 인권을 보호하고 억압받는 사람들을 돕거나 환경을 보호하기 위하여 비정부기구를 만들어 활동하고 있다. 정치적 리더들이 진정성 있게 이와 같은 문제들을 다룰 수 없다고 보는 시각을 가진 사람들에게 이러한 비정부기구의 활동들은 미약하기는 하지만 한줄기 희망으로 비추어진다. 경제성장 시기에는 긍정적으로 전망했던 것들이 경제상황이 어려워지면서 부정적으로 변하기도 한다. 동남아의 일부 국가들은 경제위기에서 점진적으로 회복되고 있는 반면, 인도네시아와 같은 국가는 전망이 다소 불확실하다. 환경운동가나 인권운동가 그룹들이 어느 정도 효율적으로 국가의 정책과 국민들의 선택에 영향을 미칠 수 있는지는 좀 더 지켜볼 일이다.

용어

까삐딴–특히 중국인 같은 소수종족집단의 지도자
까움뚜아–'구세대', 특별히 이슬람과 관계된 전통주의자
까움무다–'신세대', 특별히 이슬람과 관계된 근대주의자
끄리스–전형적인 물결 모양의 날을 지닌 말레이 혹은 인도네시아의 검
끼아이–특히 자바의 이슬람 학자의 지위
나가–독사
느가라–도시, 특히 왕도나 국가의 의미에서 사용함
다르마–특히 불교의 법
닥와–설교의 의미로 이슬람 신앙의 부흥운동
데와라자–문자적으로는 '신왕' 또는 '신 중의 왕'으로 초기 동남아 지배자의 지위를 뜻함
도–'방법'; 도교의 원리
딴뜨라–득도를 하기 위해 내밀한 지혜를 사용하는 밀교적 불교의 경전(經典)
라뚜아딜–'의로운 왕', 자바와 인도네시아의 전통에 등장하는 구세주
레포르마씨–확대 민주주의와 인권 존중에 사용되는 인도네시아어 및 말레이어로 '개혁'을 의미함
로무샤–제2차 세계대전 동안 일본의 점령지에서 일본인이 소집한 노동집단의 일원
링가–남성의 성기를 의미하며, 특히 시바 신을 지칭하는 남성의 힘의 상징
마흐디–재림할 예언자로, 이슬람 전통에서는 구세주
만다라–중앙에 영적 에너지를 집중시키는 기하학적 문양으로, 지배세력의 중앙부와 많은 종속적인 정체(政體)의 주변부와의 정치적 배열에도 사용됨
미륵불–새로운 천 년간의 시대를 알리기 위한 탄생한 붓다
병음–북경어의 전사를 위해 사용되는 표준 발음표기
보살–대승불교의 개념으로, 득도하였지만 열반에 들지 않고 중생들을 구제하여 득도에 이르도록 도우는 존재
쁘랑사빌–지하드(성전)를 의미하는 인도네시아어 및 말레이어
쁘산뜨렌–특히 자바의 촌락에 소재하는 전통 이슬람 학교로 근대화된 곳이 많음
상가–승려의 엽합체
스뚜빠–일반적으로 벨 모양의 불교사원
아스라마–기숙사 학교
오랑라웃–문자적으로는 '바다의 사람'으로 말레이반도와 인도네시아 군도의 선상 거주 민족이며 때로는 '해상민족'으로도 불림
요니–여성의 성기
울라마–이슬람 학자
왓–사원
와양–문자적으로는 '그림자'의 의미로, 특히 자바에서 성행하는 그림자극(와양꿀릿)을 지칭하며, 그림자극에서 파생된 인형극과 무용극에도 사용됨
지하드–이슬람 성전(聖戰)
짜끄라와르띤–'우주의 바퀴를 돌리는 자', 동남아 지배자의 지위를 의미함
짠디–사원

간추린 참고문헌

쉽게 찾아볼 수 있는 문헌과 기본 역사서를 중심으로 하였다. 각 장에 언급된 문헌들은 그 이후의 시대에도 참고할 만한 가치가 있을 수도 있다.

동남아 일반

Bernhard Dahm and Roderich Ptak (eds), *Sűdostasien Handbuck : Geschichte, Gesellschaft, Politik, Wirtschaft, Kultur* (Munich: C. H. Beck, 1999)

Milton Osborne, *Southeast Asia: An Introductory History* (St Leonards NSW: Allen and Unwin, 1995)

Nicholas Tarling (ed.), *The Cambridge History of Southeast Asia* (Cambridge: Cambridge University Press, 1992): Vol. Ⅰ, *From Early Times to c. 1800*; Vol. Ⅱ, *The Nineteenth and Twentieth Centuries*

O.W. Wolters, *History, Culture, and Region in Southeast Asian Perspectives* (Singapore: Institute of Southeast Asian Studies, 1982)

개별 국가의 역사

David P. Chandler, *A History of Cambodia* (Boulder: Westview Press, 1983)

Denys Lombard, *Le Carrefour javanais: essai d'histoie globale* (Paris: Éditions de l'École des Hautes Études en Sciences Sociales, 1990): Vol. 1, *Les Limites de l'occidentalisation*; Vol. 2 Les *Réseaux asiatiques*; Vol. 3. *L'Hénitage des royaumes concentriques*

M.C. Ricklefs, *A History of Modern Indonesia c. 1300 to the Present* (Bloomington: Indiana University Press, 1981)

Keith W. Taylor, *The Birth of Vietnam* (Berkeley: University of California Press, 1983)

Robert H. Taylor, *The State in Burma* (Honolulu: University of Hawaii Press and London: C. Hurst and Co., 1987)

David J. Steinberg, *The Philippines: A Singular and a Plural Place* (Boulder, CO and Oxford: Westview Press. 1994)

Martin Stuart-Fox, *A History of Laos*

(Cambridge: Cambridge University Press, 1997)
C.M. Turnbull, *A History of Singapore 1819–1975* (Kuala Lumpur: Oxford University Press, 1977)
Barbara Watson Andaya and Leonard Y. Andaya, *A History of Malaysia* (London and Basingstoke: Macmillan, 1982)
Divid K. Wyatt, *Thailand: A Short History* (New Haven: Yale University Press, 1984)

제1장
수로(水路)
초기 정착지에서 1차 해상왕국의 성립까지

A.J. Bernet Kempers, *The Kettledrums of Southeast Asia: A Bronze Age World and its Aftermath (Modern Quaternary Research in Southeast Asia,* Vol. 10, 1986–87) (Retterdam and Brookfield: A.A. Balkema, 1988)
G. Coedès, *The Indianized States of Southeast Asia,* ed. by Walter F. Vella, tr. Susan Brown Cowing (Honolulu: The University Press of Hawaii, 1968)
G.Coedès, *The Making of South East Asia* (Berkeley: University of California Press, 1969)
Arne and Eva Eggebrecht (eds), *Versuknene Kőnigreiche Indonesiens* (Mainz: von Zabern, 1995), exhibition catalogue, Roemer- und Pelizaeus Museum, Hildesheim
Kenneth Hall, *Maritime Trade and State Development in Early Southeast Asia* (Honolulu: University of Hawaii Press, 1985)
Charles Higham, *The Archaeology of Mainland Southeast Asia: from 10,000 BC to the Fall of Angkor* (Cambridge: Cambridge: Cambridge University Press, 1996)
R. B. Smith and W. Watson (eds), *Early South East Asia: Essays in Archacology, History and Historical Geography* (New York and Kuala Lumpur: Oxford University Press, 1979)
Paul Wheatley, *The Golden Khersonese: Studies in the Historical Geography of the Malay Peninsula before AD 1500* (Kuala Lumpur: Penerbit Universiti Malaya, 1960, repr. 1980)
O.W. Wolters, *Early Indonesian Commerce: A Study of the Origins of Srivijaya* (Ithaca: Cornell University Press, 1967)

제2장
사원과 쌀
영토기반 왕국

Michael Aung–Thwin. *Pagan: The Origins of Modern Burma* (Honolulu: University of Hawaii Press, 1985)
Madaleine Giteaum *Histoire d'Angkor* (Paris and Pondicherry: Kailash Editions, 1996)
Helen Ibbitson Jessup and Thierry Zephir (eds), *Sculpture of Angkor and Ancient Cambodia: Millennium of Glory* (New York and London: Thames & Hudson, 1997)
Ian Mabbett and David Chandler, *The Khumers* (The Peoples of South–East Asia and the Pacific) (Oxford and Cambridge MA: Blackwell Publishers, 1995)
David G. Marr and A.C. Milner (eds), *Southeast Asia in the 9th to 14th Centuries* (Singapore: Institute of Southrast Asian Studies and Canbrra: Research School of Pacific Studies, Australian Narional University, 1986)
John Miksic, Borobudur: *Golden Tales of the Buddhas* (Berkeley: Periplus Editions, 1990)
John Miksic, *Ancient History* (Indonesian Heritage Series, Vol. 1) (Singapore: Archipelage Press, Editions Didier Millet, 1996)
Paul Wheatley, *Nagara and Commandery: Origins of the Southeast Asian Urban Traditions* (Chicago: The University of Chicago Department of Geography, 1983: research paper nos 207–08, double number)

제3장
신앙의 다양성
동남아의 종교

Ahmad Ibrahim, Sharon Siddique and Yasmin Hussain (eds), *Readings on Islam in Southeast Asia* (Singapore: Institute of Southeast Asian Studies, 1985)
Charles F. Keyes, *The Golden Peninsula: Culture and Adaptation in Mainland Southeast Asia* (New York: Macmillan, 1977, Repr. Honolulu: University of Hawaii Press, 1995)
Hue Tam Ho Tai, *Millenarianism and Peasant Politics in Vietnam* (Cambridge MA and London: Harvard University Press, 1983)
S.J. Tambiah, *World Conqueror and World Renouncer: A Study of Buddhism and Polity in Thailand against a Historical Background* (Cambridge: Cambridge University Press, 1976)

제4장
교차로 역할의 동남아
중국과의 관계 및 유럽의 진출

Leonard Blussé, *Strange Company: Chinese Settlers, Mestizo Women and the Dutch in VOC Batavia* (Dordrecht: Foris Publications, 1986)
Anthony Reid (ed.), *Early Modern History* (Indonesian Heritage Series, Vol. 3) (Singapore: Archipelago Press, Editions Didier Miller, 1996)
Anthony Reid, *Southeast Asia in the Age of Commerce, 1450–1680:* vol. I, *The Lands Below the Winds* (New Haven: Yale University Press, 1988); Vol. II, *Expansion and Crisis* (New Haven: Yale University Press, 1993)
Li Tana, Nguyen Cochinchina: Southern Vietnam in the Seventeenth and Eighteenth Centuries (Ithaca NY: Cornell Southeast Asia Program, 1998)
Jean Taylor, *The Social World of Batavia: European and Eurasian in Dutch Asia* (Madison: University of Wisconsin Press, 1983)

Alexander B. Woodside, *Vietnam and the Chinese Model* (Cambridge MA: Harvard University Press, 1971)

제5장
새로운 체제와 엘리트
동남아의 식민지 지도

Michael Adas, *The Burma Delta* (Madison: University of Wisconsin Press,1974)

Benedict Anderson, *Imagined Communities: Reflections on the Origin and Spread of Nationalism* (London: Verso Editions, 1983)

Ann Booth, *The Indonesian Economy in the Nineteenth and Twentieth Centuries: A History of Missed* Opportunities) (London: Macillan Press and New York: St Martin's Press, 1998)

Pierre Brocheux, *The Mekong Delta: Ecology, Economy, and Revolution, 1860-1960* (Madison: University of Wisconsin, Center for Southeast Asian Studies, 1995)

Bernhard Dahm, *Sukarno's Struggle for Indonesian Independence,* tr. by Mary F. Somers Heidhues (Ithaca, New York: Cornell University Press, 1969)

R.E. Elson, *The End of the Peasantry in Southeast Asia: A Social and Economic History of Peasant Livrlihood, 1800-1990s* (Houndmillsm Basingstoke, Hampshire and London: Macmillan Press, 1997)

Ruth T. McVey, *The Roce of Indonesian Communism* (Ithaca: Cornell University Press, 1965)

David G. Marr, *Vietnamese Anticolonialism 1885-1925* (Berkeley: University of California Press, 1971)

David G. Marr, *Vietnamese Tradition on Trial, 1920-1945* (Berkeley: University of California Press, 1981)

James C. Scott, *The Moral Economy of the Peasant: Rebellion and Subsistence in Southeast Asia* (New Haven: Yale University Pressm 1976)

Takashi Shiraishi, *An Age in Motion: Popilar Radicalism in Java, 1912-1926* (Ithaca: Cornell University Press, 1990)

제6장
폭력과 변혁
점령, 독립, 냉전

Robert Cribb and Colin Brown, *Mordern Indonesia: A History Since 1945* (London and New York: Longman, 1995)

Harold Crouch, T*he Amy and Politics in Indonesia(Politics and International Relations of Southeast Asia,* gen. ed. George McT. Kahin) (Ithaca: Cornell University Press, 1996)

William J. Duiker, *The Communist Road to Power in Vietnam* (Boulder CO: Westview Press, 1996)

Herbert Feith, *The Decline of Constitutional Democracy in Indonesia* (Ithaca: Cornell University Press, 1962)

George McT. Kahin, Nationalism and Revolution in Indonesia (Ithaca: Cornell University Press, 1952)

Ben Kiernan, *The Pol Pot Regime: Race, Power, and Genocide in Cambodia under the Khmer Rouge,* 1975-1979(New Haven: Yale University Press, 1996)

Paul Kratoska, *The Japanese Occupation of Malaya 1941-1945* (London: C. Hurst and Honolulu: University of Hawaii Press, 1997)

David G. Marr, *Vietnam 1945: The Quest for Power* (Berkeley: University of California Press, 1995)

Anthony J.S. Reid, *The Indonesian National Revolution 1945-1950* (Hawthorn Victoria: Longman Australia, 1974)

William S. Turley, *The Second Indochina War: A Short Political and Military History 1954-1975* (Boulder CO: West View Press, 1986)

Alexander B. Woodside, Community and Revolution in Modern Vietnam (Boston: Houghtion Mifflin, 1976)

제7장
제7장 발전과 민주주의
현대 동남아시아

John Girling, *Interpreting Development: Capitalism, Democracy, and the Middle Class In Thailand* (Studies on Southeast Asia) (Ithaca: Southeast Asia Program, Cornell University, 1996)

Kevin Hewison, Richard Robison and Garry Rodan (eds), *Southeast Asia in the 1990s: Authoritarianism, Democracy and Capitalism* (St Leonards NSW: Allen and Unwin, 1993)

James V. Jesudason, *Ethnicity and the Economy: The State, Chinese Business, and Multinationals in Malaysia* (Singapore: Oxford University Press, 1989)

Benedict J. Kerkvliet and Resil B. Mojares (eds), *From Marcos to Aquino: Local Perspectives on Political Transition in the Philippines* (Honolulu: University of Hawaii Press and Manila: Ateneo de Manila University Press, 1991)

Anek Lanthamatas (ed), *Democratization in Southeast and Asia* (Singapore: Institute of Southeast Asian Studies and Bangkok: Silkworm Books, 1997)

R.S. Milne and Diane Mauzy, *Malaysian Politics under Mahathir* (London: Routledge, 1995)

Gareth Porter, Vietnam: *The Politics of Bureaucratic Socialism* (Ithaca: Cornell University Press, 1993)

Douglas E. Ramage, *Politics in Indinesia: Tolerance* (London: Routledge, 1995)

Richard Robison, *Indonesia: The Rise of Capital* (Sydney: Allen and Unwin, 1986)

Adam Schwarz, *A Nation in Waiting: Indonesia in the 1990s* (St Leonards NSW: Allen and Unwin, 1994

David Wurfel, *Filipino Politics: Development and Decay* (Quezon City: Ateneo de Manila University Press, 1991)

삽화와 텍스트 출처

a = 위쪽, b = 아래쪽,
l = 왼쪽, r = 오른쪽, c = 중앙

삽화의 출처

AKG London : 31, 69, 84, 201; Koninklijk Instituut voor de Tropen, Amsterdam: 33, 49, 55, 77, 78, 162, 171; Rijksinstituut voor Oorlogsdocumentie, Amsterdam: 172; Ancient Art & Architecture Collection: 74(a), 125; Associated Press: 217, 218; Collection of Prince Chalernbol Yugala, Bangkok: 60; Berneo Co.: 166(a), 166(b); Camera Press: 65, 73(r), 103, 104(r) 105(l), 112, 117, 121, 167, 203(r), 213(cl), 229, 231, 236, 238, 240, 241(l), 241(r), 242, 245, 248, 250, 253, 254, 256, 257, 258, 259(a), 260, 261, 265; Douglas Dickens: 70, 168(a), 168(b); e.t. archive: Jack Garafolo: 33(b); National Museum, Hanoi: 31(a); Hulton Getty: 82: 90, 105(r), 126, 144, 154, 169, 180(b), 183, 184, 190, 192, 203(l), 204, 209, 213(a), 213(cr), 213(b), 220, 221(a); Indopix: 47, 73(l), 116; Institut Kern, Leiden: 35; John Miksic: 79; Musée de l' Homme, Paris: 57, 137; National Museum of Phnom Penh; 61; Josephine Powell: 62, 70(b), 88; Roger-Viollet: 152(a), 152(b); Topham Picturepoint: 37, 59, 104(l), 107, 180(a), 193, 196, 216, 221(b), 222, 224, 246, 264; British Library, London: 101, 159; British Museum, London: 140; Malaya House, London: 226; Asian Art Museum of San Francisco. The Avery Brundage Collection: 2; Tara Sosrowardoyo, *Indonesian Art: Treasures of the National Museum*, Editions Didier Millet: 43, 44, 74(b); Loke Wan: 63(a); Werner Forman Archive: 29, 48(a), 63(b), 95, 113, 128.

지도는 Renuka Madan에서 제시된 문헌의 것을 제작한 것이다: p. 27 after John Miksic ed., *Ancient History* (Indonesian Heritage Series Vol. 1) (Singapore: Archipelago Press, Editions Dider Millet, 1996) p. 36; p. 68 after Claire Holt, Art in *Indonesia: Continuities and change* (Ithaca: Cornell University Press, 1966) p. 41; pp. 80-81 after Jan M. Pluvier, *Historical Atlas of Southeast Asia* (Leidem, New York, Cologne: E.J. Brill, 1995) pp. 14-15; p. 111 after Denys Lombard, Le *Carrefour javanais: essai d' histoire globale* (Paris: Éditions de l'École des Hautes Études en Sciences Sociales, 1990) vol. 3, *L' Héritage des royaumes concentriques* p. 10; p. 133 after Lé Thành Khôi, *Histoire du Viêt nam des origines à 1858* (Paris: sudestasie, 1992) p. 315; p. 202(l) King C. Chen, *Vietnam and China, 1938-1954* (Princeton: University Press, 1969) p. 298.

인용문의 출처

The Chinese traveller I Ching, cited in G. Coedès, *The Indianized states of Southeast Asia,* tr. by Susan Brown Cowing (Honolulu: The University Press of Hawaii, 1968) p. 81 (41 페이지에 인용); Telaga Batu inscription, cited in John Miksic (ed.), *Ancient History* (Indonesian Heritage Series Vol. 1) (Singapore: Archipelago Press, Editions Didier Millet, 1996), p. 53 (43 페이지에 인용); Ma Than-lin, cited in Ian Mabbett and David Chandler, *The Khmers* (Oxford: Blackwell, 1995) p. 85 (55 페이지에 인용); the procession of Hayam Wuruk described by Mpu Prapanca in the *Desawarnana (Nagarakrtagama)*, tr. Stuart Robson (Leiden: KITLV Press, 1995), pp. 38-39 (56 페이지에 인용); a nineteenth-century impression of Angkor Wat, from *Le Tour de Monde* 2[1863], p. 299, cited in Jean-Francois Jarrige's Introduction to *Sculpture of Angkor and Ancient Cambodia: Millennium of Glory*, ed. by Helen Ibbitson Jessup and Thierry Zephir (London: Thames & Hudson 1997), p. xix (quoted piety of Jayavarman VII, cited in David P. Chandler, *A History of Cambodia* (Boulder, Colorado: Westview Press, 1983) p. 61 (64 페이지에 인용); folksong, cited in Li Tana, *Nguyen Cochinchina: Southern Vietnam in the Seventeenth and Eighteenth Centuries* (Ithaca: Cornell University Southeast Asia Program, 1998), p. 14 (133 페이지에 인용); Idrus, *Fuijnkai, in Two Stories of the Japanese Occupation,* tr. by Mrs S.U. Nababan, Indonesia 2, 1966, pp. 125-29 (198 페이지에 인용).

찾아보기

ㅅ

ㅇ

ㅎ